edition suhrkamp

Redaktion: Günther Busch

Bertolt Brecht, geboren am 10. Februar 1898 in Augsburg, starb am 14. August 1956 in Berlin.

Diese Ausgabe ergänzt den ersten *Baal*-Band der *edition suhrkamp* (es 170), in dem die erste (1918), die zweite (1919) und die vierte Fassung (1926) des Stücks kritisch herausgegeben sind. Im vorliegenden Band wird die fünfte, letzte Fassung (1955) des *Baal* abgedruckt; zudem sind alle Vorformen und Entwürfe, das Fragment *Der böse Baal der asoziale* und die Äußerungen Brechts zum Stück ediert. Einen Hauptteil bildet der kritische Apparat mit einer Darstellung der Textgeschichte, auch der dritten Fassung (1922), und Erläuterungen zu den einzelnen Texten. In einem dokumentarischen Teil sind Angaben zu den Inszenierungen des *Baal* und Berichte über die Aufführungen von 1923 bis 1967 zusammengestellt.

Bertolt Brecht

Baal. Der böse Baal der asoziale
Texte, Varianten, Materialien

Kritisch ediert und kommentiert von Dieter Schmidt

Suhrkamp Verlag

edition suhrkamp 248
Erste Auflage 1968

Satz, in Linotype Garamond, Druck: Nomos Verlagsgesellschaft, Baden-Baden, Gesamtausstattung Willy Fleckhaus.

8 9 10 11 12 – 97 96

Inhalt

A.
Baal

Letzte Fassung, 1955

›Baal‹ *Caspar Neher*

Bertolt Brecht
Baal

Meinem Freund George Pfanzelt

Personen:

Baal, Lyriker
Mech, Großkaufmann und Verleger
Emilie, seine Frau
Dr. Piller, Kritiker
Johannes Schmidt
Pschierer, Direktor des Wasserfiskus
Ein junger Herr
Eine junge Dame
Johanna
Ekart
Luise, Kellnerin
Die beiden Schwestern
Die Hausfrau
Sophie Barger
Der Strolch
Lupu
Mjurk
Die Soubrette
Ein Klavierspieler
Der Pfarrer
Bolleboll
Gougou
Der alte Bettler
Maja, das Bettelweib
Das junge Weib
Watzmann
Eine Kellnerin
Zwei Landjäger
Fuhrleute
Bauern
Holzfäller
usw.

Der Choral vom großen Baal

Als im weißen Mutterschoße aufwuchs Baal
War der Himmel schon so groß und still und fahl
Jung und nackt und ungeheuer wundersam
Wie ihn Baal dann liebte, als Baal kam.

Und der Himmel blieb in Lust und Kummer da
Auch wenn Baal schlief, selig war und ihn nicht sah:
Nachts er violett und trunken Baal
Baal früh fromm, er aprikosenfahl.

Und durch Schnapsbudike, Dom, Spital
Trottet Baal mit Gleichmut und gewöhnt sich's ab.
Mag Baal müd sein, Kinder, nie sinkt Baal:
Baal nimmt seinen Himmel mit hinab.

In der Sünder schamvollem Gewimmel
Lag Baal nackt und wälzte sich voll Ruh:
Nur der Himmel, aber i m m e r Himmel
Deckte mächtig seine Blöße zu.

Und das große Weib Welt, das sich lachend gibt
Dem, der sich zermalmen läßt von ihren Knien
Gab ihm einige Ekstase, die er liebt
Aber Baal starb nicht: er sah nur hin.

Und wenn Baal nur Leichen um sich sah
War die Wollust immer doppelt groß.
Man hat Platz, sagt Baal, es sind nicht viele da.
Man hat Platz, sagt Baal, in dieses Weibes Schoß.

Ob es Gott gibt oder keinen Gott
Kann, so lang es Baal gibt, Baal gleich sein.
Aber das ist Baal zu ernst zum Spott:
Ob es Wein gibt oder keinen Wein.

Gibt ein Weib, sagt Baal, euch alles her
Laßt es fahren, denn sie hat nicht mehr!

Fürchtet Männer nicht beim Weib, die sind egal:
Aber Kinder fürchtet sogar Baal.

Alle Laster sind zu etwas gut
Nur der Mann nicht, sagt Baal, der sie tut.
Laster sind was, weiß man was man will.
Sucht euch zwei aus: Eines ist zu viel!

Nicht so faul, sonst gibt es nicht Genuß!
Was man will, sagt Baal, ist, was man muß.
Wenn ihr Kot macht, ist's, sagt Baal, gebt acht
10 Besser noch, als wenn ihr gar nichts macht!

Seid nur nicht so faul und so verweicht
Denn Genießen ist bei Gott nicht leicht!
Starke Glieder braucht man und Erfahrung auch:
Und mitunter stört ein dicker Bauch.

Man muß stark sein, denn Genuß macht schwach.
Geht es schief, sich freuen noch am Krach!
Der bleibt ewig jung, wie er's auch treibt
Der sich jeden Abend selbst entleibt.

Und schlägt Baal einmal zusammen was
20 Um zu sehen, wie es innen sei –
Ist es schade, aber 's ist ein Spaß
Und 's ist Baals Stern, Baal war selbst so frei.

Und wär' Schmutz dran, er gehört nun mal
Ganz und gar, mit allem drauf, dem Baal
Ja, sein Stern gefällt ihm. Baal ist drein verliebt –
Schon weil es 'nen andern Stern nicht gibt.

Zu den feisten Geiern blinzelt Baal hinauf
Die im Sternenhimmel warten auf den Leichnam Baal.
Manchmal stellt sich Baal tot. Stürzt ein Geier drauf
30 Speist Baal einen Geier, stumm, zum Abendmahl.

Unter düstern Sternen in dem Jammertal
Grast Baal weite Felder schmatzend ab.

Sind sie leer, dann trottet singend Baal
In den ewigen Wald zum Schlaf hinab.

Und wenn Baal der dunkle Schoß hinunter zieht:
Was ist Welt für Baal noch? Baal ist satt.
Soviel Himmel hat Baal unterm Lid
Daß er tot noch grad gnug Himmel hat.

Als im dunklen Erdenschoße faulte Baal
War der Himmel noch so groß und still und fahl
Jung und nackt und ungeheuer wunderbar
Wie ihn Baal einst liebte, als Baal war.

Speisezimmer

Mech, Emilie Mech, Pschierer, Johannes Schmidt, Dr. Piller, Baal und andere Gäste kommen durch die Flügeltür.

MECH *zu Baal:* Wollen Sie einen Schluck Wein nehmen, Herr Baal?
Alles setzt sich, Baal auf dem Ehrenplatz.

MECH Essen Sie Krebse? Das ist ein Aalleichnam.

PILLER *zu Mech:* Es freut mich, daß Herrn Baals unsterbliche Gedichte, die Ihnen vorzulesen ich die Ehre hatte, Ihres Beifalls würdig schienen. *Zu Baal:* Sie müssen Ihre Lyrik herausgeben. Herr Mech zahlt wie ein Mäzen. Sie kommen aus der Dachkammer heraus.

MECH Ich kaufe Zimthölzer. Ganze Wälder Zimthölzer schwimmen für mich brasilianische Flüsse abwärts. Aber ich gebe auch Ihre Lyrik heraus.

EMILIE Sie wohnen in einer Dachkammer?

BAAL *ißt und trinkt:* Klauckestraße 64.

MECH Ich bin eigentlich zu dick für Lyrik. Aber Sie haben einen Schädel wie ein Mann in den malaiischen Archipels, der die Gewohnheit hatte, sich zur Arbeit peitschen zu lassen. Er arbeitete nur mit gebleckten Zähnen.

PSCHIERER Meine Damen und Herren. Ich gestehe es offen: es hat mich erschüttert, einen solchen Mann in so bescheidenen Verhältnissen zu finden. Sie wissen, ich entdeckte unseren lieben Meister in meiner Kanzlei als einfachen Inzipienten. Ich bezeichne es ohne Furcht als eine Schande für unsere Stadt, derartige Persönlichkeiten für Tagelohn arbeiten zu lassen. Ich beglückwünsche Sie, Herr Mech, daß Ihr Salon die Wiege des Weltruhms dieses Genies, jawohl Genies, heißen wird. Ihr Wohl, Herr Baal!

Baal macht eine abwehrende Geste; er ißt.

PILLER Ich werde einen Essai über Sie schreiben. Haben Sie Manuskripte? Ich habe die Zeitungen hinter mir.

EIN JUNGER MANN Wie machen Sie nur diese verfluchte Naivität, lieber Meister? Das ist ja homerisch. Ich halte Homer für einen oder einige hochgebildete Bearbeiter mit penetrantem Vergnügen an der Naivität der originalen Volksepen.

EINE JUNGE DAME Mich erinnern Sie eher an Walt Whitman. Aber Sie sind bedeutender. Ich finde das.

EIN ANDERER MANN Dann hat er aber eher etwas von Verhaeren, finde ich.

PILLER Verlaine! Verlaine! Schon physiognomisch. Vergessen Sie nicht unsern Lombroso.

BAAL Noch etwas von dem Aal, bitte.

DIE JUNGE DAME Aber Sie haben den Vorzug größerer Indezenz.

JOHANNES Herr Baal singt seine Lyrik den Fuhrleuten vor. In einer Schenke am Fluß.

DER JUNGE MANN Du lieber Gott, Sie stecken alle Genannten ein, Meister. Die existierenden Lyriker können Ihnen nicht das Wasser reichen.

DER ANDERE MANN Jedenfalls ist er eine Hoffnung.

BAAL Noch etwas Wein, bitte.

DER JUNGE MANN Ich halte Sie für den Vorläufer des großen Messias der europäischen Dichtung, den wir auf das Bestimmteste für die unmittelbar allernächste Zeit erwarten.

DIE JUNGE DAME Verehrter Meister, meine Herrschaften. Erlauben Sie, daß ich hier aus der Zeitschrift »Revolution« ein Gedicht vorlese, das Sie ebenfalls interessieren wird.

Sie erhebt sich und liest:

Der Dichter meidet strahlende Akkorde.
Er stößt durch Tuben, peitscht die Trommel schrill.
Er reißt das Volk auf mit gehackten Sätzen.

Die neue Welt
Die Welt der Qual austilgend,
Insel glückseliger Menschheit.
Reden. Manifeste.
Gesänge von Tribünen.
Der neue, der heilige Staat
Sei gepredigt, dem Blut der Völker, Blut von ihrem Blut, eingeimpft.
Paradies setzt ein.
10 – Laßt uns die Schlagwetter-Atmosphäre verbreiten! –
Lernt! Vorbereitet! Übt euch!
Beifall.

DIE JUNGE DAME *hastig:* Erlauben Sie! Ich finde noch ein anderes Gedicht in dieser Nummer.
Sie liest:

Sonne hat ihn gesotten,
Wind hat ihn dürr gemacht,
Kein Baum wollte ihn haben,
Überall fiel er ab.

20 Nur eine Eberesche,
Mit roten Beeren bespickt,
Wie mit feurigen Zungen,
Hat ihm Obdach gegeben.

Und da hing er mit Schweben,
Seine Füße lagen im Gras.
Die Abendsonne fuhr blutig
Durch die Rippen ihm naß,

Schlug die Ölwälder alle
Über der Landschaft herauf,
30 Gott in dem weißen Kleide
Tat in den Wolken sich auf.

In den blumigen Gründen
Singendes Schlangengezücht,
In den silbernen Hälsen
Zwitscherte dünnes Gerücht.

Und sie zitterten alle
Über dem Blätterreich,
Hörend die Hände des Vaters
Im hellen Geäder leicht.

Beifall.

RUFE Genial. Dämonisch und doch geschmackvoll. Einfach himmlisch.

DIE JUNGE DAME Meiner Meinung nach kommt das dem baalischen Weltgefühl am nächsten.

10 MECH Sie müßten reisen. Die abessinischen Gebirge. Das ist was für Sie.

BAAL Aber zu mir kommen sie nicht.

PILLER Wozu? Bei Ihrem Lebensgefühl! Ihre Gedichte haben sehr stark auf mich gewirkt.

BAAL Die Fuhrleute zahlen was, wenn sie ihnen gefallen.

MECH *trinkt:* Ich gebe Ihre Lyrik heraus. Ich lasse die Zimthölzer schwimmen oder tue beides.

EMILIE Du solltest nicht so viel trinken.

BAAL Ich habe keine Hemden. Weiße Hemden könnte ich
20 brauchen.

MECH Sie machen sich nichts aus dem Verlagsgeschäft?

BAAL Aber sie müßten weich sein.

PILLER *ironisch:* Mit was, meinen Sie, könnte ich Ihnen dienen?

EMILIE Sie machen so wundervolle Gedichte, Herr Baal. Darin sind Sie so zart.

BAAL *zu Emilie:* Wollen Sie nicht etwas auf dem Harmonium spielen?

Emilie spielt.

30 MECH Ich esse gern mit Harmonium.

EMILIE *zu Baal:* Trinken Sie, bitte, nicht so viel, Herr Baal.

BAAL *sieht auf Emilie:* Es schwimmen Zimthölzer für Sie, Mech? Abgeschlagene Wälder?

EMILIE Sie können trinken, so viel Sie wollen. Ich wollte Sie nur bitten.

PILLER Sie sind auch im Trinken vielversprechend.

BAAL *zu Emilie:* Spielen Sie weiter oben! Sie haben gute Arme.

Emilie hört auf und tritt an den Tisch.

PILLER Die Musik selbst mögen Sie wohl nicht?

BAAL Ich höre die Musik nicht. Sie reden zuviel.

PILLER Sie sind ein komischer Igel, Baal. Sie wollen anscheinend nicht verlegt werden.

BAAL Handeln Sie nicht auch mit Tieren, Mech?

MECH Sind Sie dagegen?

BAAL *streichelt Emiliens Arm:* Was gehen Sie meine Gedichte an?

MECH Ich wollte Ihnen einen Gefallen tun. Willst du nicht noch Äpfel schälen, Emilie?

PILLER Er hat Angst, ausgesogen zu werden. – Ist Ihnen für mich noch keine Verwendung eingefallen?

BAAL Gehen Sie immer in weiten Ärmeln, Emilie?

EMILIE Jetzt müssen Sie mit dem Wein aber aufhören.

PSCHIERER Sie sollten mit dem Alkohol vielleicht etwas vorsichtig sein. Schon manches Genie ...

MECH Wollen Sie nicht noch ein Bad nehmen? Soll ich Ihnen ein Bett machen lassen? Haben Sie nicht noch was vergessen?

PILLER Jetzt schwimmen die Hemden hinunter, Baal. Die Lyrik ist schon hinuntergeschwommen.

BAAL *trinkt:* Warum die Monopole? Gehen Sie zu Bett, Mech.

MECH *ist aufgestanden:* Mir gefallen alle Tiere des lieben Gottes. Aber mit dem Tier kann man nicht handeln. Komm Emilie, kommen Sie, meine Herrschaften.

Alle haben sich empört erhoben.

RUFE Herr! Unerhört! Das ist doch ...!

PSCHIERER Herr Mech, ich bin erschüttert ...

PILLER Ihre Lyrik hat auch einen bösartigen Einschlag.

BAAL *zu Johannes:* Wie heißt der Herr?

JOHANNES Piller.

BAAL Piller, S i e können mir altes Zeitungspapier schicken.

PILLER *im Abgehen:* Sie sind Luft für mich! Für die Literatur sind Sie Luft.

Alle ab.

DIENER *herein:* Ihre Garderobe, mein Herr.

Baals Dachkammer

Sternennacht. Am Fenster Baal und der Jüngling Johannes. Sie sehen Himmel.

BAAL Wenn man nachts im Gras liegt, ausgebreitet, merkt man mit den Knochen, daß die Erde eine Kugel ist und daß wir fliegen und daß es auf dem Stern Tiere gibt, die seine Pflanzen auffressen. Es ist einer von den kleineren Sternen.
JOHANNES Wissen Sie was von Astronomie?
BAAL Nein.
10 *Stille.*
JOHANNES Ich habe eine Geliebte, die ist das unschuldigste Weib, das es gibt, aber im Schlaf sah ich sie einmal, wie sie von einem Machandelbaum beschlafen wurde. Das heißt: Auf dem Machandelbaum lag ihr weißer Leib ausgestreckt, und die knorrigen Äste umklammerten ihn. Seitdem kann ich nicht mehr schlafen.
BAAL Hast du ihren weißen Leib schon gesehen?
JOHANNES Nein. Sie ist unschuldig. Sogar die Knie – es gibt viele Grade von Unschuld, nicht? Dennoch, wenn ich sie
20 manchmal nachts auf einen Katzensprung im Arm halte, dann zittert sie wie Laub, aber immer nur nachts. Aber ich bin zu schwach, es zu tun. Sie ist siebzehn.
BAAL Gefiel ihr in deinem Traum die Liebe?
JOHANNES Ja.
BAAL Sie hat weiße Wäsche um ihren Leib, ein schneeweißes Hemd zwischen den Knien? Wenn du sie beschlafen hast, ist sie vielleicht ein Haufen Fleisch, der kein Gesicht mehr hat.
JOHANNES Sie sagen nur, was ich immer fühle. Ich meinte,
30 ich sei ein Feigling. Ich sehe: Sie halten die Vereinigung auch für schmutzig.
BAAL Das ist das Geschrei der Schweine, denen es nicht gelingt. Wenn du die jungfräulichen Hüften umschlingst, wirst du in der Angst und Seligkeit der Kreatur zum Gott. Wie der Machandelbaum viele Wurzeln hat, verschlungene, so habt ihr viele Glieder in einem Bett, und darinnen schlagen Herzen und Blut fließt durch.
JOHANNES Aber das Gesetz straft es und die Eltern!

BAAL Deine Eltern *(er langt nach der Gitarre)*, das sind verflossene Menschen. Wie wollen sie den Mund auftun, in dem du verfaulte Zähne siehst, gegen die Liebe, an der jeder sterben kann? Denn wenn ihr die Liebe nicht aushaltet, speit ihr euch nur. *Er stimmt die Gitarre.*

JOHANNES Meinen Sie ihre Schwangerschaft?

BAAL *mit einigen harten Akkorden:* Wenn der bleiche milde Sommer fortschwimmt und sie sind vollgesogen wie Schwämme mit Liebe, dann werden sie wieder Tiere, bös und kindisch, unförmig mit dicken Bäuchen und fließenden Brüsten und mit feuchtklammernden Armen wie schleimige Polypen, und ihre Leiber zerfallen und werden matt auf den Tod. Und gebären unter ungeheurem Schrei, als sei es ein neuer Kosmos, eine kleine Frucht. Sie speien sie aus unter Qual und saugten sie ein einst mit Wollust. *Er zupft Läufe.* Man muß Zähne haben, dann ist die Liebe, wie wenn man eine Orange zerfleischt, daß der Saft einem in die Zähne schießt.

JOHANNES Ihre Zähne sind wie die eines Tieres: graugelb, massiv, unheimlich.

BAAL Und dic Liebe ist, wie wenn man seinen nackten Arm in Teichwasser schwimmen läßt, mit Tang zwischen den Fingern; wie die Qual, vor der der trunkene Baum knarzend zu singen anhebt, auf dem der wilde Wind reitet; wie ein schlürfendes Ersaufen im Wein an einem heißen Tag, und ihr Leib dringt einem wie sehr kühler Wein in alle Hautfalten, sanft wie Pflanzen im Wind sind die Gelenke, und die Wucht des Anpralls, der nachgegeben wird, ist wie Fliegen gegen Sturm, und ihr Leib wälzt sich wie kühler Kies über dich. Aber die Liebe ist auch wie eine Kokosnuß, die gut ist, solange sie frisch ist, und die man ausspeien muß, wenn der Saft ausgequetscht ist und das Fleisch bleibt über, welches bitter schmeckt. *Wirft die Gitarre weg.* Aber jetzt habe ich die Arie satt.

JOHANNES Sie meinen also, ich soll es tun, wenn es so selig ist?

BAAL Ich meine, d u sollst dich davor hüten, Johannes!

Branntweinschenke

Vormittag. Baal. Fuhrleute. Ekart hinten mit der Kellnerin Luise. Durchs Fenster sieht man weiße Wolken.

BAAL *erzählt den Fuhrleuten:* Er hat mich aus seinen weißen Stuben hinausgeschmissen, weil ich seinen Wein wieder ausspie. Aber seine Frau lief mir nach, und am Abend gab es eine Festivität. Jetzt habe ich sie am Hals und satt.

FUHRLEUTE Der gehört der Hintern verschlagen. – Geil sind sie wie die Stuten, aber dümmer. Pflaumen soll sie fressen!
10 – Ich hau die meine immer blau, vor ich sie befriedigen tu.

JOHANNES *mit Johanna tritt ein:* Das ist die Johanna.

BAAL *zu den Fuhrleuten, die hinter gehen:* Ich komme dann zu euch hinter und singe. Guten Tag, Johanna.

JOHANNA Johannes hat mir Lieder von Ihnen vorgelesen!

BAAL So. Wie alt sind Sie denn?

JOHANNES Siebzehn war sie im Juni.

JOHANNA Ich bin eifersüchtig auf Sie. Er schwärmt immer von Ihnen.

BAAL Sie sind verliebt in Ihren Johannes! Es ist jetzt Frühjahr.
20 Ich warte auf Emilie. – Lieben ist besser als Genießen.

JOHANNES Ich begreife, daß Ihnen Männerherzen zufliegen, aber wie können Sie Glück bei Frauen haben?

EMILIE *tritt schnell ein.*

BAAL Da kommt sie. Guten Tag, Emilie. Der Johannes hat seine Braut mitgebracht. Setz dich!

EMILIE Wie kannst du mich hierherbestellen! Lauter Gesindel und eine Branntweinschenke! Das ist so dein Geschmack.

BAAL Luise! Einen Korn für die Dame!

30 EMILIE Willst du mich lächerlich machen?

BAAL Nein. Du wirst trinken. Mensch ist Mensch.

EMILIE Aber du bist kein Mensch.

BAAL Das weißt du. *Hält Luise das Glas hin.* Nicht zu knapp, Jungfrau. *Umfaßt sie.* Du bist verflucht weich heute, wie eine Pflaume.

EMILIE Wie geschmacklos du bist!

BAAL Schrei's noch lauter, Geliebte!

JOHANNES Es ist jedenfalls interessant hier. Das einfache

Volk. Wie es trinkt und seine Späße treibt! Und dann die Wolken im Fenster!

EMILIE Sie hat er wohl auch erst hier hereingezogen? Zu den weißen Wolken?

JOHANNA Sollen wir nicht lieber in die Flußauen gehen, Johannes?

BAAL Nichts da! Dageblieben! *Trinkt.* Der Himmel ist violett, besonders wenn man besoffen ist. Betten hingegen sind weiß. Vorher. Es ist Liebe da zwischen Himmel und Boden.

10 *Trinkt.* Warum seid ihr so feig? Der Himmel ist doch offen, ihr kleinen Schatten! Voll von Leibern! Bleich vor Liebe!

EMILIE Jetzt hast du wieder zu viel getrunken, und dann schwatzt du. Und mit diesem verfluchten wundervollen Geschwätz schleift er einen an seinen Trog!

BAAL Der Himmel *(trinkt)* ist manchmal auch gelb. Mit Raubvögeln darinnen. Ihr müßt euch betrinken. *Sieht unter den Tisch.* Wer stößt mir das Schienbein ein? Bist du's Luise? Ach so: du, Emilie! Na, es macht nichts. Trink nur!

EMILIE *halb aufgestanden:* Ich weiß nicht, was du heut hast.

20 Es war vielleicht doch nicht gut, daß ich hierhergekommen bin.

BAAL Merkst du das jetzt erst? Jetzt kannst du ruhig bleiben.

JOHANNA Das sollten Sie nicht tun, Herr Baal.

BAAL Sie haben ein gutes Herz, Johanna. Sie betrügen einmal Ihren Mann nicht, hm?

EIN FUHRMANN *wiehert los:* Trumpfsau! Gestochen!

ZWEITER FUHRMANN Nur weiter, sagt die Dirn, wir sind über dem Berg! *Gelächter.*

Pflaumen soll sie fressen!

30 DRITTER FUHRMANN Schäm dich, untreu sein! sagte die Frau zum Knecht, der bei der Magd lag.

Gelächter.

JOHANNES *zu Baal:* – nur Johannas wegen, die ein Kind ist!

JOHANNA *zu Emilie:* Wollen Sie mit mir gehen? Wir gehen dann beide.

EMILIE *schluchzt über dem Tisch:* Ich schäme mich jetzt.

JOHANNA *legt den Arm um sie:* Ich verstehe Sie gut, es macht nichts.

EMILIE Sehen Sie mich nicht so an! Sie sind ja noch so jung. Sie wissen ja noch nichts.

BAAL *steht finster auf:* Komödie: Die Schwestern im Hades! *Geht zu den Fuhrleuten, nimmt die Gitarre von der Wand und stimmt sie.*

JOHANNA Er hat getrunken, liebe Frau. Morgen ist es ihm leid.

EMILIE Wenn Sie wüßten: so ist er immer. Und ich liebe ihn.

BAAL *singt:*

Orge sagte mir:

Der liebste Ort, den er auf Erden hab
10 Sei nicht die Rasenbank am Elterngrab.

Sei nicht ein Beichtstuhl, sei kein Hurenbett
Und nicht ein Schoß, weich, weiß und warm und fett.

Orge sagte mir: der liebste Ort
Auf Erden war ihm immer der Abort.

Dies sei ein Ort, wo man zufrieden ist
Daß drüber Sterne sind und drunter Mist.

Ein Ort sei einfach wundervoll, wo man
Selbst in der Hochzeitsnacht allein sein kann.

Ein Ort der Demut, dort erkennst du scharf:
20 Daß du ein Mensch nur bist, der nichts behalten darf.

Ein Ort der Weisheit, wo du deinen Wanst
Für neue Lüste präparieren kannst.

Wo man, indem man leiblich lieblich ruht,
Sanft, doch mit Nachdruck etwas für sich tut.

Und doch erkennst du dorten, was du bist:
Ein Bursche, der auf dem Aborte – frißt!

FUHRLEUTE *klatschen:* Bravo! – Ein feines Lied! – Einen Sherry Brandy für den Herrn Baal, wenn Sie's annehmen wollen! – Und das hat er selber eigenhändig gemacht –
30 Respekt!

LUISE *in der Mitte des Zimmers:* Sie sind einer, Herr Baal!

EIN FUHRMANN Wenn Sie sich auf was Nützliches werfen würden: Sie kämen auf einen grünen Zweig. Sie könnten geradewegs Spediteur werden.

ZWEITER FUHRMANN So einen Schädel müßte man haben!

BAAL Machen Sie sich nichts daraus! Dazu gehört auch ein Hinterteil und das übrige. Prost, Luise! *Geht an seinen Tisch zurück.* Prost, Emmi! Na, so trink doch wenigstens, wenn du sonst nichts kannst! Trink, sag ich!

EMILIE *nippt mit Tränen in den Augen an dem Schnapsglas.*

BAAL So ist recht. Jetzt kommt in dich wenigstens auch Feuer!

EKART *hat sich erhoben, kommt langsam hinter dem Schanktisch hervor zu Baal. Er ist hager und ein mächtiger Bursche:* Baal! Laß das! Geh mit mir, Bruder! Zu den Straßen mit hartem Staub: abends wird die Luft violett. Zu den Schnapsschenken voll von Besoffenen: in die schwarzen Flüsse fallen Weiber, die du gefüllt hast. Zu den Kathedralen mit kleinen weißen Frauen: Du sagst: Darf man hier atmen? Zu den Kuhställen, wo man zwischen Tieren schläft: Sie sind finster und voll vom Gemuhe der Kühe. Und zu den Wäldern, wo das erzene Schallen oben ist und man das Licht des Himmels vergißt: Gott hat einen vergessen. Weißt du noch, wie der Himmel aussieht? Du bist ein Tenor geworden! *Breitet die Arme aus.* Komm mit mir, Bruder! Tanz und Musik und Trinken! Regen bis auf die Haut! Sonne bis auf die Haut! Finsternis und Licht! Weiber und Hunde! Bist du schon so verkommen?

BAAL Luise! Luise! Einen Anker! Laß mich nicht mit dem! *Luise zu ihm.* Kommt mir zu Hilfe, Kinder!

JOHANNES Laß dich nicht verführen!

BAAL Mein lieber Schwan!

JOHANNES Denk an deine Mutter und an deine Kunst! Sei stark! *Zu Ekart:* Schämen Sie sich! Sie sind der Teufel!

EKART Komm, Bruder Baal! Wie zwei weiße Tauben fliegen wir selig ins Blau! Flüsse im Frühlicht! Gottesäcker im Wind und der Geruch der unendlichen Felder, vor sie abgehauen werden!

JOHANNA Bleiben Sie stark, Herr Baal!

EMILIE *drängt sich an ihn:* Du darfst nicht! Hörst du! Dazu bist du zu schade!

BAAL Es ist zu früh, Ekart! Es geht noch anders! Sie gehen nicht mit, Bruder!

EKART So fahr zum Teufel, du Kindskopf mit dem Fettherzen! *Ab.*

FUHRLEUTE Heraus mit dem Eichelzehner! – Teufel! Zählen – Schluß!

JOHANNA Diesmal haben Sie gesiegt, Herr Baal!

BAAL Jetzt schwitze ich! Bist du heute frei, Luise?

EMILIE Du sollst nicht so reden, Baal! Du weißt nicht, was
10 du mir damit tust.

LUISE Lassen Sie doch die Madamm, Herr Baal. Daß die nicht bei sich ist, sieht doch 'n Kind.

BAAL Sei ganz ruhig, Luise! Horgauer!

EIN FUHRMANN Was wollen Sie von mir?

BAAL Da wird eine mißhandelt und will Liebe haben. Gib ihr einen Kuß, Horgauer!

JOHANNES Baal!

Johanna umarmt Emilie.

FUHRLEUTE *hauen lachend auf den Tisch:* Immer zu, An-
20 dreas! – Faß an! – Feine Sorte. Schneuz dich vorher, André! – Sie sind ein Viech, Herr Baal!

BAAL Bist du kalt, Emilie? Liebst du mich? Er ist schüchtern, Emmi! Küß du! Wenn du mich vor den Leuten blamierst, ist es Matthäi am Letzten. Eins. Zwei.

Der Kutscher beugt sich.

EMILIE *hebt ihm ihr tränenüberströmtes Gesicht entgegen; er küßt sie schallend.*

Großes Gelächter.

JOHANNES Das war böse, Baal! Das Trinken macht ihn bös,
30 und dann fühlt er sich wohl. Er ist zu stark.

FUHRLEUTE Bravo! Was läuft sie in Schenken! – So soll ein Mannsbild sein! – Dieses ist eine Ehebrecherin! – So gehört ihr's! *Sie brechen auf.* Pflaumen soll sie fressen!

JOHANNA Pfui, schämen Sie sich!

BAAL *an sie heran:* Wie kommt es, daß Ihnen die Knie zittern, Johanna?

JOHANNES Was willst du?

BAAL *die Hand auf seiner Schulter:* Was mußt du auch Gedichte schreiben! Wo das Leben so anständig ist: wenn man auf einem reißenden Strom auf dem Rücken hinschießt, nackt unter orangefarbenem Himmel und man sieht nichts, als wie der Himmel violett wird, dann schwarz wie ein Loch wird ... wenn man seinen Feind niedertrampelt ... oder aus einer Trauer Musik macht ... oder schluchzend vor Liebeskummer einen Apfel frißt ... oder einen Frauenleib übers Bett biegt ...

JOHANNES *führt Johanna stumm hinaus.*

BAAL *auf den Tisch gestützt:* Habt ihr's gespürt? Ist es durch die Haut gegangen? Das war Zirkus! Man muß das Tier herauslocken! In die Sonne mit dem Tier! Bezahlen! Ans Tageslicht mit der Liebe! Nackt in der Sonne unter dem Himmel!

FUHRLEUTE *schütteln ihm die Hand:* Servus, Herr Baal! – Gehorsamster Diener, Herr Baal! – Schauen Sie, Herr Baal: Ich für meinen Teil hab immer kalkuliert: Mit dem Herrn Baal spukt's oben etwas. Mit den Liedern da und überhaupt. Aber das steht fest: daß Sie das Herz auf dem rechten Fleck haben! – Richtig behandeln muß man die Weiber! – Also heute, heute wurde hier ein weißer Popo gezeigt. – Einen guten Morgen, Herr Zirkus! *Ab.*

BAAL Guten Morgen, meine Lieben!

Emilie hat sich über die Bank geworfen und schluchzt.

Baal fährt ihr mit dem Handrücken über die Stirn. Emmi! Du kannst jetzt ruhig sein. Jetzt hast du's hinter dir. *Hebt ihr das Gesicht, tut ihr das Haar aus dem nassen Gesicht.* Vergiß es! *Wirft sich schwer über sie und küßt sie.*

Baals Dachkammer

I

Morgendämmerung. Baal und Johanna auf dem Bettrand sitzend.

JOHANNA O was hab ich getan! Ich bin schlecht.

BAAL Wasch dich lieber!

JOHANNA Ich weiß noch immer nicht wie.

BAAL Der Johannes ist an allem schuld. Schleppt dich rauf und trollt sich wie Oskar, wie ihm ein Licht aufgeht, warum dir die Knie zittern.

JOHANNA *steht auf, leiser:* Wenn er wieder zurückgekommen ist ...

BAAL Und jetzt kommt das Literarische. *Legt sich zurück.* Morgengrauen auf dem Berg Ararat.

JOHANNA Soll ich aufstehen?

BAAL Nach der Sintflut. Bleib liegen!

JOHANNA Willst du nicht das Fenster aufmachen?

BAAL Ich liebe den Geruch. – Was meinst du zu einer frischen Auflage? Hin ist hin.

10 JOHANNA Daß Sie so gemein sein können!

BAAL *faul auf dem Bett:* Weiß und reingewaschen von der Sintflut, läßt Baal seine Gedanken fliegen, gleich wie Tauben über das schwarze Gewässer.

JOHANNA Wo ist mein Leibchen! Ich kann doch so nicht ...

BAAL *hält es ihr hin:* Da! – Was kannst du nicht, Geliebte?

JOHANNA Heim. *Läßt es fallen, zieht sich aber an.*

BAAL *pfeift:* Eine wilde Hummel! Ich spüre alle Knochen einzeln. Gib mir einen Kuß!

JOHANNA *am Tisch, mitten im Zimmer:* Sag etwas!

20 *Baal schweigt.*

Liebst du mich noch? Sag's!

Baal pfeift.

Kannst du es nicht sagen?

BAAL *schaut sich die Decke an:* Ich hab es satt bis an den Hals.

JOHANNA Was war das dann heut nacht? Und vorhin?

BAAL Der Johannes ist imstand und macht Krach. Die Emilie läuft auch herum wie ein angebohrtes Segelschiff. Ich kann hier verhungern. Ihr rührt ja keinen Finger für einen. Ihr wollt ja immer nur das eine.

30 JOHANNA *räumt verwirrt den Tisch ab:* Und du – warst nie anders zu mir?

BAAL Bist du gewaschen? Keine Idee Sachlichkeit! Hast du nichts davon gehabt? Mach, daß du heimkommst! Dem Johannes kannst du sagen, ich hätte dich gestern heimgebracht und speie auf ihn Galle. Es hat geregnet. *Wickelt sich in die Decke.*

JOHANNA Johannes? *Schwer zur Tür, ab.*

BAAL *kehrt sich scharf um:* Johanna! *Aus dem Bett zur Tür.* Johanna! *Am Fenster.* Da läuft sie hin! Da läuft sie hin! *Er will ins Bett zurück, schmeißt aber dann ein Kissen auf den Boden und läßt sich ächzend darauf nieder. Es wird dunkel. Im Hof spielt eine Bettlerorgel.*

2

Mittag. Baal liegt auf dem Bett.

BAAL *summt:* Den Abendhimmel macht das Saufen
Sehr dunkel; manchmal violett;
Dazu dein Leib im Hemd zum Raufen ...

DIE BEIDEN SCHWESTERN *treten umschlungen ein.*

DIE ÄLTERE SCHWESTER Sie haben uns gesagt, wir sollen Sie wieder besuchen.

BAAL *summt weiter:* ... In einem breiten weißen Bett.

DIE ÄLTERE Wir sind gekommen, Herr Baal.

BAAL Jetzt flattern sie gleich zu zweit in den Schlag. Zieht euch aus!

DIE ÄLTERE Die Mutter hat vorige Woche die Treppe knarren hören. *Sie öffnet der Schwester die Bluse.*

DIE JÜNGERE Es war schon dämmrig auf der Treppe, wie wir in die Kammer hinaufgeschlichen sind.

BAAL Eines Tages liegt ihr mir am Hals.

DIE JÜNGERE Ich ginge ins Wasser, Herr Baal!

DIE ÄLTERE Wir sind zu zweit ...

DIE JÜNGERE Ich schäm mich, Schwester.

DIE ÄLTERE Es ist nicht das erstemal ...

DIE JÜNGERE Aber so hell war es nie, Schwester. Es ist der helle Mittag draußen.

DIE ÄLTERE Es ist auch nicht das zweitemal ...

DIE JÜNGERE Du mußt dich auch ausziehen.

DIE ÄLTERE Ich ziehe mich auch aus.

BAAL Wenn ihr fertig seid, könnt ihr zu mir kommen. Dann wird's schon dunkel.

DIE JÜNGERE Heute mußt du zuerst, Schwester.

DIE ÄLTERE Ich habe auch das letztemal zuerst ...

DIE JÜNGERE Nein, ich.

BAAL Ihr kommt beide zugleich dran.

DIE ÄLTERE *steht, die Arme um die Jüngere geschlungen:* Wir sind fertig, es ist so hell herin.

BAAL Ist es warm draußen?
DIE ÄLTERE Es ist ja erst April.
DIE JÜNGERE Aber die Sonne ist heut warm draußen.
BAAL Hat es euch das letztemal gefallen?
Schweigen.
DIE ÄLTERE Es ist eine ins Wasser gegangen: Die Johanna Reiher.
DIE JÜNGERE In die Laach. Da ginge ich nicht hinein. Die ist so reißend.
10 BAAL Ins Wasser? Weiß man warum?
DIE ÄLTERE Einige sagen was. Das spricht sich herum.
DIE JÜNGERE Sie ist abends fort, und über die Nacht ist sie fortgeblieben.
BAAL Ist sie nimmer heim in der Frühe?
DIE JÜNGERE Nein, dann ist sie in den Fluß. Man hat sie aber noch nicht gefunden.
BAAL Schwimmt sie noch ...
DIE JÜNGERE Was hast du, Schwester.
DIE ÄLTERE Nichts. Viellcicht hat es mich gefroren.
20 BAAL Ich bin heut so faul, ihr könnt heim.
DIE ÄLTERE Das dürfen Sie nicht tun, Herr Baal. Das dürfen Sie ihr nicht antun!
Es klopft.
DIE JÜNGERE Es hat geklopft. Das ist die Mutter.
DIE ÄLTERE Um Gottes willen, machen Sie nicht auf!
DIE JÜNGERE Ich fürchte mich, Schwester.
DIE ÄLTERE Da hast du die Bluse!
Es klopft stärker.
BAAL Wenn es eure Mutter ist, dann könnt ihr sehen, wie ihr
30 die Suppe auslöffelt.
DIE ÄLTERE *zieht sich schnell an:* Warten Sie noch mit dem Aufmachen: Riegeln Sie zu, bitte, um Gottes willen!
DIE HAUSFRAU *dick, tritt ein:* I, da schau, ich hab mir's doch gedacht! Gleich zwei auf einmal jetzt! Ja, schämt ihr euch denn gar nicht? Zu zweit dem in seinem Teich liegen? Vom Morgen bis zum Abend und wieder bis zum Morgen wird dem das Bett nicht kalt! Aber jetzt meld ich mich: Mein Dachboden ist kein Bordell!
BAAL *wendet sich zur Wand.*
DIE HAUSFRAU Sie haben wohl Schlaf? Ja, werden denn Sie

von dem Fleisch nie satt? Durch Sie scheint ja die Sonne schon durch. Sie schauen ja ganz durchgeistigt aus. Sie haben ja bloß mehr 'ne Haut über die Beiner.

BAAL *mit Armbewegung:* Wie Schwäne flattern sie mir ins Holz!

DIE HAUSFRAU *schlägt die Hände zusammen:* Schöne Schwäne! Was Sie für 'ne Sprache haben! Sie könnten Dichter werden, Sie! Wenn Ihnen nur nicht bald die Knie abfaulen, Ihnen!

BAAL Ich schwelge in weißen Leibern.

DIE HAUSFRAU Weißen Leibern! Sie sind 'n Dichter! Sonst sind Sie ja so nichts! Und die jungen Dinger! Ihr seid wohl Schwestern, was? Ihr seid wohl arme Waisen, wie, weil ihr gleich Wasser heulen wollt. Ich prigle euch wohl? Eure weißen Leiber?

BAAL *lacht.*

DIE HAUSFRAU Sie lachen wohl noch? Verderben pfundweis arme Mädchen, die Sie in Ihre Höhle schleifen! Pfui Teufel, Sie Bestie! Ich kindige Ihnen. Jetzt aber Beine gekriegt ihr und heim zu Muttern, ich gehe gleich mit!

DIE JÜNGERE *weint stärker.*

DIE ÄLTERE Sie kann nichts dafür, Frau.

DIE HAUSFRAU *nimmt beide bei der Hand:* Regnet es jetzt? So ein Volk! Na, ihr seid hier auch nicht die einzigen! Der tut dick in Schwänen! Der hat noch ganz andere selig gemacht und die Häute auf den Mist geworfen! Also jetzt aber mal raus an die gute Luft! Da brauchts kein Salzwasser! *Nimmt die beiden um die Schultern.* Ich weiß schon, wie der da ist! Die Firma kenn ich. Nur nicht gleich Rotz geflennt, man sieht's ja sonst an den Augen! Geht halt schön Hand in Hand heim zu Muttern und tut's nicht wieder. *Schiebt sie zur Tür.* Und Sie: Ihnen kindige ich! Sie können Ihren Schwanenstall woanders einrichten! *Schiebt die beiden hinaus, ab.*

BAAL *steht auf, streckt sich:* Kanallje mit Herz! – Ich bin heut sowieso schon verflucht faul. *Er wirft Papier auf den Tisch, setzt sich davor.* Ich mache einen neuen Adam. *Entwirft große Initialen auf dem Papier.* Ich versuche es mit dem inneren Menschen. Ich bin ganz ausgehöhlt, aber ich habe Hunger wie ein Raubtier. Ich habe nur mehr Haut über den Knochen. Kanallje! *Lehnt sich zurück, streckt alle viere von sich, emphatisch.* Jetzt mache ich den Sommer. Rot. Scharlachen. Gefräßig. *Er summt wieder, es wird wieder dunkel. Dann spielt die Bettlerorgel.*

3
Abend. Baal sitzt am Tisch.

BAAL *umfaßt die Schnapsflasche. In Pausen:* Jetzt schmiere ich den vierten Tag das Papier voll mit rotem Sommer: wild, bleich, gefräßig, und kämpfe mit der Schnapsflasche. Hier passierten Niederlagen, aber die Leiber beginnen an die Wände ins Dunkel, in die ägyptische Finsternis zurückzufliehen. Ich schlage sie an die Holzwände, nur darf ich keinen Schnaps trinken. *Er schwatzt.* Der weiße Schnaps ist mein Stecken und Stab. Er spiegelt, seit der Schnee von der Gosse tropft, mein Papier und blieb unberührt. Aber jetzt zittern mir die Hände. Als ob die Leiber noch in ihnen drin wären. *Er horcht.* Das Herz schlägt wie ein Pferdefuß. *Er schwärmt.* O Johanna, eine Nacht mehr in deinem Aquarium, und ich wäre verfault zwischen den Fischen! Aber jetzt ist der Geruch der milden Mainächte in mir. Ich bin ein Liebhaber ohne Geliebte. Ich unterliege. *Trinkt, steht auf.* Ich muß ausziehen. Aber erst hole ich mir eine Frau. Allein ausziehen, das ist traurig. *Schaut zum Fenster hinaus.* Irgendeine! Mit einem Gesicht wie eine Frau! *Summend ab.*
Unten spielt ein Harmonium Tristan.
JOHANNES *verkommen und bleich zur Tür herein. Wühlt in den Papieren auf dem Tisch. Hebt die Flasche. Geht schüchtern zur Tür und wartet dort.*
Lärm auf der Treppe. Pfeifen.
BAAL *schleift Sophie Barger herein. Pfeift:* Sei lieb, Geliebte! Das ist meine Kammer. *Setzt sie nieder. Sieht Johannes.* Was tust du da?
JOHANNES Ich wollte nur ...
BAAL So? Wolltest du? Stehst du da herum? Ein Leichenstein

meiner verflossenen Johanna? Johannes' Leichnam aus einer andern Welt, wie? Ich schmeiße dich raus! Geh sofort hinaus! *Läuft um ihn herum.* Das ist eine Unverschämtheit! Ich schmeiße dich an die Wand, es ist sowieso Frühjahr! Hopp!

JOHANNES *sieht ihn an, ab.*

BAAL *pfeift.*

SOPHIE Was hat Ihnen der junge Mensch getan? Lassen Sie mich fort!

BAAL *macht die Tür weit auf:* Im ersten Stockwerk unten müssen Sie rechts gehen!

SOPHIE Sie sind uns nachgelaufen, als Sie mich drunten vor der Tür aufhoben. Man wird mich finden.

BAAL Hier findet dich niemand.

SOPHIE Ich kenne Sie gar nicht. Was wollen Sie mir tun?

BAAL Wenn du das fragst, dann kannst du wieder gehen.

SOPHIE Sie haben mich auf offener Straße überfallen. Ich dachte, es sei ein Orang-Utan.

BAAL Es ist auch Frühjahr. Es mußte etwas Weißes in diese verfluchte Höhle! Eine Wolke! *Macht die Tür auf, horcht.* Die Idioten haben sich verlaufen.

SOPHIE Ich werde davongejagt, wenn ich zu spät heimkomme.

BAAL Besonders so.

SOPHIE Wie?

BAAL Wie man aussieht, wenn man von mir geliebt wurde.

SOPHIE Ich weiß nicht, warum ich immer noch da bin.

BAAL Ich kann dir Auskunft geben.

SOPHIE Bitte, glauben Sie nichts Schlechtes von mir!

BAAL Warum nicht? Du bist ein Weib wie jedes andere. Der Kopf ist verschieden. Die Knie sind alle schwach.

SOPHIE *will halb gehen, sieht sich bei der Tür um; zu Baal, der sie, rittlings auf einem Stuhl sitzend, ansieht:* Adieu!

BAAL *gleichmütig:* Bekommen Sie nicht recht Luft?

SOPHIE Ich weiß nicht, mir ist so schwach. *Lehnt sich gegen die Wand.*

BAAL Ich weiß es. Es ist der April. Es wird dunkel, und du riechst mich. So ist es bei den Tieren. *Steht auf.* Und jetzt gehörst du dem Wind, weiße Wolke! *Rasch zu ihr, reißt die Türe zu, nimmt Sophie Barger in die Arme.*

SOPHIE *atemlos:* Laß mich!
BAAL Ich heiße Baal.
SOPHIE Laß mich!
BAAL Du mußt mich trösten. Ich war schwach vom Winter. Und du siehst aus wie eine Frau.
SOPHIE *schaut auf zu ihm:* Baal heißt du ...?
BAAL Willst du jetzt nicht heim?
SOPHIE *zu ihm aufschauend:* Du bist so häßlich, so häßlich, daß man erschrickt ... Aber dann ...
10 BAAL Hm?
SOPHIE Dann macht es nichts.
BAAL *küßt sie:* Hast du starke Knie, hm?
SOPHIE Weißt du denn, wie ich heiße? Ich heiße Sophie Barger.
BAAL Du mußt es vergessen. *Küßt sie.*
SOPHIE Nicht ... nicht ... Weißt du, daß mich noch nie jemand so ...
BAAL Bist du unberührt? Komm! *Er führt sie zum Bett hinter. Sie setzen sich.* Siehst du! In der hölzernen Kammer lagen Kaskaden von Leibern: Aber jetzt will ich ein Gesicht.
20 Nachts gehen wir hinaus. Wir legen uns unter die Pflanzen. Du bist eine Frau. Ich bin unrein geworden. Du mußt mich lieb haben, eine Zeitlang!
SOPHIE So bist du? ... Ich hab dich lieb.
BAAL *legt den Kopf an ihre Brust:* Jetzt ist Himmel über uns, und wir sind allein.
SOPHIE Aber du mußt still liegen.
BAAL Wie ein Kind!
SOPHIE *richtet sich auf:* Daheim meine Mutter: ich muß heim.
BAAL Ist sie alt?
30 SOPHIE Sie ist siebzig.
BAAL Dann ist sie das Böse gewohnt.
SOPHIE Wenn mich der Boden verschluckt? Wenn ich in eine Höhle geschleift werde am Abend und nie mehr komme?
BAAL Nie? *Stille.* Hast du Geschwister?
SOPHIE Ja. Sie brauchen mich.
BAAL Die Luft in der Kammer ist wie Milch. *Auf, am Fenster.* Die Weiden am Fluß tropfnaß, vom Regen struppig. *Faßt sie.* Du mußt bleiche Schenkel haben.
Es wird wieder dunkel, und auch die Bettlerorgel spielt wieder im Hof.

Gekalkte Häuser mit braunen Baumstämmen

Dunkle Glocken. Baal. Der Strolch, ein bleicher besoffener Mensch.

BAAL *geht mit großen Schritten im Halbkreis um den Strolch, der auf einem Stein sitzt und das Gesicht bleich nach oben hält:* Wer hat die Baumleichen an die Wände geschlagen?

STROLCH Die bleiche elfenbeinerne Luft um die Baumleichen: Fronleichnam.

BAAL Dazu Glocken, wenn die Pflanzen kaputtgehen!

STROLCH Mich heben die Glocken moralisch.

BAAL Schlagen dich die Bäume nicht nieder?

STROLCH Pah, Baumkadaver! *Trinkt aus einer Schnapsflasche.*

BAAL Frauenleiber sind nicht besser!

STROLCH Was haben Frauenleiber mit Prozessionen zu tun?

BAAL Es sind Schweinereien! Du liebst nicht!

STROLCH Der weiße Leib Jesu: ich liebe ihn! *Gibt ihm die Flasche hinauf.*

BAAL *besänftigter:* Ich habe Lieder auf dem Papier. Aber jetzt werden sie auf dem Abort aufgehängt.

STROLCH *verklärt:* Dienen!! Meinem Herrn Jesus: Ich sehe den weißen Leib Jesu. Ich sehe den weißen Leib Jesus. Jesus liebte das Böse.

BAAL *trinkt:* Wie ich.

STROLCH Weißt du die Geschichte mit ihm und dem toten Hund? Alle sagten: Es ist ein stinkendes Aas! Holt die Polizei! Es ist nicht zum Aushalten! Aber er sagte: er hat schöne weiße Zähne.

BAAL Vielleicht werde ich katholisch.

STROLCH Er wurde es nicht. *Nimmt ihm die Flasche.*

BAAL *läuft wieder empört herum:* Aber die Frauenleiber, die er an die Wände schlägt, das tät ich nicht.

STROLCH An die Wände geschlagen! Sie schwammen nicht die Flüsse herunter! Sie sind geschlachtet worden für ihn, den weißen Leib Jesus.

BAAL *nimmt ihm die Flasche, wendet sich ab:* Sie haben zuviel Religion oder zuviel Schnaps im Leib. *Geht mit der Flasche ab.*

STROLCH *maßlos, schreit ihm nach:* Sie wollen also nicht eintreten für Ihre Ideale, Herr! Sie wollen sich nicht in die Prozession schmeißen? Sie lieben die Pflanzen und wollen nichts tun für sie?

BAAL Ich gehe an den Fluß hinunter und wasche mich. Ich kümmere mich nie um Leichname. *Ab.*

STROLCH Ich aber habe Schnaps im Leib, ich halte das nicht aus. Ich halte diese verfluchten toten Pflanzen nicht aus. Wenn man viel Schnaps im Leib hätte, könnte man es vielleicht aushalten.

Mainacht unter Bäumen

Baal. Sophie.

BAAL *faul:* Jetzt hat der Regen aufgehört. Das Gras muß noch naß sein ... Durch unsere Blätter ging das Wasser nicht ... Das junge Laub trieft vor Nässe, aber hier in den Wurzeln ist es trocken. *Bös:* Warum kann man nicht mit den Pflanzen schlafen?

SOPHIE Horch!

BAAL Das wilde Sausen des Windes in dem nassen, schwarzen Laub! Hörst du den Regen durch die Blätter tropfen?

SOPHIE Ich spüre einen Tropfen auf dem Hals ... O du, laß mich!

BAAL Die Liebe reißt einem die Kleider vom Leibe wie ein Strudel und begräbt einen nackt mit Blattleichen, nachdem man Himmel gesehen hat.

SOPHIE Ich möchte mich verkriechen in dir, weil ich nackt bin, Baal.

BAAL Ich bin betrunken, und du schwankst. Der Himmel ist schwarz und wir fahren auf der Schaukel, mit Liebe im Leib, und der Himmel ist schwarz. Ich liebe dich.

SOPHIE O Baal! Meine Mutter, die weint jetzt über meine Leiche, sie meint, ich bin ins Wasser gelaufen. Wieviel Wochen sind es jetzt? Da war es noch nicht Mai. Jetzt sind es vielleicht drei Wochen.

BAAL Jetzt sind es drei Wochen, sagte die Geliebte in den

Baumwurzeln, als es dreißig Jahre waren. Und da war sie schon halb verwest.

SOPHIE Es ist gut, so zu liegen wie eine Beute, und der Himmel ist über einem, und man ist nie mehr allein.

BAAL Jetzt tue ich wieder dein Hemd weg.

Nachtcafé »Zur Wolke in der Nacht«

Ein kleines schweinisches Café, geweißnete Ankleidekammer, hinten links brauner dunkler Vorhang, rechts seitlich geweißnete Brettertür zum Abort; rechts hinten Tür. Ist sie auf, sieht man die blaue Nacht. Im Café hinten singt eine Soubrette.

BAAL *geht mit nacktem Oberkörper trinkend herum, summt.*

LUPU *dicker bleicher Junge mit schwarzem glänzendem Haar in zwei hingepatschten Strähnen in dem schweißig blassen Gesicht, mit Hinterkopf, in der Tür rechts:* Die Laterne ist wieder heruntergeschlagen worden.

BAAL Hier verkehren nur Schweine. Wo ist mein Quant Schnaps wieder?

LUPU Sie haben allen getrunken.

BAAL Nimm dich in acht!

LUPU Herr Mjurk sagt etwas von einem Schwamm.

BAAL Ich bekomme also keinen Schnaps?

LUPU Vor der Vorstellung gibt es keinen Schnaps mehr für Sie, sagt Herr Mjurk. Mir tun Sie ja leid.

MJURK *im Vorhang:* Mach dich dünne, Lupu!

BAAL Ich muß mein Quant bekommen, Mjurk, sonst gibt es keine Lyrik.

MJURK Sie sollten nicht soviel saufen, sonst können Sie eines Nachts überhaupt nicht mehr singen.

BAAL Wozu singe ich dann?

MJURK Sie sind neben der Soubrette Savettka die brillanteste Nummer der Wolke der Nacht. Ich habe Sie eigenhändig entdeckt. Wann hat je eine so feine Seele in einem solchen Fettkloß gesteckt? Der Fettkloß macht den Erfolg, nicht die Lyrik. Ihr Schnapssaufen ruiniert mich.

BAAL Ich habe die Balgerei jeden Abend um den kontraktlichen Schnaps satt. Ich haue ab.

MJURK Ich habe die Polizei hinter mir. Sie sollten mal wieder eine Nacht schlafen, Mann, Sie harpfen herum wie mit durchgeschnittenen Kniekehlen. Setzen Sie Ihre Geliebte an die Luft!

Klatschen im Café.

Aber jetzt kommt Ihre Pièce.

BAAL Ich habe es satt bis an den Hals.

10 DIE SOUBRETTE *mit dem Klavierspieler, einem bleichen apathischen Menschen, aus dem Vorhang:* Feierabend!

MJURK *drängt Baal einen Frack auf:* Halbnackt geht man bei uns nicht auf die Bühne.

BAAL Idiot! *Schmeißt den Frack ab, geht, die Klampfe hinter sich nachschleifend, durch den Vorhang ab.*

DIE SOUBRETTE *setzt sich, trinkt:* Er arbeitet nur für eine Geliebte, mit der er zusammen lebt. Er ist ein Genie. Lupu ahmt ihn schamlos nach. Er hat sich den gleichen Ton zugelegt sowie die Geliebte.

20 DER KLAVIERSPIELER *lehnt an der Aborttür:* Seine Lieder sind himmlisch, aber hier balgt er sich mit Lupu um ein Quant Schnaps seit elf Abenden.

DIE SOUBRETTE *säuft:* Es ist ein Elend mit uns.

BAAL *hinter dem Vorhang:* Ich bin klein, mein Herz ist rein, lustig will ich immer sein.

Klatschen, Baal fährt fort, zur Klampfe:

Durch die Kammer ging der Wind
Blaue Pflaumen fraß das Kind
Und den sanften weißen Leib
30 Ließ es still dem Zeitvertreib.

Beifall im Café, mit Ohorufen. Baal singt weiter, und die Unruhe wird immer größer, da das Lied immer schamloser wird. Zuletzt ungeheurer Tumult im Café.

DER KLAVIERSPIELER *apathisch:* Zum Teufel, er geht durch! Sanitäter! Jetzt redet Mjurk, aber sie vierteilen ihn. Er hat ihnen die Geschichte nackt gegeben.

BAAL *kommt aus dem Vorhang, schleift die Klampfe hinter sich her.*

MJURK *hinter ihm:* Sie Vieh werde ich zwiebeln. Sie werden Ihre Nummer singen! Kontraktlich! Sonst alarmiere ich die Polizei! *Zurück in den Saal.*

DER KLAVIERSPIELER Sie ruinieren uns, Baal.

BAAL *greift sich an den Hals, geht rechts zur Aborttüre.*

DER KLAVIERSPIELER *macht nicht Platz:* Wo wollen Sie hin?

BAAL *schiebt ihn weg. Durch die Türe ab, mit der Klampfe.*

DIE SOUBRETTE Nehmen Sie die Klampfe mit auf den Abort? Sie sind göttlich!

GÄSTE *strecken Köpfe herein:* Wo ist der Schweinehund? – Weitersingen! – Nur jetzt keine Pause! – So ein verfluchter Schweinehund! *Zurück in den Saal.*

MJURK *herein:* Ich habe wie ein Heilsarmeemajor gesprochen. Die Polizei ist uns sicher. Aber die Burschen trommeln wieder nach ihm. Wo ist der Kerl denn? Er muß heraus.

DER KLAVIERSPIELER Die Attraktion ist auf den Abort gegangen.

Schrei hinten: Baal!

MJURK *trommelt an die Tür:* Herr! So geben Sie doch an! Zum Teufel, ich verbiete Ihnen, sich einzuriegeln. Zu einer Zeit, für die Sie von mir bezahlt werden. Ich habe es auf dem Papier! Sie Hochstapler! *Trommelt ekstatisch.*

LUPU *in der Tür rechts, man sieht die blaue Nacht:* Das Fenster zum Abort steht auf. Der Geier ist ausgeflogen. Ohne Schnaps keine Lyrik.

MJURK Leer? Ausgeflogen? Hinaus durch den Abort? Halsabschneider! Ich wende mich an die Polizei. *Stürzt hinaus.*

RUFE *taktmäßig von hinten:* Baal! Baal! Baal!

Grüne Felder, blaue Pflaumenbäume

Baal. Ekart.

BAAL *langsam durch die Felder:* Seit der Himmel grüner und schwanger ist, Juliluft, Wind, kein Hemd in den Hosen! *Zu Ekart zurück.* Sie wetzen mir die bloßen Schenkel. Mein Schädel ist aufgeblasen vom Wind, in dem Haar der Achselhöhle hängt mir der Geruch der Felder. Die Luft zittert wie von Branntwein besoffen.

EKART *hinter ihm:* Warum läufst du wie ein Elefant von den Pflaumenbäumen fort?

BAAL Leg deine Flosse auf meinen Schädel! Er schwillt mit jedem Pulsschlag und sackt wieder zusammen wie eine Blase. Spürst du es nicht mit der Hand?

EKART Nein.

BAAL Du verstehst nichts von meiner Seele.

EKART Sollen wir uns nicht ins Wasser legen?

BAAL Meine Seele, Bruder, ist das Ächzen der Kornfelder, wenn sie sich unter dem Wind wälzen, und das Funkeln in den Augen zweier Insekten, die sich fressen wollen.

EKART Ein julitoller Bursche mit unsterblichem Gedärm, das bist du. Ein Kloß, der einst am Himmel Fettflecken hinterläßt!

BAAL Das ist Papier, aber es macht nichts.

EKART Mein Leib ist leicht wie eine kleine Pflaume im Wind.

BAAL Das kommt von dem bleichen Himmel des Sommers, Bruder. Wollen wir uns von dem lauen Wasser eines blauen Tümpels aufschwemmen lassen? Die weißen Landstraßen ziehen uns sonst wie Seile von Engeln in den Himmel.

Dorfschenke. Abend

Bauern um Baal. Ekart in einer Ecke.

BAAL Gut, daß ich euch alle beisammen habe! Mein Bruder kommt morgen abend hierher. Da müssen die Stiere da sein.

EIN BAUER *mit offenem Mund:* Wie sieht man es dem Stier an, ob er so ist, wie ihn Euer Bruder will?

BAAL Das sieht nur mein Bruder. Es müssen lauter schöne Tiere sein. Sonst hat es keinen Wert. Einen Korn, Wirt!

ZWEITER BAUER Kauft Ihr ihn gleich?

BAAL Den, der die stärkste Lendenkraft hat.

DRITTER BAUER Da werden sie aus elf Dörfern Stiere bringen, für den Preis, den du da ausgibst.

ERSTER BAUER Sieh dir doch meinen Stier an!

BAAL Wirt, einen Korn!

DIE BAUERN Mein Stier, das ist der beste! Morgen abend, sagt Ihr? – *Sie brechen auf.* – Bleibt Ihr hier über Nacht?

BAAL Ja. In einem Bett!
Die Bauern ab.
EKART Was willst du denn eigentlich? Bist du irrsinnig geworden?
BAAL War es nicht prachtvoll, wie sie blinzelten und gafften und es dann begriffen und zu rechnen anfingen?
EKART Es hat uns wenigstens einige Gläser Korn einverleibt. Aber jetzt heißt es Beine machen!
BAAL Jetzt Beine? Bist du verrückt?
10 EKART Ja, bist denn du irrsinnig? Denk doch an die Stiere!
BAAL Ja, wozu habe ich dann die Burschen eingeseift?
EKART Für einige Schnäpse doch?
BAAL Phantasiere nicht! Ich will dir ein Fest geben, Ekart. *Er macht das Fenster hinter sich auf. Es dunkelt. Er setzt sich wieder.*
EKART Du bist von sechs Schnäpsen betrunken. Schäm dich!
BAAL Es wird wunderbar. Ich liebe diese einfachen Leute. Ich gebe dir ein göttliches Schauspiel, Bruder! Prost!
EKART Du liebst es, dich auf den Naiven hinauszuspielen.
20 Die armen Burschen werden mir den Schädel einhauen und dir!
BAAL Sie tun es zu ihrer Belehrung. Ich denke an sie jetzt im warmen Abend mit einer gewissen Zärtlichkeit. Sie kommen, um zu betrügen, in ihrer einfachen Art, und das gefällt mir.
EKART *steht auf:* Also, die Stiere oder mich. Ich gehe, solang der Wirt nichts riecht.
BAAL *finster:* Der Abend ist so warm. Bleib noch eine Stunde. Dann gehe ich mit. Du weißt doch, daß ich dich
30 liebe. Man riecht den Mist von den Feldern bis hier herüber. Meinst du, der Wirt schenkt Leuten noch einen Schnaps aus, die das mit den Stieren arrangieren?
EKART Da kommen Tritte.
PFARRER *tritt ein. Zu Baal:* Guten Abend. Sind Sie der Mann mit den Stieren?
BAAL Das bin ich.
PFARRER Wozu haben Sie den Schwindel eigentlich ins Werk gesetzt?
BAAL Wir haben sonst nichts auf der Welt. Wie stark das Heu herriecht! Ist das immer abends so?

PFARRER Ihre Welt scheint sehr armselig, Mann!

BAAL Mein Himmel ist voll von Bäumen und Leibern.

PFARRER Reden Sie nicht davon! Die Welt ist nicht Ihr Zirkus.

BAAL Was ist dann die Welt?

PFARRER Gehen Sie nur! Wissen Sie: Ich bin ein sehr gutmütiger Mensch. Ich will Ihnen auch nichts nachtragen. Ich habe die Sache ins reine gebracht.

BAAL Der Gerechte hat keinen Humor, Ekart!

PFARRER Sehen Sie denn nicht ein, wie kindisch Ihr Plan war? *Zu Ekart:* Was will denn der Mann?

BAAL *lehnt sich zurück:* In der Dämmerung, am Abend. – Es muß natürlich Abend sein und natürlich muß der Himmel bewölkt sein, wenn die Luft lau ist und etwas Wind geht, dann kommen die Stiere. Sie trotten von allen Seiten her, es ist ein starker Anblick. Und dann stehen die armen Leute dazwischen und wissen nichts anzufangen mit den Stieren und haben sich verrechnet: sie erleben nur einen starken Anblick. Ich liebe auch Leute, die sich verrechnet haben. Und wo kann man soviel Tiere beisammensehen?

PFARRER Und dazu wollten Sie sieben Dörfer zusammentrommeln?

BAAL Was sind sieben Dörfer gegen den Anblick!

PFARRER Ich begreife jetzt. Sie sind ein armer Mensch. Und Sie lieben wohl Stiere besonders?

BAAL Komm Ekart! Er hat die Geschichte verdorben. Der Christ liebt die Tiere nicht mehr.

PFARRER *lacht, dann ernst:* Also das können Sie nicht haben. Gehen Sie nur und fallen Sie nicht weiter auf! Ich glaube, ich erweise Ihnen einen beträchtlichen Dienst, Mann!

BAAL Komm Ekart! Du kannst das Fest nicht bekommen, Bruder! *Mit Ekart langsam ab.*

PFARRER Guten Abend! Wirt, ich bezahle die Zeche für die Herrn!

WIRT *hinter dem Tisch:* Elf Schnäpse, Hochwürden.

Bäume am Abend

Sechs oder sieben Baumfäller sitzen an Bäume gelehnt. Darunter Baal. Im Gras ein Leichnam.

EIN HOLZFÄLLER Es ist eine Eiche gewesen. Er war nicht gleich tot, sondern litt noch.

ZWEITER HOLZFÄLLER Heute früh sagte er noch, das Wetter scheine ihm besser zu werden. So wolle er es: grün mit etwas Regen. Und das Holz nicht zu trocken.

EIN DRITTER Er war ein guter Bursche, der Teddy. Früher hatte er irgendwo einen kleinen Laden. Das war seine Glanzzeit. Da war er noch dick wie ein Pfaffe. Aber er ruinierte das Geschäft wegen einer Weibersache und kam hier herauf, und da verlor er seinen Bauch mit den Jahren.

EIN ANDERER Erzählte er nie was von der Sache mit den Weibern?

DER DRITTE Nein. Ich weiß auch nicht, ob er wieder hinunter wollte. Er sparte ziemlich viel, aber da kann auch seine Mäßigkeit dran schuld gewesen sein. Wir erzählen hier oben nur Lügen. Es ist viel besser so.

EINER Vor einer Woche sagte er, im Winter gehe er nach Norden hinauf. Da scheint er irgendwo eine Hütte zu haben. Sagte er's nicht dir, wo, Elefant? *Zu Baal:* Ihr spracht doch davon?

BAAL Laßt mich in Ruh. Ich weiß nichts.

DER VORIGE Du wirst dich wohl selbst hineinsetzen wollen, hm?

DER ZWEITE Auf den ist kein Verlaß. Erinnert euch, wie er unsere Stiefel über Nacht ins Wasser hängte, daß wir nicht in den Wald konnten, nur weil er faul war wie gewöhnlich.

EIN ANDERER Er tut nichts für das Geld.

BAAL Streitet heut doch nicht! Könnt ihr nicht ein wenig an den armen Teddy denken?

EINER Wo warst du denn, als er vollends gar machte?

Baal erhebt sich und trollt sich quer übers Gras zu Teddy. Setzt sich dort nieder.

EINER Baal geht nicht gerad, Kinder!

EIN ANDERER Laßt ihn! Der Elefant ist erschüttert.

DER DRITTE Ihr könntet heut wirklich etwas ruhiger sein, solang der da noch daliegt.

DER ANDERE Was tust du mit Teddy, Elefant?

BAAL *über ihm:* Der hat seine Ruhe, und wir haben unsere Unruhe. Das ist beides gut. Der Himmel ist schwarz. Die Bäume zittern. Irgendwo blähen sich Wolken. Das ist die Szenerie. Man kann essen. Nach dem Schlaf wacht man auf. Er nicht. Wir. Es ist doppelt gut.

DER ANDERE Wie soll der Himmel sein?

10 BAAL Der Himmel ist schwarz.

DER ANDERE Im Kopf bist du nicht stark. Es trifft auch immer die Unrichtigen.

BAAL Ja, das ist wunderbar, Lieber, da hast du recht.

EINER Baal kann es nicht treffen. Er kommt nicht dahin, wo gearbeitet wird.

BAAL Teddy hingegen war fleißig. Teddy war freigebig. Teddy war verträglich. Davon blieb eines: Teddy w a r.

DER ZWEITE Wo er wohl jetzt ist?

BAAL *auf den Toten deutend:* Da ist er.

20 DER DRITTE Ich meine immer, die armen Seelen, das ist der Wind, abends im Frühjahr besonders, aber auch im Herbst meine ich es.

BAAL Und im Sommer, in der Sonne, über den Getreidefeldern.

DER DRITTE Das paßt nicht dazu. Es muß dunkel sein.

BAAL Es muß dunkel sein, Teddy.

Stille.

EINER Wo kommt der eigentlich hin, Kinder?

DER DRITTE Er hat niemand, der ihn will.

30 DER ANDERE Er war nur für sich auf der Welt.

EINER Und seine Sachen?

DER DRITTE Es ist nicht viel. Das Geld trug er wohin, auf die Bank. Da wird es liegen bleiben, auch wenn er ausbleibt. Weißt du was, Baal?

BAAL Er stinkt immer noch nicht.

EINER Da habe ich eben einen sehr guten Einfall, Kinder.

DER ANDERE Heraus damit!

DER MANN MIT DEM EINFALL Nicht nur der Elefant hat Einfälle, Kinder. Wie wäre es, wenn wir auf Teddys Wohl eins tränken?

BAAL Das ist unsittlich, Bergmeier.

DIE ANDEREN Quatsch, unsittlich. Aber was sollen wir trinken? Wasser? Schäme dich, Junge!

DER MANN MIT DEM EINFALL Schnaps!

BAAL Ich stimme für den Antrag. Schnaps ist sittlich. Was für einer?

DER MANN MIT DEM EINFALL Teddys Schnaps.

DIE ANDEREN Teddys? – Das ist was. – Das Quant! – Teddy war sparsam. – Das ist ein guter Einfall von einem Idioten,
10 Junge!

DER MANN Feiner Blitz, was! Was für eure Dickschädel! Teddys Schnaps zu Teddys Leichenfeier! Billig und würdig! Hat schon einer eine Rede auf Teddy gehalten? Gehört sich das etwa nicht?

BAAL Ich.

EINIGE Wann?

BAAL Vorhin. Bevor ihr Unsinn schwatztet. Sie ging an mit: Teddy hat seine Ruhe . . . ihr merkt alles erst, wenn es vorbei ist.

20 DIE ANDEREN Schwachkopf! Holen wir den Schnaps!

BAAL Es ist eine Schande.

DIE ANDEREN Oho! Und warum, großer Elefant?

BAAL Es ist Teddys Eigentum. Das Fäßchen darf nicht erbrochen werden. Teddy hat eine Frau und fünf arme Waisen.

EINER Vier. Es sind nur vier.

EIN ANDERER Jetzt kommt es plötzlich auf.

BAAL Wollt ihr Teddys fünf armen Waisen den Schnaps ihres armen Vaters wegsaufen? Ist das Religion?

DER VORIGE Vier. Vier Waisen.

30 BAAL Teddys vier Waisen den Schnaps von den Mäulern wegsaufen?

EINER Teddy hatte überhaupt keine Familie.

BAAL Aber Waisen, meine Lieben, Waisen.

EIN ANDERER Meint ihr, die dieser verrückte Elefant uzt, Teddys Waisen werden Teddys Schnaps saufen? Gut, es ist Teddys Eigentum . . .

BAAL *unterbricht:* War es . . .

DER ANDERE Was willst du wieder damit?

EINER Er schwatzt nur. Er hat gar keinen Verstand.

DER ANDERE Ich sage: Es war Teddys Eigentum, und wir werden es also bezahlen. Mit Geld, gutem Geld, Jungens. Dann können die Waisen anrücken.

ALLE Das ist ein guter Vorschlag. Der Elefant ist geschlagen. Er muß verrückt sein, da er keinen Schnaps will. Gehn wir ohne ihn zu Teddys Schnaps!

BAAL *ruft ihnen nach:* Kommt wenigstens wieder hierher, ihr verfluchten Leichenräuber! *Zu Teddy:* Armer Teddy! Und die Bäume sind ziemlich stark heut und die Luft ist gut und weich, und ich fühle mich innerlich geschwellt, armer Teddy, kitzelt es dich nicht? Du bist völlig erledigt, laß es dir erzählen, du wirst bald stinken, und der Wind geht weiter, alles geht weiter, und deine Hütte, weiß ich, wo die steht, und dein Besitztum nehmen dir die Lebendigen weg, und du hast es im Stich gelassen und wolltest nur deine Ruhe. Dein Leib war noch nicht so schlecht, Teddy, er ist es jetzt noch nicht, nur ein wenig beschädigt, auf der einen Seite, und dann die Beine – mit den Weibern wäre es ausgewesen, sowas legt man nicht zwischen ein Weib. *Er hebt das Bein des Toten.* Aber alles in allem, in dem Leib hätte es sich noch leben lassen bei besserem Willen, mein Junge, aber deine Seele war eine verflucht noble Persönlichkeit, die Wohnung war schadhaft, und die Ratten verlassen das sinkende Schiff; du bist lediglich deiner Gewohnheit unterlegen, Teddy.

DIE ANDEREN *kehren zurück:* Hoho Elefant, jetzt gibt's was! Wo ist das Fäßchen Brandy unter Teddys altem Bett, Junge? – Wo warst du, als wir uns mit dem armen Teddy beschäftigten? Herr? Da war Teddy noch nicht mal ganz tot, Herr? – Wo warst du da, du Schweinehund, du Leichenschänder, du Beschützer von Teddys armen Waisen, hm?

BAAL Es ist gar nichts erwiesen, meine Lieben!

DIE ANDEREN Wo ist dann der Schnaps? Hat ihn, nach deiner werten Ansicht, das Faß gesoffen? – Es ist eine verflucht ernsthafte Angelegenheit, Junge. – Steh einmal auf, du, erhebe dich! Geh einmal vier Schritte und leugne dann, daß du erschüttert bist, innerlich und äußerlich vollkommen zerrüttet, du alte Sau! – Auf mit ihm, kitzelt ihn etwas, Jungens, den Schänder von Teddys armer Ehre! *Baal wird auf die Beine gestellt.*

BAAL Schweinebande! Tretet mir wenigstens den armen Teddy nicht! *Er setzt sich und nimmt den Arm der Leiche unter seinen Arm.* Wenn ihr mich mißhandelt, fällt Teddy aufs Gesicht. Ist das Pietät? Ich bin in der Notwehr. Ihr seid sieben, sie–ben und habt nicht getrunken, und ich bin ein einziger und habe getrunken. Ist das fein, ist das ehrlich, sieben auf einen? Beruhigt euch! Teddy hat sich auch beruhigt.

EINIGE *traurig und empört:* Dem Burschen ist nichts heilig. – Gott sei seiner besoffenen Seele gnädig! – Er ist der hart-
10 gesottenste Sünder, der zwischen Gottes Händen herumläuft.

BAAL Setzt euch, ich mag die Pfäfferei nicht. Es muß immer Klügere geben und Schwächere im Gehirn. Das sind dafür die besseren Arbeiter. Ihr habt gesehen, ich bin ein geistiger Arbeiter. *Er raucht.* Ihr hattet nie die rechte Ehrfurcht, meine Lieben! Und was kommt bei euch in Bewegung, wenn ihr den guten Schnaps in euch begrabt? Aber ich mache Erkenntnisse, sage ich euch! Ich habe zu Teddy höchst Wesentliches gesagt. *Er zieht aus dessen Brusttasche*
20 *Papiere, die er betrachtet.* Aber ihr mußtet ja fortlaufen nach dem erbärmlichen Schnaps. Setzt euch: Seht euch den Himmel an zwischen den Bäumen, der jetzt dunkel wird. Ist das nichts? Dann habt ihr keine Religion im Leibe!

Eine Hütte

Man hört regnen. Baal. Ekart.

BAAL Das ist der Winterschlaf im schwarzen Schlamm für unsere weißen Leiber.

EKART Du hast das Fleisch immer noch nicht geholt!

BAAL Du bist wohl mit deiner Messe beschäftigt?

30 EKART Mußt du an meine Messe denken? Denk du an deine Frau! Wo hast du sie wieder hingetrieben, in dem Regen?

BAAL Sie läuft uns nach wie verzweifelt und hängt sich an meinen Hals.

EKART Du sinkst immer tiefer.

BAAL Ich bin zu schwer.

EKART Mit dem Insgrasbeißen rechnest du wohl nicht?

BAAL Ich kämpfe bis aufs Messer. Ich will noch ohne Haut leben, ich ziehe mich noch in die Zehen zurück. Ich falle wie ein Stier: Ins Gras, da, wo es am weichsten ist. Ich schlucke den Tod hinunter und weiß von nichts.

EKART Seit wir hier liegen, bist du immer fetter geworden.

BAAL *langt mit der Rechten unterm Hemd in die linke Achselhöhle:* Mein Hemd aber ist weiter geworden, je dreckiger, desto weiter. Es ginge noch jemand rein. Aber ohne dicken
10 Leib. Warum aber liegst du auf der faulen Haut, bei deinen Knochen?

EKART Ich habe eine Art Himmel in meinem Schädel, sehr grün und verflucht hoch, und die Gedanken gehen wie leichte Wolken im Wind drunter hin. Sie sind ganz unentschieden in der Richtung. Das alles ist aber in mir drin.

BAAL Das ist das Delirium. Du bist ein Alkoholiker. Jetzt siehst du: Es rächt sich.

EKART Wenn das Delirium kommt, das merke ich an meinem Gesicht.

20 BAAL Du hast ein Gesicht, in dem viel Wind Platz hat. Konkav. *Sieht ihn an.* Du hast gar kein Gesicht. Du bist gar nichts. Du bist transparent.

EKART Ich werde immer mathematischer.

BAAL Deine Geschichten erfährt man nie. Warum redest du nie über dich?

EKART Ich werde keine haben. Wer läuft da draußen?

BAAL Du hast ein gutes Gehör. Es ist etwas in dir drin, das deckst du zu. Du bist ein böser Mensch, gerade wie ich, ein Teufel. Aber eines Tags siehst du Ratten. Dann bist du
30 wieder ein guter Mensch.

SOPHIE *in der Tür.*

EKART Bist du das, Sophie?

BAAL Was willst du schon wieder?

SOPHIE Darf ich jetzt herein, Baal?

Ebene. Himmel. Abend

Baal. Ekart. Sophie.

SOPHIE Mir sinken die Knie ein. Warum läufst du wie ein Verzweifelter?
BAAL Weil du dich an meinen Hals hängst wie ein Mühlstein.
EKART Wie kannst du sie so behandeln, die von dir schwanger ist?
SOPHIE Ich wollte es selbst, Ekart.
BAAL Sie wollte es selbst. Und jetzt hängt sie mir am Hals.
10 EKART Das ist viehisch. Setz dich hin, Sophie.
SOPHIE *setzt sich schwer:* Laß ihn fort!
EKART *zu Baal:* Wenn du sie auf die Straße schmeißt, ich bleibe bei ihr.
BAAL Sie bleibt bei dir nicht. Aber du ließest mich sitzen. Ihretwegen, das sieht dir gleich.
EKART Du hast mich zweimal aus dem Bett geschmissen. Dich ließen meine Geliebten kalt, du fischtest sie mir weg, obgleich ich sie liebte.
BAAL Weil du sie liebtest. Ich habe zweimal Leichen geschän-
20 det, weil du rein bleiben solltest. Ich brauche das. Ich hatte keine Wollust dabei, bei Gott!
EKART *zu Sophie:* Und dieses durchsichtige Vieh liebst du immer noch?
SOPHIE Ich kann nichts dafür, Ekart. Ich liebe noch seinen Leichnam. Ich liebe noch seine Fäuste. Ich kann nichts dafür, Ekart.
BAAL Ich will nie wissen, was ihr getrieben habt, als ich saß.
SOPHIE Wir standen beieinander vor dem weißen Gefängnis und schauten hinauf, wo du saßest.
30 BAAL Ihr wart beieinander.
SOPHIE Schlage mich dafür.
EKART *schreit:* Hast du sie mir nicht an den Hals geworfen?
BAAL Damals konntest du mir noch gestohlen werden.
EKART Ich habe nicht deine Elefantenhaut!
BAAL Ich liebe dich darum.
EKART So halt doch wenigstens dein verfluchtes Maul davon, solang sie noch dabeisitzt.
BAAL Sie soll sich trollen! Sie fängt an, zur Kanaille zu wer-

den. *Fährt sich mit den Händen an den Hals.* Sie wäscht sich ihre beschmutzte Wäsche in deinen Tränen. Siehst du noch nicht, daß sie nackt zwischen uns läuft? Ich bin ein Lamm von Geduld, aber aus meiner Haut kann ich nicht.

EKART *setzt sich zu Sophie:* Geh heim zu deiner Mutter!

SOPHIE Ich kann ja nicht.

BAAL Sie kann nicht, Ekart.

SOPHIE Schlag mich, wenn du willst, Baal. Ich will nicht mehr sagen, daß du langsam gehen sollst. Ich habe es nicht so gemeint. Laß mich mitlaufen, solang ich Füße habe, dann will ich mich ins Gesträuch legen und du mußt nicht hersehen. Jage mich nicht weg, Baal.

BAAL Lege ihn in den Fluß, deinen dicken Leib! Du hast gewollt, daß ich dich ausspeie.

SOPHIE Willst du mich hier liegen lassen, du willst mich nicht hier liegen lassen. Du weißt es noch nicht, Baal. Du bist wie ein Kind, daß du so etwas meinst.

BAAL Jetzt habe ich dich satt bis an den Hals.

SOPHIE Aber die Nacht nicht, nicht die Nacht, Baal. Ich habe Angst allein. Ich habe Angst vor dem Finstern. Davor habe ich Angst.

BAAL In dem Zustand? Da tut dir keiner was.

SOPHIE Aber die Nacht. Wollt ihr nicht noch die Nacht bei mir bleiben?

BAAL Geh zu den Flößern. Heut ist Johannis. Da sind sie besoffen.

SOPHIE Eine Viertelstunde!

BAAL Komm, Ekart!

SOPHIE Wo soll ich denn hin?

BAAL In den Himmel, Geliebte!

SOPHIE Mit meinem Kind?

BAAL Vergrab es!

SOPHIE Ich wünsche mir, daß du nie mehr daran denken mußt, was du mir jetzt sagst unter dem schönen Himmel, der dir gefällt. Das wünsche ich mir auf den Knien.

EKART Ich bleibe bei dir. Und dann bringe ich dich zu deiner Mutter, wenn du nur sagst, daß du dieses Vieh nicht mehr lieben willst.

BAAL Sie liebt mich.

SOPHIE Ich liebe es.

EKART Stehst du noch da, du Vieh? Hast du keine Knie? Bist du im Schnaps ersoffen oder in der Lyrik? Verkommenes Tier! Verkommenes Tier!

BAAL Schwachkopf!

Ekart auf ihn los, sie ringen.

SOPHIE Jesus Maria! Es sind Raubtiere!

EKART *ringend:* Hörst du, was sie sagt, in dem Gehölz, und jetzt wird es schon dunkel? Verkommenes Tier! Verkommenes Tier!

BAAL *an ihn, preßt Ekart an sich:* Jetzt bist du an meiner Brust, riechst du mich? Jetzt halte ich dich, es gibt mehr als Weibernähe! *Hält ein.* Jetzt sieht man schon Sterne über dem Gesträuch, Ekart.

EKART *starrt Baal an, der auf den Himmel sieht:* Ich kann es nicht schlagen.

BAAL *den Arm um ihn:* Es wird dunkel. Wir müssen Nachtquartier haben. Im Gehölz gibt es Mulden, wo kein Wind hingeht. Komm, ich erzähle dir von den Tieren. *Er zieht ihn fort.*

SOPHIE *allein im Dunkeln, schreit:* Baal!

Hölzerne braune Diele. Nacht. Wind

An Tischen Gougou, Bolleboll. Der alte Bettler und Maja mit dem Kind in der Kiste.

BOLLEBOLL *spielt Karten mit Gougou:* Ich habe kein Geld mehr. Spielen wir um unsere Seelen!

DER BETTLER Bruder Wind will herein. Aber wir kennen unsern kalten Bruder Wind nicht. Hehehe.

DAS KIND *weint.*

MAJA *das Bettelweib:* Horcht! Da geht was ums Haus! Wenn das nur kein großes Tier ist!

BOLLEBOLL Warum? Bist du schon wieder lüstern?

Es schlägt an das Tor.

MAJA Horcht! Ich mache nicht auf!

DER BETTLER Du machst auf.

MAJA Nein, nein! Liebe Muttergottes, nein!

DER BETTLER Bouque la Madonne! Mach auf!
MAJA *kriecht zur Tür:* Wer ist draußen?
DAS KIND *weint.*
MAJA *öffnet die Tür.*
BAAL *mit Ekart tritt ein, verregnet:* Ist das die Spitalschenke?
MAJA Ja, aber es ist kein Bett frei. *Frecher:* Und ich bin krank.
BAAL Wir haben Champagner bei uns.
Ekart ist zum Ofen gegangen.
10 BOLLEBOLL Komm her! Wer weiß, was Champagner ist, paßt zu uns.
DER BETTLER Hier sind heut lauter feine Leute, mein lieber Schwan!
BAAL *an den Tisch tretend, zieht zwei Flaschen aus den Taschen:* Hm?
DER BETTLER Das ist Spuk!
BOLLEBOLL Ich weiß, woher du den Champagner hast. Aber ich verrate dich nicht.
BAAL Komm, Ekart! Sind hier Gläser?
20 MAJA Tassen, gnädiger Herr! Tassen! *Sie bringt welche.*
GOUGOU Ich brauche eine eigene Tasse.
BAAL *mißtrauisch:* Dürfen Sie Champagner trinken?
GOUGOU Bitte!
Baal schenkt ein.
BAAL Was haben Sie für eine Krankheit?
GOUGOU Lungenspitzenkatarrh. Es ist nichts. Eine kleine Verschleimung. Nichts von Bedeutung.
BAAL *zu Bolleboll:* Und Sie?
BOLLEBOLL Magengeschwüre. Harmlos.
30 BAAL *zum Bettler:* Hoffentlich haben Sie auch ein Leiden?
DER BETTLER Ich bin wahnsinnig.
BAAL Prost! – Wir kennen uns. Ich bin gesund.
DER BETTLER Ich kannte einen Mann, der meinte auch, er sei gesund. Meinte es. Er stammte aus einem Wald und kam einmal wieder dort hin, denn er mußte sich etwas überlegen. Den Wald fand er sehr fremd und nicht mehr verwandt. Viele Tage ging er, ganz hinauf in die Wildnis, denn er wollte sehen, wie weit er abhängig war und wieviel noch in ihm war, daß er's aushielte. Aber es war nicht mehr viel. *Trinkt.*

BAAL *unruhig:* So ein Wind! Und wir müssen heut nacht noch fort, Ekart.

DER BETTLER Ja, der Wind, an einem Abend, um die Dämmerung, als er nicht mehr so allein war, ging er durch die große Stille zwischen die Bäume und stellte sich unter einen von ihnen, der sehr groß war. *Trinkt.*

BOLLEBOLL Das war der Affe in ihm.

DER BETTLER Ja, vielleicht der Affe. Er lehnte sich an ihn, ganz nah, fühlte das Leben in ihm, oder meinte es und sagte: Du bist höher als ich und stehst fest und du kennst die Erde bis tief hinunter und sie hält dich. Ich kann laufen und mich besser bewegen, aber ich stehe nicht fest und kann nicht in die Tiefe und nichts hält mich. Auch ist mir die große Ruhe über den stillen Wipfeln im unendlichen Himmel unbekannt. *Trinkt.*

GOUGOU Was sagte der Baum?

DER BETTLER Ja. Der Wind ging. Durch den Baum lief ein Zittern, der Mann fühlte es. Da warf er sich zu Boden, umschlang die wilden und harten Wurzeln und weinte bitterlich. Aber er tat es mit vielen Bäumen.

EKART Wurde er gesund?

DER BETTLER Nein, aber er starb leichter.

MAJA Das versteh ich nicht.

DER BETTLER Nichts versteht man. Aber manches fühlt man. Geschichten, die man versteht, sind nur schlecht erzählt.

BOLLEBOLL Glaubt ihr an Gott?

BAAL *mühsam:* Ich glaubte immer an mich. Aber man kann Atheist werden.

BOLLEBOLL *lacht schallend:* Jetzt werde ich lustig! Gott! Champagner! Liebe! Wind und Regen! *Greift nach Maja.*

MAJA Laß mich! Du stinkst aus dem Mund!

BOLLEBOLL Und hast du keine Syphilis? *Nimmt sie auf den Schoß.*

DER BETTLER Hüte dich! *Zu Bolleboll:* Ich werde nach und nach betrunken. Und du kannst heute nicht in den Regen hinaus, wenn ich ganz betrunken bin.

GOUGOU *zu Ekart:* Er war hübscher, und darum bekam er sie.

EKART Und Ihre geistige Überlegenheit? Ihr seelisches Übergewicht?

GOUGOU Sie war nicht so. Sie war ganz unverdorben.
EKART Und was taten Sie?
GOUGOU Ich schämte mich.
BOLLEBOLL Horcht! Der Wind! Er bittet Gott um Ruhe.
MAJA *singt:*
Eiapopeia, 's geht draußen der Wind
Während wir warm und betrunken sind.
BAAL Was ist das für ein Kind?
MAJA Meine Tochter, gnädiger Herr.
10 DER BETTLER Eine virgo dolorosa!
BAAL *trinkt:* Das war früher, Ekart. Ja. Das war auch schön.
EKART Was?
BOLLEBOLL Das hat er vergessen.
BAAL Früher, was für ein merkwürdiges Wort!
GOUGOU *zu Ekart:* Das Schönste ist das Nichts.
BOLLEBOLL Pst! Jetzt kommt Gougous Arie! Der Madensack singt!
GOUGOU Es ist wie zitternde Luft an Sommerabenden, Sonne. Aber es zittert nicht. Nichts. Gar nichts. Man hört einfach
20 auf. Wind geht, man friert nimmer. Regen geht, man wird nimmer naß. Witze passieren, man lacht nicht mit. Man verfault, man braucht nicht zu warten. Generalstreik.
DER BETTLER Das ist das Paradies der Hölle!
GOUGOU Ja, das ist das Paradies. Es bleibt kein Wunsch unerfüllt. Man hat keinen mehr. Es wird einem alles abgewöhnt. Auch die Wünsche. So wird man frei.
MAJA Und was kommt am Schluß?
GOUGOU *grinst:* Nichts. Gar nichts. Es kommt kein Schluß. Nichts dauert ewig.
30 BOLLEBOLL Amen.
BAAL *ist aufgestanden, zu Ekart:* Ekart, steh auf! Wir sind unter Mörder gefallen. *Hält sich an Ekart, um die Schultern.* Das Gewürm bläht sich. Die Verwesung kriecht heran. Die Würmer singen und preisen sich an.
EKART Das ist jetzt das zweitemal bei dir. Ob es vom Trinken allein kommt?
BAAL Hier werden meine Gedärme demonstriert ... Das ist kein Schlammbad.
EKART Setz dich! Trink dich voll! Wärm dich!
MAJA *singt etwas betrunken:*

Sommer und Winter, Regen und Schnee –
Sind wir besoffen, tut nichts mehr weh.

BOLLEBOLL *hat Maja gefaßt, balgt:* Die Arie kitzelt mich immer so, kleiner Gougou ... Bitzebitze, Majachen.

DAS KIND *weint.*

BAAL *trinkt:* Wer sind Sie? *Gereizt zu Gougou.* Madensack heißen Sie. Sie sind Todeskandidat? Prost! *Setzt sich.*

DER BETTLER Nimm dich in acht, Bolleboll! Ich vertrage Champagner nicht so gut.

MAJA *an Bolleboll, singt:*
Zu deine Äuglein, Schauen ist schwer.
Komm, wir gehn schlafen, jetzt spürst du's nicht mehr.

BAAL *brutal:*
Schwimmst du hinunter mit Ratten im Haar:
Der Himmel drüber bleibt wunderbar.
Steht auf, das Glas in der Hand. Schwarz ist der Himmel. Warum bist du erschrocken? *Trommelt auf den Tisch.* Man muß das Karussell aushalten. Es ist wunderbar. *Schwankt.* Ich will ein Elefant sein, der im Zirkus Wasser läßt, wenn nicht alles schön ist ... *Fängt an zu tanzen, singt:* Tanz mit dem Wind, armer Leichnam, schlaf mit der Wolke, verkommener Gott! *Er kommt schwankend zum Tisch.*

EKART *betrunken, ist aufgestanden:* Jetzt gehe ich nicht mehr mit dir. Ich habe auch eine Seele. Du hast meine Seele verdorben. Du verdirbst alles. Auch fange ich jetzt dann mit meiner Messe an.

BAAL Ich liebe dich, Prost!

EKART Ich gehe aber nicht mehr mit dir! *Setzt sich.*

DER BETTLER *zu Bolleboll:* Hände weg, du Schwein!

MAJA Was geht das dich an?

DER BETTLER Sei du still, du Armselige!

MAJA Irrsinniger, du spinnst ja!

BOLLEBOLL *giftig:* Schwindel! Er hat gar keine Krankheit. Das ist es! Es ist alles Schwindel!

DER BETTLER Und du hast den Krebs!

BOLLEBOLL *unheimlich ruhig:* Ich habe den Krebs?

DER BETTLER *feig:* Ich habe gar nichts gesagt. Laß du das Ding in Ruh!

MAJA *lacht.*

BAAL Warum weint das? *Trollt sich zur Kiste hinter.*

DER BETTLER *bös:* Was willst du von dem?
BAAL *beugt sich über die Kiste:* Warum weinst du? Hast du's noch nie gesehen? Oder weinst du jedesmal wieder?
DER BETTLER Lassen Sie das, Mann! *Wirft sein Glas auf Baal.*
MAJA *springt auf:* Du Schwein!
BOLLEBOLL Er will ihm nur unters Hemd schauen.
BAAL *steht langsam auf:* O ihr Säue! Ihr kennt das Menschliche nicht mehr! Komm, Ekart, wir wollen uns im Fluß waschen! *Ab mit Ekart.*

10 ## Grünes Laubdickicht. Fluß dahinter

Baal. Ekart.

BAAL *sitzt im Laubwerk:* Das Wasser ist warm. Auf dem Sand liegt man wie Krebse. Dazu das Buschwerk und die weißen Wolken am Himmel. Ekart!
EKART *verborgen:* Was willst du?
BAAL Ich liebe dich.
EKART Ich liege zu gut.
BAAL Hast du die Wolken vorhin gesehen?
EKART Ja. Sie sind schamlos.
20 *Stille.*
Vorhin ging ein Weib drüben vorbei.
BAAL Ich mag kein Weib mehr . . .

Landstraße. Weiden

Wind. Nacht. Ekart schläft im Gras.

BAAL *über die Felder her, wie trunken, die Kleider offen, wie ein Schlafwandelnder:* Ekart! Ekart! Ich hab's. Wach auf!
EKART Was hast du? Redest du wieder im Schlaf?
BAAL *setzt sich zu ihm:* Das da:
Als sie ertrunken war und hinunterschwamm
Von den Bächen in die größeren Flüsse

Schien der Azur des Himmels sehr wundersam
Als ob er die Leiche begütigen müsse.

Tang und Algen hielten sich an ihr ein
So daß sie langsam viel schwerer ward
Kühl die Fische schwammen an ihrem Bein
Pflanzen und Tiere beschwerten noch ihre letzte Fahrt.

Und der Himmel ward abends dunkel wie Rauch
Und hielt nachts mit den Sternen das Licht in Schwebe.
Aber früh ward er hell, daß es auch
Noch für sie Morgen und Abend gebe.

Als ihr bleicher Leib im Wasser verfaulet war
Geschah es, sehr langsam, daß Gott sie allmählich vergaß:
Erst ihr Gesicht, dann die Hände und ganz zuletzt erst ihr Haar.
Dann ward sie Aas in Flüssen mit vielem Aas.

Wind.

EKART Geht es schon um, das Gespenst? Es ist nicht so schlecht wie du. Nur der Schlaf ist beim Teufel, und der Wind orgelt wieder in den Weidenstrunken. Bleibt also wieder die weiße Brust der Philosophie, Finsternis, Nässe bis an unser seliges Ende und selbst von alten Weibern nur das zweite Gesicht.

BAAL Bei dem Wind braucht man keinen Schnaps und ist so besoffen. Ich sehe die Welt in mildem Licht: Sie ist das Exkrement des lieben Gottes.

EKART Des lieben Gottes, der sich durch die Verbindung von Harnrohr und Geschlechtsglied hinlänglich ein für allemal gekennzeichnet hat.

BAAL *liegt:* Das alles ist so schön.

Wind.

EKART Die Weiden sind wie verfaulte Zahnstumpen in dem schwarzen Maul, das der Himmel hat. – Jetzt fange ich bald mit meiner Messe an.

BAAL Ist das Quartett schon fertig?

EKART Wo sollte ich die Zeit hernehmen?

Wind.

BAAL Da ist eine rothaarige, bleiche; die ziehst du herum.

EKART Sie hat einen weichen, weißen Leib und kommt mittags damit in die Weiden. Die haben hängende Zweige wie Haare und darinnen v....n wir wie die Eichkatzen.

BAAL Ist sie schöner als ich?

Dunkel. Der Wind orgelt weiter.

Junge Haselsträucher

Lange rote Ruten, die niederhängen. Darinnen sitzt Baal. Mittag.

BAAL Ich werde sie einfach befriedigen, die weiße Taube ...
10 *Betrachtet den Platz:* An der Stelle sieht man die Wolken schön durch die Weidenzweige ... Wenn er dann kommt, sieht er nur mehr die Haut. Ich hab diese Liebschaften bei ihm satt. Schweig still, meine liebe Seele!

JUNGES WEIB *aus dem Dickicht, rotes Haar, voll, bleich.*

BAAL *schaut nicht um:* Bist d u das?

DAS JUNGE WEIB Wo ist Ihr Freund?

BAAL Er macht eine Messe in es-Moll.

DAS JUNGE WEIB Sagen Sie ihm, daß ich da war!

BAAL Er wird zu durchsichtig. Er befleckt sich. Er fällt zurück
20 in die Zoologie. Setzen Sie sich! *Er schaut um.*

DAS JUNGE WEIB Ich will lieber stehen.

BAAL *zieht sich an den Weidenruten hoch:* Er ißt zuviel Eier in der letzten Zeit.

DAS JUNGE WEIB Ich liebe ihn.

BAAL Was gehen Sie mich an! *Faßt sie.*

DAS JUNGE WEIB Langen Sie mich nicht an! Sie sind mir zu schmutzig.

BAAL *langt ihr langsam an die Kehle:* Das ist Ihr Hals? Wissen Sie, wie man Tauben still macht oder Wildenten im
30 Gehölz?

DAS JUNGE WEIB Jesus Maria! *Zerrt.* Lassen Sie mich in Ruh!

BAAL Mit Ihren schwachen Knien? Sie fallen ja um. Sie wollen ja zwischen die Weiden gelegt werden. Mann ist Mann, darin gleichen sich die meisten. *Nimmt sie in die Arme.*

DAS JUNGE WEIB *zittert:* Bitte, lassen Sie mich los! Bitte!

BAAL Eine schamlose Wachtel! Her damit! Rettungstat eines Verzweifelten! *Faßt sie an beiden Armen, schleift sie ins Gebüsch.*

Ahorn im Wind. Bewölkter Himmel

Baal und Ekart, in den Wurzeln sitzend.

BAAL Trinken tut not, Ekart, hast du noch Geld?
EKART Nein. Sieh dir den Ahorn im Wind an!
BAAL Er zittert.
EKART Wo ist das Mädel, das du in den Schenken herumgezogen hast?
BAAL Werd ein Fisch und such sie.
EKART Du überfrißt dich, Baal. Du wirst platzen.
BAAL Den Knall möcht ich noch hören.
EKART Schaust du nicht manchmal auch in ein Wasser, wenn es schwarz und tief ist und noch ohne Fisch. Fall nie hinein. Du mußt dich in acht nehmen. Du bist so sehr schwer, Baal.
BAAL Ich werde mich vor jemand anderem in acht nehmen. Ich habe ein Lied gemacht. Willst du es hören?
EKART Lies es, dann kenne ich dich.
BAAL Es heißt: Der Tod im Wald.
Und ein Mann starb im ewigen Wald
Wo ihn Sturm und Strom umbrauste.
Starb wie ein Tier in Wurzeln eingekrallt
Schaute hoch in die Wipfel, wo über dem Wald
Sturm seit Tagen über alles sauste.

Und es standen einige um ihn
Und sie sagten, daß er stille werde:
Komm, wir tragen dich jetzt heim, Gefährte!
Aber er stieß sie mit seinen Knien
Spuckte aus und sagte: Und wohin?
Denn er hatte weder Heim noch Erde.

Wieviel Zähne hast du noch im Maul?
Und wie ist das sonst mit dir, laß sehn!
Stirb ein wenig ruhiger und nicht so faul!

Gestern abend aßen wir schon deinen Gaul.
Warum willst du nicht zur Hölle gehn?

Und der Wald war laut um ihn und sie.
Und sie sahn ihn sich am Baume halten
Und sie hörten, wie er ihnen schrie.
Und es graute ihnen so wie nie
Daß sie zitternd ihre Fäuste ballten:
Denn es war ein Mann wie sie.

Unnütz bist du, räudig, toll, du Tier!
10 Eiter bist du, Dreck du, Lumpenhaufen!
Luft schnappst du uns weg mit deiner Gier
Sagten sie. Und er, er, das Geschwür:
Leben will ich! Eure Sonne schnaufen!
Und im Lichte reiten so wie ihr!

Das war etwas, was kein Freund verstand
Daß sie zitternd vor dem Ekel schwiegen.
Ihm hielt Erde seine nackte Hand
Und von Meer zu Meer im Wind liegt Land:
Und ich muß hier unten stille liegen.

20 Ja, des armen Lebens Übermaß
Hielt ihn so, daß er auch noch sein Aas
Seinen Leichnam in die Erde preßte;
In der frühen Dämmrung fiel er tot ins dunkle Gras.
Voll von Ekel gruben sie ihn, voll von Haß
In des Baumes unterstes Geäste.

Und sie ritten stumm aus dem Dickicht.
Und sie sahn noch nach dem Baume hin
Unter den sie eingegraben ihn
Und verwunderten sich alle beide:
30 Der Baum war oben voll Licht.
Und sie bekreuzten ihr junges Gesicht
Und sie ritten in Sonne und Heide.

EKART Ja. Ja. So weit ist es jetzt wohl gekommen.

BAAL Wenn ich nachts nicht schlafen kann, schaue ich die Sterne an. Das ist geradeso.

EKART So?
BAAL *mißtrauisch:* Aber das tue ich nicht oft. Sonst schwächt es.
EKART *nach einer Weile:* In der letzten Zeit hast du viel Lyrik gemacht. Du hast wohl schon lange kein Weib mehr gehabt?
BAAL Warum?
EKART Ich dachte es mir. Sage nein.
BAAL *steht auf, streckt sich, schaut in den Wipfel des Ahorns, lacht.*

Branntweinschenke

Abend. Ekart. Die Kellnerin. Watzmann. Johannes, abgerissen, in schäbigem Rock mit hochgeschlagenem Kragen, hoffnungslos verkommen. Die Kellnerin hat die Züge Sophiens.

EKART Jetzt sind es acht Jahre.
Sie trinken, Wind geht.
JOHANNES Mit fünfundzwanzig ginge das Leben erst an. Da werden sie breiter und haben Kinder.
Stille.
WATZMANN Seine Mutter ist gestern gestorben. Er läuft herum, Geld zu leihen für die Beerdigung. Damit kommt er hierher. Dann können wir die Schnäpse bezahlen. Der Wirt ist anständig; er gibt Kredit auf eine Leiche, die eine Mutter war.
Trinkt.
JOHANNES Baal! Der Wind geht nimmer in sein Segel!
WATZMANN *zu Ekart:* Du hast wohl viel mit ihm auszuhalten?
EKART Man kann ihm nicht ins Gesicht spucken: Er geht unter.
WATZMANN *zu Johannes:* Tut dir das weh? Beschäftigt es dich?
JOHANNES Es ist schade um ihn, sage ich euch. *Trinkt.*
Stille.
WATZMANN Er wird immer ekelhafter.
EKART Sage das nicht. Ich will das nicht hören: Ich liebe ihn.

Ich nehme ihm nie irgendwas übel. Weil ich ihn liebe. Er ist ein Kind.

WATZMANN Er tut immer nur, was er muß. Weil er so faul ist.

EKART *tritt in die Tür:* Es ist eine ganz milde Nacht. Der Wind warm. Wie Milch. Ich liebe das alles. Man sollte nie trinken. Oder nicht so viel. *Zum Tisch zurück.* Die Nacht ist ganz mild. Jetzt und noch drei Wochen in den Herbst hinein kann man gut auf den Straßen leben. *Setzt sich.*

WATZMANN Willst du heut nacht fort? Du willst ihn wohl loshaben? Er liegt dir am Hals?

JOHANNES Du mußt Obacht geben!

BAAL *tritt langsam in die Tür.*

WATZMANN Bist du das, Baal?

EKART *hart:* Was willst du schon wieder?

BAAL *herein, setzt sich:* Was ist das für ein armseliges Loch geworden!

Die Kellnerin bringt Schnaps.

WATZMANN Hier hat sich nichts verändert. Nur du bist, scheint's, feiner geworden.

BAAL Bist du das noch, Luise?

Stille.

JOHANNES Ja. Hier ist es gemütlich. – Ich muß nämlich trinken, viel trinken. Das macht stark. Man geht auch dann noch über Messer in die Hölle, zugegeben. Aber doch anders. So, wie wenn einem die Knie einsänken, wißt ihr: nachgiebig! So: daß man's gar nicht spürt, die Messer. Mit federnden Kniekehlen. Übrigens, früher hatte ich nie solche Einfälle, so schnurrige, als es mir gut ging, in den bürgerlichen Verhältnissen. Erst jetzt habe ich Einfälle, wo ich Genie geworden bin. Hm.

EKART *bricht aus:* Ich will jetzt wieder in den Wäldern sein, in der Frühe! Das Licht ist zitronenfarben zwischen den Stämmen! Ich will wieder in die Wälder hinauf.

JOHANNES Ja, das versteh ich nicht, Baal, du mußt noch einen Schnaps zahlen. Hier ist es wirklich gemütlich.

BAAL Einen Schnaps dem –

JOHANNES Keine Namen! Man kennt sich. Weißt du, nachts träume ich mitunter so schauerliches Zeug. Aber nur mitunter. Jetzt ist es sehr gemütlich.

Wind geht. Sie trinken.

WATZMANN *summt:*
Es gibt noch Bäume in Mengen
Schattig und durchaus kommun –
Um oben sich aufzuhängen
Oder unten sich auszuruhn.

BAAL Wo war das nur schon so? Das war schon einmal so.

JOHANNES Sie schwimmt nämlich immer noch. Niemand hat sie gefunden. Ich habe die Empfindung nur manchmal, wißt ihr, als schwimme sie mir in dem vielen Schnaps die Gurgel hinunter, eine ganz kleine Leiche, halb verfault. Und sie war doch schon siebzehn. Jetzt hat sie Ratten und Tang im grünen Haar, steht ihr nicht übel ... ein bißchen verquollen und weißlich, gefüllt mit stinkendem Flußschlamm, ganz schwarz. Sie war immer so reinlich. Darum ging sie auch in den Fluß und wurde stinkend.

WATZMANN Was ist Fleisch? Es zerfällt wie Geist. Meine Herrn, ich bin vollständig besoffen. Zwei mal zwei ist vier. Ich bin also nicht besoffen. Aber ich habe Ahnungen von einer höheren Welt. Beugt euch, seid de – demütig! Legt den alten Adam ab. *Trinkt zittrig und heftig.* Ich bin noch nicht ganz herunten, solange ich noch meine Ahnung habe, und ich kann noch gut ausrechnen, daß zwei mal zwei ... Was ist doch zwei: zw–ei für ein komisches Wort! Zwei! *Setzt sich.*

BAAL *langt nach der Gitarre und zerschlägt damit das Licht:*
Jetzt singe ich.
Singt:
Von Sonne krank und ganz von Regen zerfressen
Geraubten Lorbeer im zerrauften Haar
Hat er seine ganze Jugend, nur nicht ihre Träume vergessen
Lange das Dach! nie den Himmel, der drüber war.
Spricht: Meine Stimme ist nicht ganz glockenrein.
Stimmt die Gitarre.

EKART Sing weiter, Baal!

BAAL *singt weiter:*
O ihr, die ihr aus Himmel und Hölle vertrieben!
Ihr Mörder, denen viel Leides geschah!
Warum seid ihr nicht im Schoß eurer Mütter geblieben
Wo es stille war und man schlief und war da?
Spricht: Die Gitarre stimmt auch nicht.

WATZMANN Das ist ein gutes Lied. Ganz mein Fall! Romantik!

BAAL *singt weiter:*

Er aber sucht noch in absynthenen Meeren
Wenn ihn schon seine Mutter vergißt
Grinsend und fluchend und zuweilen nicht ohne Zähren
Immer das Land, wo es besser zu leben ist.

WATZMANN Ich finde schon mein Glas nicht mehr. Der Tisch wackelt blödsinnig. Macht doch Licht. Wie soll da einer
10 sein Maul finden!

EKART Blödsinn! Siehst du was, Baal?

BAAL Nein. Ich will nicht. Es ist schön im Dunkeln. Mit dem Champagner im Leib und mit Heimweh ohne Erinnerung. Bist du mein Freund, Ekart?

EKART *mühsam:* Ja, aber sing!

BAAL *singt:*

Im Tanz durch Höllen und gepeitscht durch Paradiese
Trunken von Güssen unerhörten Lichts
Träumt er gelegentlich von einer kleinen Wiese
20 Mit blauem Himmel drüber und sonst nichts.

JOHANNES Jetzt bleibe ich immer bei dir. Du kannst mich gut mitnehmen. Ich esse fast nicht mehr.

WATZMANN *hat mühsam Licht angezündet:* Es werde Licht. Hehehehe.

BAAL Das blendet. *Steht auf.*

EKART *mit der Kellnerin auf dem Schoß, steht mühsam auf, versucht, ihren Arm von seinem Hals zu lösen:* Was hast du denn? Das ist doch nichts. Es ist lächerlich.

BAAL *duckt sich zum Sprung.*

30 EKART Du bist doch nicht auf die da eifersüchtig?

BAAL *tastet sich vor, ein Becher fällt.*

EKART Warum soll ich keine Weiber haben?

BAAL *sieht ihn an.*

EKART Bin ich dein Geliebter?

BAAL *wirft sich auf ihn, würgt ihn. Das Licht erlischt. Watzmann lacht betrunken, die Kellnerin schreit. Andere Gäste aus dem Nebenzimmer herein mit Lampe.*

WATZMANN Er hat ein Messer.

DIE KELLNERIN Er mordet ihn. Jesus Maria!

ZWEI MÄNNER *werfen sich auf die Ringenden:* Zum Teufel,

Mensch! Loslassen! Der Kerl hat gestochen, Himmel Herrgott!

BAAL *erhebt sich. Dämmerung bricht plötzlich herein, die Lampe erlischt:* Ekart!

10° ö. L. von Greenwich

Wald. Baal mit Klampfe, Hände in Hosentaschen, entfernt sich.

BAAL Der bleiche Wind in den schwarzen Bäumen! Die sind wie die nassen Haare Lupus. Gegen 11 Uhr kommt der Mond. Dann ist es hell genug. Das ist ein kleiner Wald. Ich trolle mich in die großen hinunter. Ich laufe auf dicken Sohlen, seit ich wieder allein in meiner Haut bin. Ich muß mich nach Norden halten. Nach den Rippseiten der Blätter. Ich muß die kleine Affäre im Rücken lassen. Weiter!
Singt:
Zu den feisten Geiern blinzelt Baal hinauf
Die im Sternenlichte warten auf den Leichnam Baal.
Entfernt sich.
Manchmal stellt sich Baal tot. Stürzt ein Geier drauf
Speist Baal einen Geier, stumm, zum Abendmahl.
Windstoß.

Landstraße. Abend. Wind. Regenschauer

Zwei Landjäger kämpfen gegen den Wind an.

ERSTER LANDJÄGER Der schwarze Regen und dieser Allerseelenwind! Dieser verfluchte Strolch!

ZWEITER LANDJÄGER Er scheint mir immer mehr gegen Norden den Wäldern zuzulaufen. Dort oben findet ihn keine Menschenseele mehr.

ERSTER LANDJÄGER Was ist er eigentlich?

ZWEITER LANDJÄGER Vor allem: Mörder. Zuvor Varietéschauspieler und Dichter. Dann Karussellbesitzer, Holzfäller, Liebhaber einer Millionärin, Zuchthäusler und Zutreiber. Bei seinem Mord faßten sie ihn, aber er hat Kräfte wie ein Elefant. Es war wegen einer Kellnerin, einer eingeschriebenen Dirne. Wegen der erstach er seinen besten Jugendfreund.

ERSTER LANDJÄGER So ein Mensch hat gar keine Seele. Der gehört zu den wilden Tieren.

ZWEITER LANDJÄGER Dabei ist er ganz kindisch. Alten Wei-
10 bern schleppt er Holz, daß man ihn fast erwischt. Er hatte nie was. Die Kellnerin war das letzte. Darum erschlug er wohl auch seinen Freund, eine übrigens ebenfalls zweifelhafte Existenz.

ERSTER LANDJÄGER Wenn nur wo Schnaps zu haben wäre oder ein Weib! Gehen wir! Hier ist es unheimlich. Und da rührt sich was! *Beide ab.*

BAAL *aus dem Gebüsch mit Pack und Klampfe. Pfeift durch die Zähne:* Tot also? Armes Tierchen! Mir in den Weg zu laufen! Jetzt wird es interessant. *Hinter den beiden her.*
20 *Wind.*

Bretterhütte im Wald

Nacht. Wind. Baal auf schmutzigem Bett. Männer karten und trinken.

EIN MANN *bei Baal:* Was willst du? Du pfeifst ja auf dem letzten Loch. Das sieht ja ein Kind, und wer interessiert sich für dich? Hast du jemand? Na also! Na also! Zähne zusammen! Hast du noch Zähne? Mitunter beißen Burschen ins Gras, die noch Spaß an vielerlei hätten, Milliardäre! Aber du hast ja nicht einmal Papiere. Habe keine
30 Angst: Die Welt rollt weiter, kugelrund, morgen früh pfeift der Wind. Stelle dich doch auf einen etwas überlegeneren Standpunkt. Denke dir: Eine Ratte verreckt. Na also! Nur nicht aufmucksen! Du hast keine Zähne mehr.

DIE MÄNNER Schifft es immer noch? Wir werden die Nacht bei dem Leichnam bleiben müssen – Maul halten! Trumpf! –

Gibt's noch Luft für dich, Dicker? Sing eins! Als im weißen Mutterschoße – Laß ihn: Er ist ein kalter Mann, bevor der schwarze Regen aufhört. Spiel weiter! – Er hat gesoffen wie ein Loch, aber es ist etwas in dem bleichen Kloß, daß man an sich denkt: Dem ist das nicht in die Wiege gesungen worden. Eichelzehner! Haltet doch euren Rand, meine Herren! Das ist kein solides Spiel; wenn Sie nicht mehr Ernst haben, geht kein vernünftiges Spiel zusammen.

Stille, nur mehr Flüche.

BAAL Wieviel Uhr ist es?

DER EINE MANN Elf. Gehst du fort?

BAAL Bald. Wege schlecht?

DER EINE MANN Regen.

DIE MÄNNER *stehen auf:* Jetzt hat der Regen aufgehört. Es ist Zeit – es wird alles tropfnaß sein – der Bursche braucht wieder nichts zu tun. *Sie nehmen die Äxte auf.*

EINER *vor Baal stehenbleibend, spuckt aus:* Eine gute Nacht und auf Wiedersehn. Wirst du abkratzen?

ANDERER Wirst du ins Gras beißen? Inkognito?

DRITTER Mit dem Stinken könntest du es dir morgen ein wenig einteilen. Wir schlagen bis Mittag und wollen dann essen.

BAAL Könnt ihr nicht noch etwas dableiben?

ALLE *in großem Gelächter:* Sollen wir Mama spielen? Willst du Schwanengesang von dir geben? Willst du beichten, du Schnapsbehälter? – Kannst du nicht allein speien?

BAAL Wenn ihr noch dreißig Minuten bliebet.

ALLE *in großem Gelächter:* Weißt du was? Verreck allein! – Vorwärts jetzt! Es ist ganz windstill. – Was ist mit dir?

DER EINE MANN Ich komme nach.

BAAL Es kann nicht länger dauern, meine Herren.

Gelächter.

Sie werden nicht gerne allein sterben, meine Herren!

Gelächter.

MANN Altes Weib! Da hast du was zum Andenken! *Spuckt ihm ins Gesicht.*

Alle der Tür zu.

BAAL Zwanzig Minuten!

Die Männer durch die offene Tür ab.

DER EINE MANN *in der Tür:* Sterne.

BAAL Wisch den Speichel weg!
DER EINE MANN *zu ihm:* Wo?
BAAL Auf der Stirn.
DER EINE MANN So. Warum lachst du?
BAAL Es schmeckt mir.
DER EINE MANN *empört:* Du bist eine völlig erledigte Angelegenheit. Addio! *Mit der Axt zur Tür.*
BAAL Danke.
DER EINE MANN Kann ich noch etwas für dich ... aber ich muß
10 an die Arbeit. Kruzifix. Leichname!
BAAL Du! Komm näher!
Der eine Mann beugt sich.
Es war sehr schön ...
DER EINE MANN Was, du irrsinniges Huhn, wollte sagen: Kapaun!
BAAL Alles.
DER EINE MANN Feinschmecker! *Lacht laut, ab; die Tür bleibt auf, man sieht blaue Nacht.*
BAAL *unruhig:* Du! Mann!
20 DER EINE MANN *im Fenster:* Heh?
BAAL Gehst du?
DER EINE MANN An die Arbeit!
BAAL Wohin?
DER EINE MANN Was geht das dich an?
BAAL Wieviel ist es?
DER EINE MANN Elf und ein Viertel. *Ab.*
BAAL Der ist beim Teufel.
Stille.
Eins, zwei, drei, vier, fünf, sechs. Das hilft nichts.
30 *Stille.*
Mama! Ekart soll weggehen, der Himmel ist auch so verflucht nah da, zum Greifen, es ist alles wieder tropfnaß. Schlafen. Eins. Zwei. Drei. Vier. Man erstickt hier ja. Draußen muß es hell sein. Ich will hinaus. *Hebt sich.* Ich werde hinausgehen. Lieber Baal. *Scharf.* Ich bin keine Ratte. Es muß draußen hell sein. Lieber Baal. Zur Tür kommt man noch. Knie hat man noch, in der Tür ist es besser. Verflucht! Lieber Baal! *Er kriecht auf allen vieren zur Schwelle.* Sterne ... hm. *Er kriecht hinaus.*

Frühe im Wald

Holzfäller.

EINER Gib mir den Schnaps! Horch du auf die Vöglein!

ANDERER Es gibt einen heißen Tag.

EIN DRITTER Es steht noch ein ganzer Haufen Stämme, die abends liegen müssen.

EIN VIERTER Jetzt wird der Mann wohl schon kalt sein?

DRITTER Ja. Ja. Jetzt ist er schon kalt.

ZWEITER Ja. Ja.

DRITTER Wir könnten jetzt die Eier haben, wenn er sie uns nicht gefressen hätte. Es heißt was: auf dem Totenbett Eier stehlen! Zuerst hat er mich gejammert, aber das ist mir in die Nase gestiegen. Den Schnaps hat er Gott sei Dank die drei Tage lang nicht gerochen. Rücksichtslosigkeit. Eier in einem Leichnam!

ERSTER Er hatte eine Art, sich hinzulegen in den Dreck; dann stand er ja nimmer auf, und das wußte er. Er legte sich wie in ein gemachtes Bett. Sorgfältig! Kannte ihn einer? Wie heißt er? Was hat er getrieben?

VIERTER Wir müssen ihn so begraben. Jetzt gib mir den Schnaps!

DRITTER Ich frage ihn, wie er schon röchelt in der Gurgel hinten: An was denkst du? Ich will immer wissen, was man da denkt. Da sagte er: Ich horche noch auf den Regen. Mir lief eine Gänsehaut über den Buckel. Ich horche noch auf den Regen, sagte er.

B.
Szenen, Entwürfe, Fragmente

B 1
Er geht nach hinten:
Geh nicht weg, Johannes! Wen hast du noch auf der Welt? Die Wälder sind abgeholzt, die Geier sind sehr satt und die goldene Antwort wird in den Boden vergraben.
etwa Februar 1919

B 2
Wie Schwäne flattern sie mir ins Holz.
– Knie?
Ich schwelge in weißen Leibern.
Verschlungen in
Mein Dachboden ist kein Bordell. Kriegen Sie denn das viele Fleisch nicht bis an den Hals? Sie werden ja immer bleicher. Sie sehen aus wie ein Handtuch.

BAAL
liegt auf dem Bett
BAAL *summt:* Den dunklen Himmel macht.
Dazu dein
SCHWESTERN *umschlungen:* Sie haben uns geschrieben wir sollen Sie besuchen.
BAAL In einem breiten weißen Bett.

HAUSFRAU Baal sucht Papier.
SCHWESTERN Dürfen wir jetzt gehen, Herr Baal?
Januar 1920

Durch die Kammer ging der Wind
Blaue Pflaumen fraß das Kind
vor es seinen weißen Leib
hingab still zum Zeitvertreib.

Doch zuvor bewieß sie Takt
denn sie wollte ihn nur nackt.
Einen Leib wie Aprikosen
vögelt man nicht in den Hosen.

Wirklich bei dem Wilden Spiel
war ihr keine Lust zuviel.
Danach wusch sie sich gescheit:
Alles hübsch zu seiner Zeit.

Für Baal »Nachtkaffee«
21. Januar 1920

B 3
BAAL

Branntweinschenke
Die Kellnerin hat die Züge Sophiens.
2) »Der Wind geht nimmer in seine Segel.«
3) »Man kann ihm nicht ins Gesicht spucken: Er geht unter.« (Ekart)
4) »Sage das nicht! Ich liebe ihn. Ich nehme ihm nichts übel weil ich ihn liebe.« (E)
5) Er tut nur was er muß weil er so faul ist.«
1) »Seine Mutter ist gestern gestorben. Er ist fortgegangen Geld zu leihen für die Beerdigung. Dann kommt er hierher.
6) EKART *tritt in die Tür:* Es ist eine ganz milde Nacht: Der Wind warm. Ich liebe das Alles. Man sollte nicht soviel trinken. *Zurück:* Die Nacht ist ganz mild. Jetzt und noch 3 Wochen in den Herbst kann man gut auf den Straßen laufen. *Setzt sich.*

EKART Jetzt sind es acht Jahre.
JOHANNES Mit fünfundzwanzig ginge das Leben erst an. Da werden sie breiter und haben Kinder.
WATZMANN Seine Mutter 1)
JOHANNES Baal. Der Wind 2)
WATZMANN *zu E.:* Du hast wohl viel mit ihm auszuhalten?
EK. Man kann 3)
WATZMANN *zu Joh.:* Tut dir das weh?
JOH. Es ist schade um ihn.
WATZM. Er wird immer eckelhafter.
EK. 4)
WATZM. 5)

EKART 6)

WATZMANN Willst du heut nacht fort? Du willst ihn wohl los haben? Er hängt dir am Hals?

JOHANNES Du mußt obacht geben!

BAAL *tritt langsam in die Tür.*

WATZMANN Trinkt aus! Bist du das, Baal?

EKART *animal:* Ich will wieder in den Wäldern sein, in der Frühe. Das Licht zitronenfarben zwischen den Stämmen! Ich will wieder in die Wälder hinauf.

EKART *hart:* Was willst du schon wieder?

BAAL *herein. Setzt sich:* Was ist das für ein armseliges Loch geworden! *Die Kellnerin bringt Schnaps.*

WATZMANN Hier hat sich nichts verändert. Du bist wohl feiner geworden!

BAAL Bist das d u noch Luise? *Stille.*

JOHANNES

Januar 1920

B 4

XI.

Bäume am Abend.

Sechs oder sieben Holzfäller sitzen an Bäume gelehnt. Darunter Baal. Im Gras ein Leichnam.

EIN HOLZFÄLLER Um fünf Uhr hat ihn der Baum kaputt geschlagen und um sechs Uhr wäre Feierabend gewesen.

EIN ZWEITER HOLZF. Heute früh sagte er noch, das Wetter scheine ihm besser zu werden.

DRITTER HOLZF. Er war ein guter Bursche, der Schorsch. Früher hatte er einen Bauch. Er sparte sehr.

EINER Vor einer Woche sagte er, im Winter gehe er nach Norden hinauf. Da scheint er irgendwo eine Hütte zu haben. Sagte er's nicht Dir, wo, Elefant?

BAAL Ich weiß nichts.

DER VORIGE Du wirst dich wohl selbst hineinsetzen wollen, hm?

DER ZWEITE Auf den ist kein Verlaß. Erinnert Euch, wie er unsere Stiefel über Nacht ins Wasser hängte, daß wir nicht in den Wald konnten, nur weil er faul war wie gewöhnlich.

EINER Wo ist denn der andere von den Brüdern?

BAAL Könnt ihr nicht ein wenig an den armen Schorsch denken? *Erhebt sich und trollt sich quer übers Gras zu Schorsch. Setzt sich dort nieder.*

EINER Baal geht nicht gerad, Kinder!

ANDERER Der Elefant ist erschüttert. Also was hast Du mit Schorsch zu schaffen?

BAAL *über ihm:* Der hat seine Ruhe und wir haben unsere Unruhe. Das ist beides gut. Wir können noch essen. Nach dem Schlaf werden wir aufwachen. Abends werden wir uns waschen.

DER ANDERE Im Kopf bist du nicht stark. Es trifft auch immer die Unrichtigen.

BAAL Ja, das ist wunderbar, Lieber. Da hast du recht.

EINER Baal kann es nicht treffen. Er kommt nicht dahin, wo gearbeitet wird.

BAAL Schorsch hingegen war fleißig. Schorsch war freigiebig. Schorsch war verträglich. Davon bleibt eines: Schorsch w a r.

DER ZWEITE Wo er wohl jetzt ist?

BAAL *auf den Toten deutend:* Da ist er.

Stille.

EINER Was geschieht mit seinen Sachen?

DER DRITTE Es ist nicht viel.

BAAL Er riecht immer noch nicht.

DER MANN MIT DEM EINFALL Wie wäre es, wenn wir auf Schorsch's Wohl eins tränken?

BAAL Das ist unsittlich, Bergmeier.

DIE ANDEREN Quatsch! Aber was sollen wir trinken?

D. MANN M. D. EINF. Schnaps.

BAAL Schnaps ist sittlich. Aber was für einen Schnaps?

DER MANN Schorsch's Schnaps zu Schorsch's Leichenfeier. Hat schon einer eine Rede auf Schorsch gehalten?

BAAL Ich.

EINIGE Wann? Er!

BAAL Sie ging an mit: Schorsch hat seine Ruhe ... Ihr merkt alles wenn's vorbei ist.

DIE ANDEREN Holen wir den Schnaps!
BAAL Es ist eine Schande.
DIE ANDEREN Oho, warum, Elefant?
BAAL Es ist Schorsch's Eigentum. Das Fäßchen darf nicht gebrochen werden. Schorsch hat eine Frau und fünf arme Waisen. Wollt ihr Schorsch's fünf armen Waisen den Schnaps ihres armen Vaters wegsaufen? Ist das Religion?
EINER Schorsch hatte überhaupt keine Familie.
BAAL Aber Waisen, meine Lieben. Waisen.
DER ANDERE Wir werden den Schnaps bezahlen. Mit Geld. Dann können die Waisen anrücken.
ALLE Das ist ein Vorschlag. Der Elefant muß krank sein, da er keinen Schnaps will. Gehen wir zu Schorsch's Schnaps!
BAAL *ruft ihnen nach:* Kommt wieder, Leichenräuber! *Zu Schorsch:* Armer Schorsch! Dein Leib war noch gar nicht so schlecht, Schorsch, er ist es jetzt noch nicht, ein wenig beschädigt auf der einen Seite, und dann die Beine – mit den Weibern wäre es aus gewesen. *Er hebt das Bein des Toten.* Aber alles in allem, in dem Leib hätte es sich noch leben lassen bei besserem Willen, mein Junge.
DIE ANDEREN *kehren zurück:* Hallo, Elefant, wo ist das Fäßchen? Wo warst du, als Schorsch noch nicht einmal ganz tot war, du Schweinshund?
BAAL Es ist gar nichts erwiesen, meine Lieben!
DIE ANDEREN Wo ist der Schnaps? Es ist eine verflucht ernsthafte Angelegenheit, Junge. – Steh einmal auf, du! Geh einmal vier Schritte und leugne dann daß du erschüttert bist, du alte Sau! – Auf mit ihm, kitzelt ihn. *Baal wird auf die Beine gest.*
BAAL Schweinsbande! Tretet mir wenigstens den armen Schorsch nicht. *Er setzt sich und nimmt den Arm der Leiche unter seinen Arm.* Wenn ihr mich mißhandelt, fällt Schorsch auf's Gesicht. Ist das Pietät? Ihr seid sieben und habt nicht getrunken und ich bin ein Einziger und habe getrunken. Beruhigt euch! Schorsch hat sich auch beruhigt!
EINIGE *traurig und empört:* Dem Burschen ist nichts heilig. – Hart gesotten!
BAAL Es muß immer Klügere geben und Schwächere im Gehirn. Das sind dafür die besseren Arbeiter. Ihr habt gesehen, ich bin ein geistiger Arbeiter. Warum mußtet

ihr fortlaufen nach Schnaps. Setzt euch: Seht euch den Himmel an zwischen den Bäumen, der jetzt dunkel wird. Ist das nichts? Dann habt ihr keine Religion im Leibe.

etwa 1923

B 5
Beilage Nr. 3

In den Jahren 1906–1911 finden wir Baal und Ekart auf Streifzügen durch den Schwarzwald und die Vogesen.
Ahorn im Wind.
Bewölkter Himmel, Baal und Ekart in den Wurzeln sitzend.

EKART Seit wir hier sitzen, bist Du immer schwammiger geworden. Du sinkst immer tiefer. Mit dem ins Gras beißen rechnest Du wohl gar nicht?

BAAL Ich kämpfe eben bis aufs Messer. Ich würde noch ohne Haut leben wollen, ich ziehe mich unter Umständen noch in meine Zehen zurück. Im schlimmsten Fall schlucke ich den Tod hinunter und weiß von nichts.

EKART So?

BAAL Ja. So stelle ich es mir vor.

EKART Du hast das Fleisch immer noch nicht geholt.

BAAL D u bist wohl mit Deiner Messe beschäftigt?

EKART Mußt Du an meine Messe denken? Dann sind die bösen Zeiten angebrochen. Ich habe auch eine Art Leere in meinem Kopf.

BAAL Das ist das Delirium, Du bist ein Alkoholiker. Jetzt siehst Du, es rächt sich.

EKART Wenn das Delirium kommt, das merke ich an meinem Gesicht.

BAAL Du hast ein Gesicht, in dem ein ganzer Taifun Platz hat, konkav, Du hast gar kein Gesicht. Du bist transparent.

EKART Ich werde immer mathematischer.

BAAL Ja, Du bist ein böser Mensch. Gerade so wie ich. Aber eines Tages da siehst Du Ratten, und dann bist Du wieder ein guter Mensch. Ich habe wieder ein Gedicht gemacht. Willst Du es hören?

EKART Lies es, dann kenne ich Dich.

BAAL *liest das Lied vom ertrunkenen Mädchen, Ekart grinst beim Zuhören.*

EKART Ist es schon so weit?

BAAL Wenn ich nachts nicht schlafen kann, schaue ich mir die Sternbilder an. Orion, Kassiopeia, Großer Bär.

EKART So? *Grinst.*

BAAL Aber das tue ich nicht oft, sonst schwächt es. Alles, was über das Leben auf diesem Planeten zu sagen ist, könnte man in einem einzigen Satz von mittlerer Länge sagen. Diesen Satz werde ich gelegentlich, aber noch vor meinem Ende, formulieren. Das wird das sein, was der Planet von mir haben will.

EKART Viel Lyrik und viel Philosophie. Du hast wohl schon lang keine Frau mehr gehabt.

BAAL *steht auf, streckt sich, schaut in die Wipfel des Ahorns, grinst:* Dich.

etwa 1925

Der böse Baal der asoziale

etwa 1930

Erste Schicht

B 6.1
BAAL

auftauchen als
gast
hure
richter
kaufmann (stiere)
ingenieur (will nur das experiment)
hilfsbedürftiger – bittsteller (er beutet das ausgebeutetsein-wollen aus)
liebhaber der natur
demagoge
arbeiter (streikbrecher)
mutter
historiker
soldat
liebhaber (bäckergesellenszene aus »brotladen«)

als pfaffe
als beamter
die 2 mäntel

B 6.2
BAAL

die antwort des bösen baal des asozialen auf die frage, wie ihm der gang der dinge gefallen habe: »ausgezeichnet«.

die anordnungen des kaufmanns für den festlichen empfang des baal.
1) das decken des tisches
2) das schmücken der frau (du mußt zuerst unscheinbar im

hauskleid, dann pompös erscheinen)
3) das laden der berühmten gäste: des jungen mannes, des berühmten physikers, des zeitungsmannes etc.

vortrag des chorals auf dem instrument des kaufmanns.

aus mißtrauen, um zu prüfen, ob das lob des kaufmanns ernst gemeint ist, zerschlägt der böse baal der asoziale vor seinen augen das instrument.

das ausfragen

die gesellschaft stellt durch kleine und höfliche fragen fest, ob das talent des bösen baal für die gesellschaft nützlich angewendet werden könne

die wiederherstellung der wahrheit durch den jungen mann

BAAL

B 6.3

DER GASTGEBER wir erwarten den herrn baal. seines talentes halber wollen wir ihn bereitwillig aufnehmen
DIE FRAU das essen ist zubereitet. wer ein reichliches essen gegessen hat der öffnet sich
DER GASTGEBER

B 6.4

das lob des liedes

die günstige beurteilung des vortrages

der dank des gastgebers

DER ZEITUNGSMANN wollen wir nicht mit ihm sprechen?
DER KAUFMANN warten wir noch, bis der gast das instrument gelobt hat.

die zerschlagung des instruments

BAAL war mein lied gut, kaufmann?
KAUFM ja, es war gut.
BAAL hattest du spaß daran?
KAUFM ich hatte großen spaß daran.
BAAL ich zerreiße jetzt eine saite deines instruments, weil ich spaß daran habe. sage mir noch einmal, kaufmann: findest du das lied gut?
KAUFM bringt eine neue saite. ich fand das lied gut. *lächelt baal zerreißt die zweite saite.*
BAAL fandest du das lied noch gut?
der kaufmann schweigt

B 6.5
BAAL

Die Wiederherstellung der wahrheit durch den jungen mann

BAAL wenn der sommer kommt, wird die luft warm und die tage werden kürzer
D.J.M. wenn der sommer kommt, wird die luft warm und die tage werden länger.

die zurechtweisung des jungen mannes durch den gastgeber.

die zerreißung des tischtuches.

zum schluß: es wird ihm gebracht der hut, der stock, die tür wird geöffnet
baal geht weg.

die reinigung des hauses.

B 6.6
da hört man vom mechanischen. da ist furcht vor dem mechanischen. in der furcht kündigt sich das kommende an.
der denkende ist nicht gegen das mechanische. der denkende vergißt auch nicht das mechanische.

über das »auffallen«

einverstanden sein heißt auch: n i c h t einverstanden sein.

der böse baal der assoziale, ging eines Tages an einem fluß entlang

B 6.7
der BBDA als pfaffe

der bbda kommt in ein land mit großer dürre.

B 6.8
der BBDA als fortschrittlicher pfaffe (ketzer)

er ist bereit, mit sich reden zu lassen. sein gegner, um ihn besser bekämpfen zu können, folgt ihm auf sein gebiet und erkennt einen gott an, der aber schon sehr dünn und fast unheimlich geistig ist. er hat dem arbeiter erklärt, daß man dies müsse. der bbda folgt ihm solang, als die soziale funktion der religion nicht verletzt wird. ein blick auf das gehende schaufelwerk zeigt ihm, wie weit er gehen kann.

B 6.9
DER BÖSE BAAL
als paßbeamter. eine frau kämpft um das leben ihres bruders. der beamte erfüllt sämtliche formalitäten. eile ist alles. (kanonendonner, uhr)

B 6.10
die angst vor dem komplizierten wirtschaftsgebilde.
die köchin und der staat.
verbrecher, die ein verbrechen für die polizei und den betroffenen kompliziert machen.

der böse baal der assoziale

B 6.11
BAAL

1. Szene.

BAAL haben Sie ausgewählt, die Sie eingeladen haben, Herr Keuner?
KEUNER Nein. aber nur um die wahrheit zu sagen: nein. und um noch etwas zu sagen: es sind gute leute die sich eingefunden haben bei mir.

BAAL weißt du daß dein fleisch schlecht ist?
KEUNER nein.
BAAL wissen Sie, wer die suppen trinkt, herr keuner?
KEUNER nein.
BAAL was ist besser: ein gutes essen oder 1 sympathie?
KEUNER eine sympathie
BAAL nein. ein gutes essen. weiter: was ist besser: ein schlechtes essen oder eine sympathie?
KEUNER *schweigt*
BAAL richtig. schlechtes essen.

B 6.12
BAAL und seine FREUNDIN

KEUNER ich erwarte den herrn baal. sollen wir zu seinem empfang leute auswählen die zu ihm passen? nein. bei jeder gelegenheit ist es gut jenes bild herzustellen das der art nach der welt entspricht. ein unbekannter mag vorfinden die vorhanden sind, vor er kommt. hoffentlich finden sich die günstigsten leute zusammen.
FREUNDIN sollen wir ein essen herrichten?
KEUNER wenn er zur essenszeit noch da ist wird er mit essen.
FREUNDIN dann soll ich mir nicht ein gutes kleid anziehen?
KEUNER sicher.
FREUNDIN bestimmt hat er doch auch seinen besten anzug angezogen.
KEUNER ziehe ohne gründe ein hübsches kleid an.

B 6.13
VERLEGER und ARBEITER (staatsmann)
nach dem choral vom bösen baal.

ARBEITER die wörter sind gut aber der inhalt hat keinen wert für den staat.
BAAL *und* KEUNER die wörter sind der inhalt –
KEUNER – und der staat kann ihn verwerten. ich wende mich wie du siehst gegen dich weil ich einen mann nicht beurteile nicht nach dem was er abliefert. diese art zu urteilen gehört zu einem schlechten staat.

B 6.14
BAAL

FREUNDIN *vor abgang:* ich habe dargestellt eine frau welche einem mann verfällt und dienstbar wird. ich hätte sollen nicht dienstbar sein. wenn ich aber verfallen wäre hätte ich sollen die lehre vergraben wissend daß ich böses tue und krank bin. dieses hätte ich sodann vergessen sollen vollständig und völlig verfallen und keinen gedanken denkend an die lehre und das übrige bis meine zeit gekommen wäre wo ich wieder vergessen hätte meinen verfall vollständig.

B 6.15
der böse baal der assoziale

HERR KEUNER ich bin hierher gereist

B 6.16
Baal bei den Verwertern
Sie verwerten alles: die frau, das tischtuch, das essen, sich selber.

die nicht eßbare Pflaume kommt zum Fressen.

Durch vorsichtiges fragen versuchen die Verwerter festzustellen, was an Baal verwertbar sei.

Baal siegt über die Verwerter.

B 6.17
3. Szene
der böse Baal, d. assoziale, verwertet Lyrik, um sich einen Menschen dienstbar zu machen.

B 6.18
DER BÖSE BAAL DER ASOZIALE UND DIE ZWEI MÄNTEL.

BAAL seit gestern abend laufe ich bei zunehmender kälte durch die wälder dorthin wo sie schwärzer werden. der abend war eisig. eisiger wurde die nacht und ein haufe von sternen verkroch sich gegen morgen in einem weißlichen nebel. heute nehmen die gesträuche den kleinsten raum ein im ganzen jahr. was weich ist erfriert. was zu hart ist zerbricht

DER LINKE CHOR

der beste zustand ist
die kälte vor die wärme kommt
alles macht sich so klein
wie es nur sein kann. alles
schweigt so sparsam nur
der gedanke ist da un-
ausführbar und dann
kommt die wärme

DER ARME es ist kalt. ich habe keinen mantel. mich friert. dort der große herr kann mir vielleicht sagen was ich gegen die kälte machen soll. guten tag herr

BAAL *steht unbeweglich:* weißt du nicht daß man einen mann auf der straße nicht anspricht?

DER ARME es ist sehr kalt herr. kann mir der herr sagen was ich gegen die kälte machen soll

BAAL es ist nicht kalt *er zeigt seine zwei Mäntel*

DER RECHTE CHOR

das tier ohne fell
in der kälte erfriert es und
die kälte kommt doch
der mann ohne mantel
erfriert weil es kalt ist
denn die welt ist kalt
und der denkende liebt
die welt wie sie ist

DER ARME kann mir der herr einen mantel leihen?

BAAL *sieht ihn erstaunt an*

DER ARME es ist kalt. ich habe keinen mantel. mich friert bruder

BAAL wie heißt du? *nachdem er den einen mantel schon ausgezogen hatte plötzlich mißtrauisch*

DER ARME josef dein bruder

BAAL *zählt an den Fingern ab:* ich hatte drei brüder: bruder anton. bruder karl. bruder – ich weiß nicht wer. denke dir gerade an den dritten namen kann ich mich nicht erinnern aber ich will den ganzen tag und die folgende nacht nachdenken wie meines dritten bruders name war. komm also morgen wieder josef

DER ARME aber mich friert ich kann nicht bis morgen warten – aber dort ist ein stuhl den will ich verbrennen daß mir warm wird

BAAL gib mir den stuhl daß ich mich setze und nachdenke

DER ARME *schleppt ihm den stuhl her*
denke nach herr

BAAL auch sind mir die mäntel zu schwer.

DER RECHTE CHOR

lobet das schöne tier das
grausame. sein klares auge
spiegelt wider den natürlichen schrecken
der unänderbaren welt ohne
zusatz. es ist
ohne furcht vor der zukunft und
dem hunger des feinds. es nimmt
hin was kommt für
andre und sich

BAAL ich habe jetzt nachgedacht und kann dir schon sagen: es muß eine hoffnung für dich geben. denn sonst erfrierst du. gib mir deinen rock daß ich weicher sitze dann werde ich besser nachdenken können

DER ARME *gibt ihm seinen rock*
denke nach herr

BAAL setze dich zu meinen füßen josef und höre daß die welt voll mangel ist. sie ist kalt das ist ein fehler. unser vater kaspar hat zu viel söhne erzeugt. genauer gesagt einen zu viel. auch ist der mensch zu hart und zu sehr auf das materielle gerichtet wie zum beispiel du josef. hast du denn freude gezeigt mich zu treffen deinen bruder baal. oder war es nicht nur weil ich einen mantel hatte daß du mich erkanntest? ja jetzt schweigst du. ich aber könnte dir etwas zeigen was dir geholfen hätte und vielen die wie du sind. in meinem innersten rock habe ich ein ding. hätte das unser vater kaspar gehabt so wärest du nicht gewesen und die kälte hätte es nicht gebraucht. freilich ich kann nicht hinlangen da es in meinem innersten rock ist. und da ist weit hin. habe ich recht josef? kannst du etwas dagegen sagen? nein, du kannst es nicht. also habe ich recht?
der arme fällt erfroren um
der böse baal der asoziale lacht

BAAL Josef du warst einer der zum erfrieren bestimmt war

DER LINKE CHOR

die welt ist kalt
darum verändert sie
ist der mensch wärme gewohnt
und erfriert ohne mantel
gebt ihm den mantel gleich
der denkende liebt
die welt wie sie wird

B 6.19
zu baal
der arme muß feig sein + der b. b. d. a. dies rügen – als hauptgrund warum er nichts hergebe. »da du zu feig bist, mich niederzuschlagen.«
»da ich den ganzen sommer gearbeitet habe, fehlte mir möglichkeit + zeit einen mantel zu bekommen.«
– auf die strenge frage: warum hast du keinen mantel?

B 6.20
BAAL und ZWEI ARBEITER

DIE ZWEI ARBEITER unsere kartoffeln sind beinahe fertig und können gegessen werden
DBBDA wofür habt ihr die kartoffeln bekommen?
D Z A wir haben dafür kohlen gehauen
D B B ich will auch essen
D Z A ja er soll auch essen. iß mit uns, Baal!
D B B fragt ihr mich nicht was ich gemacht habe?
D Z A nein
D B B ich habe ein gedicht gemacht
D Z A was hast du dafür bekommen?
D B B ich pflege für ein gedicht beifall zu bekommen. ich habe folgendes gedicht gemacht »als im weißen mutterschoße aufwuchs baal ...« (1 vers)
D Z A jetzt sind die kartoffeln fertig. jetzt wollen wir essen
D B B ich möchte erst das gedicht zu ende lesen
D Z A willst du nicht essen?
D B B ja ich will auch essen. aber ich möchte zuerst das gedicht zu ende lesen
D Z A sind gedichte lang?
D B B es gibt lange und kurze gedichte. dies aber ist ein langes *er liest weiter er liest das ganze gedicht vor*
D Z A jetzt wollen wir essen. iß baal
D B B ich bin fertig. aber wo bleibt der beifall?
die arbeiter sagen gar nichts und langen nach dem topfe
D B B wo bleibt der beifall?
D Z A es sind genug kartoffeln. iß auch du baal
D B B wo bleibt der beifall? wenn ihr mir nicht gebt was ich zu bekommen pflege brauchen wir nicht zu essen *er langt nach dem topf und zertrümmert ihn und zerstampft die kartoffeln und flieht*
D Z A *zueinander:* wirf nicht nach ihm mit den kartoffeln denn wir müssen essen und da ist nichts was so schlimm wäre daß das essen deswegen vernichtet werde

B 6.21

STRASSE IN DER VORSTADT

vor den reklameplakaten eines obskuren kinos trifft baal, begleitet von Lupu, einen kleinen knaben, der schluchzt.

BAAL warum heulst du?

DER KNABE ich hatte 2 groschen für das kino beisammen, da kam ein junge und riß mir einen aus der hand. der da drüben! *er zeigt*

BAAL *zu Lupu:* da ist raub. da der raub nicht stattfand aus Freßgier, ist es nicht mundraub. da er anscheinend stattfand für ein Kinobillett, ist es Augenraub. nichts desto weniger: raub.

BAAL hast du denn nicht um hilfe gerufen?

DER KNABE doch.

BAAL *zu Lupu:* der Schrei nach Hilfe, ausdruck menschlichen Solidaritätsgefühls, am bekanntesten als sogenannter Todesschrei.

BAAL *streichelt ihn:* hat dich niemand gehört?

DER KNABE nein.

BAAL kannst du denn nicht lauter schreien?

DER KNABE nein.

BAAL *zu Lupu:* dann nimm ihm auch den andern groschen!
Lupu nimmt ihm den andern groschen und beide gehen unbekümmert weiter.

BAAL *zu Lupu:* der gewöhnliche ausgang aller appelle der Schwachen.

B 6.22

BAAL wie ist die temperatur?

LUPU die temperatur ist kalt.

BAAL dann ist unterricht. Fenster auf. Jacke aus.

B 6.23

im ersten abschnitt tritt baal unter den verwertern auf. obwohl baal selber ein verwerter ist kann er sich mit diesen leuten nicht einigen da seine art zu groß ist. ihrer kleinen art entsprechend herrscht unter ihnen eine gewisse niedrige ordnung welche sie verwerten. baal durch die offene und wilde art seines ichsüchtigen wesens macht sie sich zu erbitterten feinden. seine art ist eine geistige und also höher stehende da sie in der form dem inhalt entspricht indem das auftreten des bösen baal des asozialen so gewalttätig ist wie seine filosofie

B 6.24
BAAL. KOMMENTAR

1. FRAGE soll man nur einzelne stücke machen ohne verbindung?
1. ANTWORT nein. da es wichtig ist, die verschiebung in den stellungen zu lernen und das einnehmen neuer standpunkte in ihrer reihenfolge. denn bei der aufnahme des bösen baal ändert sich sympathie in antipathie.
2. FRAGE soll man einen reichen gastgeber darstellen?
2. ANTWORT wer sollte einen reichen gastgeber darstellen wollen, wenn er nicht entweder recht oder unrecht hat?
3. FRAGE soll man den gastgeber dumm machen?
3. ANTWORT nein. da er auch klug sein kann.

FRAGE was verbindet herrn keuner mit seinen gästen, besonders mit zwei dummen leuten?
ANTWORT keine geschäfte. denn herr keuner könnte mit ihnen geschäfte machen aber dies könnte zu dem irrtum anlaß geben herr keuner verwerte leute für sich nicht für den staat. dann wäre der böse baal mit seiner ausschreitung im recht.

B 6.25
der böse baal der assoziale macht auf seinem instrument eine musik. seine zuhörer beginnen ihre innersten gedanken zu äußern. einer sagt: als er herein trat verbeugten sich die höchsten. oder: als er unter sie trat erkannte ihn niemand. sondern sie lachten laut und schwatzten. er aber sah klein aus von gestalt unansehnlich. seine sprache war undeutlich. seine stellung war niedrig. darum verachteten sie ihn. und sieh er tat als bemerke er es nicht und beugte sich vor ihnen und tat was

sie ihn hießen und verrichtete niedrige arbeit. aber als die zeit um war kamen seine freunde von der stadt und stellten sich am eingang auf mit messern in den händen und sahen auf ihn der niedrig im saal stand. da machte er ein zeichen daß sie keinen verschonen sollten der ihn nicht erkannt hatte und so verschonten sie keinen und ließen keinen heraus. er aber ging weg und ward nicht mehr gesehen. wenn der b b d a aufhört sagt er zu diesem: wo sind deine männer. mach doch dein zeichen. dann verbirgt der mann sein gesicht in den händen. und der b b d a lacht über ihn

B 6.26
BAAL

darin aber ist der böse baal der asoziale groß
daß seine stimme durch den bericht seines feindes
der ihn beschreibt die meine
hindurchdringt
mich bezichtigend ich hätte
von heiterkeit erfüllt
so lange er die ausbeuter ausbeutete
und die verwerter verwertete
ihn schlechter behandelt
als er auch meiner gesetze spottete
aber dies ist seine schuld
darum ist er der asoziale geheißen
daß an ihn billige forderungen stellend
der vollkommene staat wie ein ausbeuter dastünde.

B 7
Ein Mann ist eingetreten.
DER MANN Herr Inzipient! Sie brauchen heute nicht ins Büro zu kommen. *Er hält ihm einen blauen Brief hin.* Ich bekomme 20 Pfennig. *Gibt ihm den Brief.*
BAAL *legt sich aufs Bett:* Was steht drin, Baumann?
DER AMTSDIENER *liest:* Werter Herr Baal! Da für Genies Ihrer Sorte eine so ermüdende Arbeit wie die eines Schreibers, der Sie sich ja selbst tagelang entziehen, nicht mit dem

Verantwortlichkeitsgefühl der Behörde vereinbar ist, sind Sie ab 1. Juni aus den städtischen Diensten entlassen. Unterschrift: der Chef selbst. Es tut mir leid, Herr Inzipient.

BAAL Baumann, manchmal träume ich von einem See, der ist tief und dunkel und zwischen die Fische lege ich mich und schaue den Himmel an. Tag und Nacht, bis ich verfault bin.

DER AMTSDIENER Unter diesen Umständen verzichte ich auf die 20 Pfennig, obwohl ich auch leben muß. Habe die Ehre! *Ab.*

BAAL *lacht.*

Sommer 1954

C.
Äußerungen Brechts zum »Baal«

C 1
Brief an Münsterer, 1. Mai 1918

Lieber Herr Münsterer,
vielen Dank für Ihren lieben Besuch; bedaure sehr, nicht dagewesen zu sein. Würde Sie gern wieder einmal herunten sehen, vielleicht haben Sie Donnerstag Zeit? Die halbe Komödie »Baal« ist schon fertig. Haben Sie was Neues gemacht? Würde mich freuen, wenn Sie mir nach München schrieben. Haben Sie dramatische Pläne?

Gruß Ihr Bert Brecht

C 2
Brief an Münsterer, 5. Mai 1918

Lieber Herr Münsterer!
Ich bedaure sehr, von Ihnen nichts mehr gehört zu haben. Was tun S i e ? Was macht der Faust? Sie sollten mir schreiben! Unsereinem kommen beim Schreiben die besten Gedanken. – In München ist jetzt ziemlich viel los. Die Theater veranstalten Gastspiele. Montag abend sehe ich in geschlossener Vorstellung Wedekinds vom Tierschutzverein verbotenen »Simson«. Ich habe jetzt einen (guten?) Titel für den Baal:

»Baal frißt! Baal tanzt!! Baal verklärt sich!!!«

Was meinen Sie? Hätten Sie einen bessern? Einen Einfall zum Baal? Sie sollten mir schreiben!

Bert Brecht

C 3
Brief an Neher, 31. Mai 1918

Lieber Cas,
[...] Es geht mir gut, und ich gebe mir alle Mühe, glücklich zu sein. Es ist nicht so einfach. Übrigens bin ich doch auf einer gewissen Höhe: Ich schreibe an einer Komödie: »Baal frißt! Baal tanzt!! Baal verklärt sich!!!« Da kommt ein Hamster

drin vor, ein ungeheurer Genüßling, ein Kloß, der am Himmel Fettflecken hinterläßt, ein maitoller Bursche mit unsterblichen Gedärmen!
[...]

Dein Bert Br.

C 4
Brief an Neher, Mitte Juni 1918

Lieber Cas,
es begäben sich die enormsten Dinge.
1) Meine Komödie:
Baal frißt! Baal tanzt!! Baal verklärt sich!!!
Was tut Baal?
24 Szenen
ist fertig und getippt – ein stattlicher Schmöker! Ich hoffe damit einiges zu erreichen. Schicken könnte ich sie Dir natürlich nur gegen absolute Garantie, sie wieder zu kriegen.
[...]

Dein dankbarer
Bert Brecht

C 5
Februar/März 1920

Das Theater gefällt mir.
Ich habe an das Theater mein Stück Baal gegeben, und es hat Kontrakt gemacht. Ich müßte bis ... aufgeführt sein. Ich wurde nicht aufgeführt. Ich weiß, das passierte schon vielen Leuten.
Wenn ein Unrecht viele Leute trifft, dann scheint das manche zu trösten, und die Nichtbetroffenen verwenden das zu Trostsprüchen. Ich finde aber: mich hetzt es noch auf.
Ich stelle fest: Ich habe keine Lust, nicht aufgeführt zu werden. Ich bin ein sehr beträchtlicher Herr. Ich stelle das hier fest. Ich verweiße hier darauf. Ich bin nicht der einzige vernünftige Mensch, der das weiß, aber ich bin der einzige Mutige, der es zu sagen wagt. Ich bin finanziell darauf angewie-

ßen, daß ich aufgeführt werde. Schämt euch! Sie alle sind finanziell auf irgendwas angewießen. Sie handeln in Ihrem Interesse, wenn Sie dafür sorgen, daß Verträge eingehalten werden. Ich bitte Sie nachdrücklich, für Ihr Interesse zu handeln.
Ich bitte alle jungen Menschen, die ihr Recht haben wollen, mir zum Meinen zu verhelfen. Nicht weil Sie mein Stück sehen wollen, sondern weil Sie Ihr Recht haben müssen, sollen Sie am Mittwoch abend 7 h im Deutschen Theater erscheinen. Ich lade Sie alle ein und Ihre Freunde, die Mediziner, die Juristen, die Kaufleute, die verständigen Menschen aller Berufe, ich lade Sie alle ein, am Mittwoch, Do. u. Fr. an 3 aufeinander folgenden Tagen für Unser Recht einzutreten.

Bert Brecht

C 6
Mai 1920
Meine Methoden
Es werden Werte gefragt: Ich habe den Sinn für Werte, Erbteil vom Vater her. Aber ich habe auch Empfindung dafür, daß man vom Begriff Wert ganz absehen kann. (Baal)

C 7
16. Juni 1920
Zeiß will Baal nicht aufführen, angeblich weil er Skandal fürchtet (aber er könnte eine geschlossene Vorstellung veranstalten!). Gutherz bestellt mich und fertigt mich auf dem Gang ab. Es ist möglich, daß er überlastet ist, aber ich bin kein Weinreisender. Damit fällt die Sensation des Winters in sich zusammen.

C 8
15. Juli 1920
[. . .] Jetzt ist die Drucklegung Baals beendet, ich habe die Fahnen alle. [. . .]

C 9

19.-24. Juli 1920

[...] Den 4. Akt [von »Trommeln in der Nacht«] neu durchgearbeitet, diesmal ganz anders als bei Baal, den ich gründlich verpfuscht habe, wie ich jetzt einsehe. Er ist zu Papier geworden, verakademisiert, glatt, rasiert und mit Badehosen usw. Anstatt erdiger, unbedenklicher, frecher, einfältiger! Jetzt mache ich nur mehr feurige Dreckklöße!

C 10

24. August 1920

München. Feuchtwanger meint, ich soll die letzte Szene lassen, aber das Ganze (Baal) habe sich halt im Manuskript viel besser gelesen. Das ist richtig, es stinket mir. Es sollte einem »gleicher« sein! Man soll es machen mit Gedärmen, Herz und Blut drin und Lungen und es laufen lassen, mit Fußtritt! Ich pfeife auf den Bogen.

C 11

1. September 1920

Wenn ich ein Theater in die Klauen kriege, engagiere ich zwei Clowns. Sie treten im Zwischenakt auf und machen Publikum. [...] Die Clowns reden über die Helden wie über Privatpersonen. Lächerlichkeiten, Anekdoten, Witze. Sie sagen von David: Er wäscht sich zu wenig. Und von Baal, in der letzten Zeit: Er ist verliebt in den Schmutzfinken. – Dadurch sollen die Dinge auf der Bühne wieder real werden. Zum Teufel, die D i n g e sollen kritisiert werden, die Handlung, die Worte, die Gesten, nicht die Ausführung.

C 12

8. September 1920

Über mir hängt wie ein Schwert die Unfähigkeit, den IV. Akt zu den Trommeln zu machen. Die Epoche ist lyrisch. Ich weiß, was not tut, habe aber keinen Schwung nicht. Auch die Kürzungen in der letzten Baalszene (Frühe im Wald) machen mir Qual. [...]

C 13

14. September 1920

[...] Baal befriedigt mich nimmer, scheint mir nimmer frisch und ursprünglich, viel zu abgeschliffen, verfeinert, verflacht. Alles vielleicht zu wenig ernst, ich fange Fliegen, ich mache so viel, es sind schöne Einfälle, ich verliere mich ans Interessante, Spielerische, Elegante.

C 14

20. September 1920

[...] Cas sagt: Dein Baal ist so gut als wie 10 Liter Schnaps.

C 15

24. September 1920

[...] Es ist so, daß ich die letzte (Holzfäller-)Szene zu Baal nicht zustande bringe, während der Satz schon in der Maschine steht. Orge wollte mir helfen. Es ging schon einmal schief: Er wollte nicht. Sagte dann, er habe gewollt, ich hätte nicht gewollt. Ich schluckte und brachte ihm die Szene noch-einmal. Er büffelte auf die Prüfung, hatte keine Zeit. Ich schob und schob, kriegte 2 Zettel vom G. Müllerverlag. [...]

C 16

Winter 1921/22

BÜHNENEINRICHTUNG

1)	Branntweinschenke	I
2)	Dachkammer »Johanna«	
	„ »Sophie B«	II
3)	Mainacht	III
4)	Kabarett	IV
5)	Grüne Felder	III
6)	Dorfschenke	I
7)	Eine Hütte	II
8)	Ebene. Himmel. Abend.	V
9)	Hütte »Gougou«	II
10)	Laubdickicht	III

11)	Landstraße. Weiden	VI
12)	Ahorn im Wind	V
13)	Branntweinschenke	I
14)	10° ö. L. v. Greenwich	VI
15)	Landstr. Abend. Wind	VI
16)	Bretterhütte	II
	6 Bilder	

C 17
Winter 1921/22

BAAL-REGIE

Die erste Buchszene kann in der Orchestra gespielt werden. Wenn nicht, kommt der Choral von unten. (Südliche Winde nach oben.)

1) Johannesszene
2 1/2 m hoher roter lappiger Vorhang. Davor 2 Holzschemel. Von der Orchestra herauf (von links nach d. Mitte zu) steigt Baal mit der Klampfe. Der Jüngling grünlich, schmal von rechts seitwärts. Baal fängt stehend, steigend an.
Dann sitzen beide. Johannes steht nach »schmutzig« (Ste. 18 unten) auf, setzt sich vor »Aber das Gesetz« (19 m)
Baal stimmt während der Arie die Gitarre.
Schluß: Johannes sitzt ganz zerdrückt, Baal steht auf, geht nach hinten.
Die Gardine öffnet sich ratternd

2
Branntweinschenke
Davor Holzbank. Vorn rechts Schanktisch mit Luise.
(Hinten links ein Tisch mit Fenster + weißen Wolken)
Johannes vorn langsam, mit gesenktem Kopf, schlapp nach rechts seitlich ab.
Baal (inzwischen) zu Fuhrleuten, die am Schanktisch stehen.
Tür weit rechts.

3
Dachkammer
roter Vorhang. Bettstelle, eisern.

C 18

10. Februar 1922

Einen großen Fehler sonstiger Kunst hoffe ich im Baal und Dickicht vermieden zu haben: ihre Bemühung mitzureißen. Instinktiv lasse ich hier Abstände und sorge, daß meine Effekte (poetischer u. philosophischer Art) auf die Bühne begrenzt bleiben. Die splendid isolation des Zuschauers wird nicht angetastet, es ist nicht sua res, quae agitur, er wird nicht beruhigt dadurch, daß er eingeladen wird mitzuempfinden, sich im Helden zu inkarnieren und, indem er sich gleichzeitig betrachtet, in 2 Exemplaren, unausrottbar und bedeutsam aufzutreten. Es gibt eine höhere Art von Interesse: das am Gleichnis, das am andern, Unübersehbaren, Verwunderlichen.

C 19

Brief an Bronnen, 16. Mai 1922

[...] Ich höre von Kasack, Du wolltest Baal und Garga (hast Du nicht Wegeners Exemplar, das 2. ist bei Dr. Liebmann im Staatstheater) an Ihering geben. Warum? Ich hoffe, Du hast ihm klar gemacht, daß Du mit der Hälfte des Preißes nicht einverstanden bist. Jedenfalls mußt Du ihm sagen, daß i c h es a u f k e i n e n F a l l bin, wir müssen jeder den g a n z e n kriegen, nacheinander. (Da das Ganze doch nur Reklamewert hat, fällt unsere schöne Geste der Neidlosigkeit untern Tisch, da das Vieh b e i mir grunzen wird, es hätte k e i n e m zum g a n z e n Preis »gelangt«!) Aber ich warte mit Sehnsucht auf Deinen Brief, den Du am besten gleich nach Augsburg, Bleichstr. 2, richtest. [...]

C 20

Telegramm an Kiepenheuer-Verlag, 4./5. Oktober 1922

Baalvertrag mit Klöpfer einverstanden, wenn Aufführung noch 1922

C 21
Brief an Neher, kurz nach dem 4. Oktober 1922?
[...] Ich muß Sonntag nach Berlin. [...] Mach die Baal Bühnenbilder fertig!

C 22
Brief an Bronnen, kurz nach dem 4. Oktober 1922
[...] ich komme wohl montag früh hoffentlich mit schlafwagen aber du kriegst eine depesche
kannst du nicht zu klöpfer gehen und ihm feuer unter dem arsch machen weil das deutsche teater den baal spielen will und george soll ihn spielen aber er hat es versprochen du warst dabei es ist ein verdammter wortbruch desertion vor dem feind ich verstehe ihn nicht –
kiepenheuer habe ich depeschiert daß ich ohne klöpfer nicht vertrag mag [...]

C 23
Brief an Bronnen, Ende Februar/Anfang März 1923
[...] wenn marianne geboren hat komme ich vielleicht auf zwei wochen
baden schreien kakao trinken
friedrichstraße aschinger charité
gleisdreieck ufa wannsee
gerda
übrigens kannst du nicht einmal mit klöpfer sprechen wegen baal was ist mit dem verrat? [...]

C 24
Ende Juli 1925
Ich schwanke sehr, mich der Literatur zu verschreiben. Bisher habe ich alles mit der linken Hand gemacht. Ich schrieb, wenn mir etwas einfiel oder wenn die Langeweile zu stark wurde. »Baal«, das entstand, um ein schwaches Erfolgsstück in den Grund zu bohren mit einer lächerlichen Auffassung des Genies und des Amoralen.

C 25
Januar 1926

Das Urbild Baals

Die dramatische Biographie »Baal« behandelt das Leben eines Mannes, der wirklich gelebt hat. Es war ein gewisser Josef K., von dem mir Leute erzählten, die sich sowohl an seine Person, als auch an das Aufsehen, das er seinerzeit erregte, noch deutlich erinnern konnten. K. war das ledige Kind einer Waschfrau. Er geriet früh in üblen Ruf. Ohne irgendwelche Bildung zu besitzen, soll er imstande gewesen sein, selbst wirklich gebildete Leute durch erstaunlich informierte Gespräche für sich einzunehmen. Mein Freund sagte mir, er habe durch die unvergleichliche Art, sich zu bewegen (im Nehmen einer Zigarette, beim Sichsetzen auf einen Stuhl usw.), auf eine Reihe von vornehmlich jüngeren Leuten einen solchen Eindruck gemacht, daß sie seine Art nachahmten. Jedoch sank er durch seinen unbedenklichen Lebenswandel immer tiefer, besonders weil er, ohne übrigens irgend etwas zu unternehmen, jede ihm gebotene Gelegenheit schamlos ausnützte. Verschiedene dunkle Fälle, zum Beispiel der Selbstmord eines jungen Mädchens, wurden auf sein Konto gesetzt. Er war gelernter Monteur, arbeitete aber unseres Wissens niemals. Als der Boden für ihn in A. brennend wurde, zog er mit einem heruntergekommenen Mediziner ziemlich weit herum, kam aber dann wieder, etwa im Jahre 1911, nach A. zurück. Dort kam bei einer Messerstecherei in einer Schankwirtschaft am Lauterlech dieser Freund ums Leben, ziemlich sicher durch K. selbst. Er verschwand jedenfalls daraufhin fluchtartig aus A. und soll im Schwarzwald elend verstorben sein.

C 26
Anfang 1926

Wir halten es für richtig, Ihnen mitzuteilen, daß Ihr unqualifizierbares, im höchsten Grade unkünstlerisches Verhalten während der Probenzeit zu Baal uns als wissentliche Brüskierung sämtlicher Mitspielender und unbedenkliche Sabotage erscheint und es uns undenkbar macht, mit Ihnen je wieder künstlerisch zusammen zu arbeiten.

C 27
1926

Der Piscatorsche Versuch

Außer in Engels entscheidend wichtiger Coriolaninszenierung wurden die Versuche zum epischen Theater nur vom Drama her unternommen. (Das erste, dieses epische Theater aufbauende Drama war Brechts dramatische Biografie »Baal«, das einfachste Emil Burris »Amerikanische Jugend« und das bisher exponierteste – weil von einem Autor gänzlich anderer Richtung stammend – Bronnens »Ostpolzug«.) Nun kommt auch vom Theater her wieder Wasser auf die Mühle: der Piscatorsche Versuch. [...]

C 28
etwa 1926

Zu Baal

Ich suchte, als ich den Typ Baal auf der Bühne sichtbar machte, umsonst die Gegnerschaft der Bourgeoisie »jener« Zeit. Diese war schon so unrettbar verkommen, daß sie nur die Form, die – nur als Form – ganz gleichgültig, nur eben nächstliegend war, kritisierte oder dem gewissen »je ne sais pas quoi« der Formulierung erlag. Den wirklichen Gegner kann ich mir nur im Proletarier erhoffen. Ohne d i e s e von mir gefühlte Gegnerschaft hätte dieser Typ von mir nicht gestaltet werden können.

C 29
12. April 1928

Der Mann Baal
... und die Geburt dramatischer Gestalten.

In irgendeiner Gesellschaft werde ich mitunter, meine Stücke betreffend, gefragt: Woher haben Sie das? Ist das wirklich passiert? Gab es diese Leute? Ich bemerke dann vor allem

jedesmal, daß der größere Teil der Tischgesellschaft diese Frage ein wenig komisch, den Frager naiv findet. Ich finde den Frager auch naiv. Gerade deswegen kann ich seine Frage auf keinen Fall komisch finden. Dieser Frager ist mein bester Zuschauer am Tisch, er hat den richtigen Standpunkt, ihn meinte ich mit dem Stück.
Ich antworte ihm, daß von meinen Figuren tatsächlich nur der M a n n B a a l wirklich gelebt hat, unter anderem Namen, und ich habe ihn auch nicht selber kennengelernt, sondern über ihn nur Freunde erzählen hören. Aber wenn der Zuschauer e i n Recht hat, so ist es das, mißtrauisch zu sein. Man hat ihn allzuoft mit puren Hirngespinsten abgespeist. Er nimmt an: Wenn der Mann Baal gelebt hat, hat er wirkliche Spuren hinterlassen, und der Brecht hat über ihn zumindest die Leute ausgefragt. Mit dieser Annahme nimmt der Zuschauer meinen eigenen Standpunkt ein. Tatsächlich interessierte mich hier ein Phänomen, ich fand seine Taten wert, aufgehoben zu werden, und seine Philosophie bemerkenswert. Ich versuchte, ihn so darzustellen, daß jede seiner Handlungen beurteilt werden kann und sein ganzes Leben einige Schlüsse über das Leben selbst ermöglicht. [...]

C 30
Frühjahr 1929
Ein Beispiel: Baal. Wie soll die Vorstellungswelt etwa des Stückes »Baal« zur Wirkung gebracht werden können, in einer Welt, in deren Vorstellung das Individuum keineswegs ein Phänomen, sondern das Selbstverständliche ist. Vor einem Publikum, das etwas gegen Sozialisierung hat und vor allem nicht daran glaubt, ist es fast unmöglich, aus dem Typus Baal, der absolut unsozialisierbar und dessen Produktionsweise ganz unverwertbar ist, die Wirkung eines Dokuments herauszuholen.

C 31
1929
[...] (Ich bereue es nicht, mit diesen Leuten [den ›Sozialrevolutionären‹ der »Jungen Bühne«] gearbeitet zu haben – als ich »Baal« inszenierte und »Fegefeuer« hinbrachte –, ich

tat damit, was alle tun, die zuviel Selbstbewußtsein haben, was den Kampf mit der Reaktion betrifft, indem sie glauben, sie könnten durch Hineingehen etwas erreichen; ich bereue es nicht, weil ich nur dadurch sehen konnte, was sie alle nicht sehen können.) [...]

C 32
Ende der zwanziger Jahre
[...] Es galt, die Vernünftigkeit des Wirklichen nachzuweisen. So nun entstand eine höchst eigentümliche Wirklichkeit durch diese Dramatik. Einerseits hatte sie das Bewußtsein einer vorwiegend historischen Aufgabe. Sie sah eine große Zeit und große Gestalten und fertigte also Dokumente davon an. Dabei sah sie doch alles im Fluß (»So haben wir gebaut die langen Gehäuse des Eilands Manhattan ...«). Baal und der Alexander des »Ostpolzugs« waren historisch gesehen. D. h., nicht nur Baal selber etwa war als historische Persönlichkeit dargestellt in seinen Wandlungen, seinem »Konsum« und seiner »Produktion«, seinen Wirkungen auf die ihm begegnenden Menschen vor allem – auch seine literarische Existenz als ganz bestimmtes geistiges Phänomen war als historische Tatsache aufgefaßt. Seine »Sichtung« war historisch, hatte Ursachen und Folgen. Was Baal tat und was er sagte, war Material über ihn, gegen ihn, sein Denken und sein Sein schien identisch, und sein Lebenslauf war für die Bühne so angeordnet, daß sogar das Interesse an ihm abnehmen mußte mit dem Interesse, das er bei seinen Mitmenschen auf der Bühne erregte. (Bei der Berliner Inszenierung sagte der Maler Neher: »Für die letzten Szenen mache ich keine besonderen Umstände. Der Bursche kann kein besonderes Interesse mehr beanspruchen in dieser Verfassung. Da müssen ein paar Bretter genügen.« Und dies war ungeheuer richtig. Und an den Anfang setzte er einige große Wände, auf die jene Figuren gemalt waren, die dann im Stück den Verkehr Baals ausmachten, »die Opfer«, und sagte: »So, mit denen muß er auskommen. Hier herrschte der Gott der Dinge, wie sie sind.«)
Aber die Wirklichkeit, die so entstand, faßte die Wirklichkeit außerhalb nur sehr unvollständig. Die realen Vorgänge wa-

ren lediglich spärliche Andeutungen für geistige Prozesse. Zwischen leeren Bühnenbalken, die nur die Elemente des Vorzustellenden zur Verfügung stellten – in der Szene »In den Jahren 19... – ... finden wir...« bestand die Nehersche Dekoration aus einer kindlichen Landkarte, eigentlich nur der Darstellung einer Landkarte, denn es war keine bestimmte Gegend (wozu jedoch eine Windmaschine Wind erzeugte) –, gab es eine primitive Darstellung menschlicher »Kurven«, und was von realen Vorkommnissen bemüht wurde, war nur Anschauungsmaterial (Eselsbrücke). Dagegen gab es viele Schriften zu lesen. Ebenso war es im »Ostpolzug«, wo auch ein paar dürftige bürgerliche Vorgänge Handlungen und Aussagen des großen Typus ermöglichen sollten. [...]

Übrigens darf nicht vergessen werden, daß in dem Augenblick, als das Theater wieder eine Denkstätte wurde und noch dazu eine aufsässige, eine scheußliche Luft von Feierlichkeit, die der Naturalismus und der Expressionismus im Theater erzeugt hatten, rasch abstank und eine gewisse Heiterkeit und, wenn man will, Unerzogenheit einkehrte, die zum Teil auch auf der Einsicht beruhte, daß das Theater auf dem Denkgebiet nicht die seriöse Rolle spielte, die es sich anmaßte.

C 33

Ende der zwanziger Jahre

[...] Die Häßlichkeit eines Ortes wird nicht dadurch ausgedrückt, daß man die Bühne häßlich macht. Im Bühnenbild zu dem Stück »Lebenslauf des assozialen Baal«, das den Untergang eines nur Genießenden in der schließlichen Unfähigkeit zum Genuß darstellt, ließ der große Bühnenbauer Kaspar Neher durch eine offen zur Schau gestellte Nachlässigkeit – ein Tuschestrich auf einem Leinwandfetzen mußte gegen das Ende des Stückes zu einen Wald vorstellen – das erlahmende Interesse, das die Mitwelt an diesem Typus nimmt, vermuten. Hier zeigte selbst das Theater dieses erlahmende Interesse, allerdings in künstlerisch großartiger Weise. So kann auch der Bühnenbildner große belehrende Gesten vollführen.

C 34

Ende der zwanziger Jahre

[...] Bei der Aufführung von »Lebenslauf des assozialen Baal« (Brecht) wurde ein Vorspiel aufgeführt unter dem Titel »Im Kreise seiner nachmaligen Opfer singt Baal ein Lied, das seine Philosophie zum Ausdruck bringt«. Der Darsteller des Baal sang das Lied vor großen Tafeln, auf denen überlebensgroß die Figuren dargestellt waren, die er im Stück schädigte. Traten diese Personen dann im Stück auf, wurde ein V-Effekt erzielt.

C 35

1935

Über die Verwendung von Musik für ein episches Theater

Für episches Theater wurde, soweit es meine eigene Produktion betrifft[1], in folgenden Stücken Musik verwendet: »Trommeln in der Nacht«, »Lebenslauf des asozialen Baal«, »Das Leben Eduards II. von England«, »Mahagonny«, »Die Dreigroschenoper«, »Die Mutter«, »Die Rundköpfe und die Spitzköpfe«.

In den ersten paar Stücken wurde Musik in ziemlich landläufiger Form verwendet; es handelte sich um Lieder oder Märsche, und es fehlte kaum je eine naturalistische Motivierung dieser Musikstücke. Jedoch wurde durch die Einführung der Musik immerhin mit der damaligen dramatischen Konvention gebrochen: das Drama wurde an Gewicht leichter, sozusagen eleganter; die Darbietungen der Theater gewannen artistischen Charakter. Die Enge, Dumpfheit und Zähflüssigkeit der impressionistischen und die manische Einseitigkeit der expressionistischen Dramen wurde schon einfach dadurch durch die Musik angegriffen, daß sie Abwechslung hineinbrachte. Zugleich ermöglichte die Musik etwas, was schon lange nicht mehr selbstverständlich war, nämlich poetisches Theater. Diese Musik schrieb ich noch selbst. [...]

1 Auch Piscator verwendete Musik, und zwar im »Kaufmann von Berlin« (Eisler), in »Konjunktur« (Weill), »Hoppla, wir leben!« (Meisel) usw.

C 36

16. August 1938

Die »Gedichte aus dem Exil« sind natürlich einseitig. Aber es hat keinen Sinn, da im Kleinen zu mischen. Die Vielfalt kann nur im Ganzen entstehen, durch Zusammenbau in sich geschlossener Werke. Der Gesamtplan für die Reproduktion breitet sich allerdings immer mehr aus. Und die einzelnen Werke haben nur Aussicht, wenn sie in einem solchen Plan stehen. Zu »Die Geschäfte des Herrn Julius Caesar« muß »Der Tuiroman« treten. Zu den Dramen die Lehrstücke. Wann werde ich die »Abenteuer des bösen Baals des assozialen« anfangen können? und die »Haltungen Lenins«? 30 Jahre sind nicht zu viel für das noch zu Schaffende. Denn da muß noch ein Haufen Aktuelles dazwischendrin gemacht werden. [...]

C 37

11. September 1938

»Baal« überflogen, der Gesamtausgabe wegen. Schade drum, es war immer ein Torso, er wurde dann noch mehrmals operiert, für die (2) Buchausgaben und die Aufführung. Der Sinn ging dabei fast verloren. Baal, der Provokatör, der Verehrer der Dinge, wie sie sind, der Sichausleber und der Andreausleber. Sein »Mach, was dir Spaß macht!« gäbe viel her, richtig behandelt. Frage mich, ob ich mir die Zeit nehmen soll. (Vorbehalten immer die Lehrstücke vom »Bösen Baal dem assozialen«.)

C 38

4. März 1939

Heute begriff ich endlich, warum es mir nie gelungen ist, die kleinen Lehrstücke von den Abenteuern des »Bösen Baal, des assozialen« herzustellen. Die assozialen Leute spielen keine Rolle. Es sind einfach die Besitzer der Produktionsmittel und sonstigen Lebensquellen, und sie sind es nur als solche. Natürlich sind es auch ihre Helfer und Helfershelfer, aber eben auch nur als solche. Es ist geradezu d a s Evangelium des Feindes der Menschheit, daß es assoziale Triebe gibt, assoziale Persönlichkeiten usw.

C 39

7. März 1941

Der große Irrtum, der mich hinderte, die Lehrstückchen vom »Bösen Baal dem assozialen« herzustellen, bestand in meiner Definition des Sozialismus als einer g r o ß e n O r d n u n g. Er ist hingegen viel praktischer als g r o ß e P r o d u k t i o n zu definieren. Produktion muß natürlich im weitesten Sinn genommen werden, und der Kampf gilt der Befreiung der Produktivität aller Menschen von allen Fesseln. Die Produkte können sein Brot, Lampen, Hüte, Musikstücke, Schachzüge, Wässerung, Teint, Karakter, Spiele usw. usw.

C 40

21. März 1942

Die »Natur« spiegelt sich merkwürdig in meinen Arbeiten. In »Baal« ist Landschaft und Sexualität dem großen Assozialen ausgeliefert. In »Trommeln« und »Dickicht« ist die Stadt das Schlachtfeld. Im »Eduard« gibt es artistische Landschaft, in »Mann ist Mann« ist sie ein Knockaboutapparat. In »Johanna« ist sie wieder Schlachtfeld (der Schneefall ist eine soziale Erscheinung). »Mutter« hat keine Landschaft, »Spitzköpfe und Rundköpfe« haben auch keine, der »Galilei« hat ein Stückchen Interieur (in der Mönchszene), das »Zezuanstück« ein Stückchen Stadtansicht. Der »Ui« benutzt »Dickicht« und »Eduard«-Cartoons, die »Courage« gibt Landschaft wie die »Johanna«. Aber »Puntila« hat beinahe »Baal«sche Landschaft. Menschliche Beziehungen direkter Art sind nur in der »Mutter« wiedergegeben.

C 41

1954

[...] Das Stück »Baal« mag denen, die nicht gelernt haben, dialektisch zu denken, allerhand Schwierigkeiten bereiten. Sie werden darin kaum etwas anderes als die Verherrlichung nackter Ichsucht erblicken. Jedoch setzt sich hier ein »Ich« gegen die Zumutungen und Entmutigungen einer Welt, die nicht eine ausnutzbare, sondern nur eine ausbeutbare Produktivität anerkennt. Es ist nicht zu sagen, wie Baal sich zu

einer Verwertung seiner Talente stellen würde: er wehrt sich gegen ihre Verwurstung. Die Lebenskunst Baals teilt das Geschick aller andern Künste im Kapitalismus: sie wird befehdet. Er ist asozial, aber in einer asozialen Gesellschaft.
Zwanzig Jahre nach der Niederschrift des »Baal« bewegte mich ein Stoff (für eine Oper), der wieder mit dem Grundgedanken des »Baal« zu tun hatte. Es gibt eine chinesische Figur, meist fingerlang, aus Holz geschnitzt und zu Tausenden auf den Markt geworfen, darstellend den kleinen dicken Gott des Glücks, der sich wohlig streckt. Dieser Gott sollte, von Osten kommend, nach einem großen Krieg in die zerstörten Städte einziehen und die Menschen dazu bewegen wollen, für ihr persönliches Glück und Wohlbefinden zu kämpfen. Er sammelt Jünger verschiedener Art und zieht sich die Verfolgung der Behörden auf den Hals, als einige von ihnen zu lehren anfangen, die Bauern müßten Boden bekommen, die Arbeiter die Fabriken übernehmen, die Arbeiter- und Bauernkinder die Schulen erobern. Er wird verhaftet und zum Tod verurteilt. Und nun probieren die Henker ihre Künste an dem kleinen Glücksgott aus. Aber die Gifte, die man ihm reicht, schmecken ihm nur, der Kopf, den man ihm abhaut, wächst sofort nach, am Galgen vollführt er einen mit seiner Lustigkeit ansteckenden Tanz usw. usw. *Es ist unmöglich, das Glücksverlangen der Menschen ganz zu töten.*
Die erste und letzte Szene des Stückes »Baal« wurden für diese Ausgabe wieder so hergestellt, wie sie in der ersten Niederschrift waren. Sonst lasse ich das Stück, wie es ist, da mir die Kraft fehlt, es zu verändern. Ich gebe zu (und warne): dem Stück fehlt Weisheit. [...]

D.
Kritischer Apparat

Allgemeine Erläuterungen

Diese Ausgabe ergänzt den ersten »Baal«-*Band der edition suhrkamp (es 170)*, in dem drei Fassungen des Stücks kritisch herausgegeben sind, und zwar die erste (1918), die zweite (1919) und die vierte Fassung (1926).*
Der vorliegende Band gliedert sich in fünf Teile:
Im T e i l A wird die fünfte und letzte Fassung des Stücks abgedruckt. Da diese Fassung auf weite Strecken der dritten gleicht und die Abweichungen zwischen beiden in der »Textgeschichte« beschrieben werden, kann man sich die Gestalt auch der dritten Fassung weitgehend vergegenwärtigen. Zudem wird deren erste Szene, die beim Übergang zur fünften Fassung stark geändert wurde, im Lesartenteil getrennt abgedruckt. Es stehen somit jetzt alle Fassungen des »Baal« *zur Verfügung.*
Beim Abdruck der letzten Fassung wird, mit den typographischen Eigentümlichkeiten der edition suhrkamp, der genaue Wortlaut der Ausgabe im Aufbau-Verlag, 1955, wiedergegeben, und zwar, für die zuverlässige Bestimmung einzelner Textstellen, mit einer Zeilenzählung.
Die Beiträge in den T e i l e n B und C (wie auch in E) sind nach dem Zeitpunkt ihrer Entstehung oder dem Datum der Veröffentlichung geordnet. Die Texte in B und C sind überdies, zur leichteren Zitierbarkeit, jeweils getrennt durchnumeriert.
Im T e i l B: Szenen, Entwürfe, Fragmente, in dem, wie auch im Teil C, Vollständigkeit bei der Sammlung des Materials angestrebt ist, sind Texte zusammengestellt, die für das Stück »Baal« *geschrieben, aber als erste Skizze, Vorstufe oder verworfene Form nicht endgültig aufgenommen sind; als Ergänzung dazu wird neu* »Der böse Baal der asoziale« *vorgelegt, ein Fragment, das sich inhaltlich weit von den Fassungen des* »Baal« *entfernt, sich aber mit dem Namen der Hauptfigur noch auf sie bezieht.*
Schwierigkeiten entstehen in diesem Teil der Ausgabe dadurch, daß hier Texte gesetzt werden, die im Original in Hand- oder Schreibmaschinenschrift vorliegen. Man muß für

** Bertolt Brecht: Baal. Drei Fassungen. Kritisch ediert und kommentiert von Dieter Schmidt. (3., durchgesehene Aufl.: 16.–21. Tsd.) – (Frankfurt a. M.): Suhrkamp (1968). (= edition suhrkamp 170.)*

den Druck so vereinheitlichen, daß individuelle Ausprägungen der Handschriften oder Typoskripte zuweilen verlorengehen. Das gilt z. B. für die Regieanweisungen, die hier immer kursiv erscheinen, für die durchgehende Verwendung von Kapitälchen zur Bezeichnung der im Stück sprechenden Personen oder für die Wiedergabe von Unterstrichenem bei Brecht durch Sperrung hier im Satz.
Teil B enthält zudem einige unfertige und in der Form bisweilen fehlerhafte Texte. Sie werden möglichst buchstabengetreu abgedruckt; denn eine Normalisierung und Korrektur würden den Text verfälschen, da nun als fertig erschiene, was in Wirklichkeit den Charakter des Vorläufigen hat. Beim Fragment »Der böse Baal der asoziale« (B 6) bleibt die häufig »regelwidrige« Kleinschreibung des Wortbeginns im Druck erhalten wie auch die Gewohnheit Brechts in jener Zeit, Typoskripte ohne Interpunktion zu schreiben. Es ist nur dort ein Punkt gesetzt worden, wo bei Brecht durch doppelten Leeranschlag eine Fuge zwischen zwei Sätzen markiert ist.
Teil C enthält alle nachweisbaren Texte, in denen sich Brecht, von 1918 bis 1954, zum Baal-Stoff geäußert hat. Um zu vermeiden, daß wegen der zuweilen eigenwilligen Orthographie und Interpunktion Schwierigkeiten beim Verständnis dieser Aussagen über die Dichtung auftreten, hat der Herausgeber die Schreibung behutsam dem allgemeinen Gebrauch angeglichen.
Ein Teil der Beiträge ist bereits veröffentlicht, zuletzt in Bertolt Brechts »Gesammelten Werken« (GW).* In diesen Fällen werden Band und Seite der Ausgabe nachgewiesen. Gelegentliche Abweichungen zwischen unserem Text und dem der »Gesammelten Werke« beruhen auf der unterschiedlichen Beurteilung der Handschriften und Typoskripte durch die Herausgeber.
Teil D bietet den kritischen Apparat, der für die Teile A bis C gilt. Er vermittelt genauen Aufschluß über die Entstehung der Texte und ihre Überlieferung. Die Überlieferungsträger werden eingehend beschrieben, wenn sich aus ihrem Äußeren Rückschlüsse auf die Textgeschichte ziehen lassen; so kann z. B. die Verzeichnung wechselnder Papierformate eine Hilfe beim Unterscheiden verschiedener Ent-

* Bertolt Brecht: Gesammelte Werke. Herausgegeben vom Suhrkamp Verlag in Zusammenarbeit mit Elisabeth Hauptmann. Bd. 1–20. – (Frankfurt a. M.): Suhrkamp (1967). (= werkausgabe edition suhrkamp.)

wicklungsschichten sein. Bei der Darstellung der Textgeschichte greift der Herausgeber häufig auf die in seiner Untersuchung: »›Baal‹ und der junge Brecht«*, mitgeteilten und begründeten Ergebnisse zurück; gelegentlich müssen auch frühere Feststellungen modifiziert werden.

In den Teilen B und C werden die Texte, wenn sie Varianten enthalten, in der jeweils letztgültigen Form ediert. Die Beschränkung des Umfangs, der Bände wie dieser zwangsläufig unterworfen sind, erlaubt es nicht, sämtliche Lesarten zu verzeichnen. Statt dessen wird die Textentwicklung zusammenfassend beschrieben und die Unterschiedlichkeit der Schichten charakterisiert. Damit jedoch der speziell Interessierte anhand des Materials im Bertolt-Brecht-Archiv (BBA) selbst der Entwicklung eines Textes nachgehen kann, werden die Nummern der Archiv-Kopien angegeben. Bei der Beschreibung der Handschriften und Typoskripte gelten folgende Abkürzungen: B: Bleistift, R: Rotstift, T: Tinte, M: Schreibmaschinenschrift. Bei Texten von Brechts Hand erscheinen die Siglen in Großbuchstaben; eine fremde Hand (wenn nicht ausdrücklich anders vermerkt, ist es die von Elisabeth Hauptmann) wird durch Siglen in Kleinbuchstaben bezeichnet. In den Erläuterungen beziehen sich Seitenangaben ohne Zusatz auf den vorliegenden Band.

Graphische Darstellungen am Schluß der »Textgeschichte« veranschaulichen noch einmal die Abfolge der Überlieferungsträger von 1918 bis 1955 und die Beziehungen zwischen den Fassungen von Szene zu Szene.

An der ersten Szene der dritten Fassung soll exemplarisch Brechts detaillierte Arbeitsweise dargestellt werden. Es lassen sich hier Varianten aus sechs verschiedenen Schichten der Textentwicklung verzeichnen (T^3M, $T^{3a}H$, $T^{3b}H$, D^1, D^{2-3}, D^4: s. »Textgeschichte«).

T e i l E gibt Berichte von den Aufführungen des »Baal«. In ihnen sind Druckfehler und sinnentstellende Abweichungen von der üblichen Interpunktion korrigiert worden; durch Kursivsatz werden, im Unterschied zu den Vorlagen, einheitlich nur die Personen gekennzeichnet, die an den Aufführungen mitgewirkt haben.

* Dieter Schmidt: »Baal« und der junge Brecht. Eine textkritische Untersuchung zur Entwicklung des Frühwerks. – Stuttgart: Metzler (1966). (= Germanistische Abhandlungen 12.)

Literaturhinweise

Forschungsliteratur zum »Baal« hat Klaus-Dietrich Petersen in seiner »Bertolt-Brecht-Bibliographie«, Bad Homburg: Gehlen (1968), chronologisch zusammengestellt (Nr. 567–573); sie wird hier, korrigiert und ergänzt durch den Beitrag Baumgärtners, alphabetisch nach Verfassern aufgeführt:

Anders, William: Notes sur »Baal«. Première pièce de Bert Brecht. – In: Revue de la Société d'Histoire du Théâtre 11 (1959) S. 213–221.

Baumgärtner, Klaus: Baal. – In: Kindlers Literaturlexikon. Band 1. Zürich: Kindler (1965). Sp. 1217–1219.

Bentley, Eric: Bertolt Brecht's first play. – In: Kenyon Review 26 (1964) S. 83–92.

Ekmann, Bjørn: Bert Brecht, vom »Baal« aus gesehen. – In: Orbis Litterarum 20 (1965) S. 3–18.

Lyons, Charles R.: Bertolt Brecht's »Baal«. The structure of images. – In: Modern Drama 8 (1965) S. 311–323.

Rischbieter, Henning: Baals Wiederkehr. – In: Theater heute 4 (1963) Nr. 5, S. 38–39.

Steer, W. A. J.: »Baal«. A key to Brecht's communism. – In: German Life and Letters 19 (1965/66) S. 40–51.

Es seien außerdem einige Werke genannt, die das Stück unter verschiedenen Gesichtspunkten in einem größeren Zusammenhang behandeln:

Bronnen, Arnolt: Tage mit Bertolt Brecht. Geschichte einer unvollendeten Freundschaft. – München: Desch (1960). [Zitiert als: Bronnen]

Esslin, Martin: Brecht. Das Paradox des politischen Dichters. – Frankfurt a. M.: Athenäum 1962.

Kaufmann, Hans: Krisen und Wandlungen der deutschen Literatur von Wedekind bis Feuchtwanger. Fünfzehn Vorlesungen. – Berlin: Aufbau 1966.

Klotz, Volker: Bertolt Brecht. Versuch über das Werk. (3., erw. und verb. Aufl.) – Bad Homburg v. d. H.: Gehlen 1967.

Münsterer, Hans Otto: Bert Brecht. Erinnerungen aus den Jahren 1917–22. Mit Photos, Briefen und Faksimiles. – Zürich: Arche (1963). [Zitiert als: Münsterer]

Muschg, Walter: Von Trakl zu Brecht. Dichter des Expressionismus. (8.–11. Tsd.) – München: Piper (1963)

Rischbieter, Henning: Bertolt Brecht. Bd. 1. – (Velber): (Friedrich 1966). (= Friedrichs Dramatiker des Welttheaters 13.)
Schmidt, Dieter: »Baal« und der junge Brecht. Eine textkritische Untersuchung zur Entwicklung des Frühwerks. – Stuttgart: Metzler (1966). (= Germanistische Abhandlungen 12.)
Schuhmann, Klaus: Der Lyriker Bertolt Brecht. 1913–1933. – Berlin: Rütten & Loening 1964. (= Neue Beiträge zur Literaturwissenschaft 20.)
Schumacher, Ernst: Die dramatischen Versuche Bertolt Brechts. 1918–1933. – Berlin: Rütten & Loening (1955). (= Neue Beiträge zur Literaturwissenschaft 3.)
Willett, John: Das Theater Bertolt Brechts. Eine Betrachtung. (Übersetzt von Ernst Schumacher) – (Reinbek): Rowohlt (1964). (= Rowohlt Paperback 32.)

Der herzliche Dank des Herausgebers für die Förderung dieser Edition gilt wiederum Frau Professor Helene Brecht-Weigel, Frau Elisabeth Hauptmann und den Mitarbeitern des Bertolt-Brecht-Archivs. Herrn cand. phil. H. Hilzinger sei gedankt für seine Hilfe bei der Zusammenstellung des Bandes.

A. Baal
Letzte Fassung, 1955

Textgeschichte

In der letzten Fassung des »Baal«, *der fünften, übernimmt Brecht weitgehend die Szenenfolge und den Text der dritten Fassung des Stücks, die 1919 und 1920 entstanden ist. Vorangegangen waren die beiden ersten, in je einem Typoskript überlieferten Fassungen von 1918 und von 1919 (s. es 170). Es kann vermutet werden, daß Brecht mit seiner ungebärdigen und ausschweifenden zweiten Fassung, obwohl sie die künstlerisch stärkste ist, wenig Gegenliebe bei Verlegern und Intendanten gefunden hat und sich deshalb gezwungen sieht, eine abschwächende und verkürzte Form des Stücks herzustellen.*

Für die zeitliche Bestimmung dieser Umarbeitung gibt es kaum Anhaltspunkte. Es läßt sich lediglich feststellen, daß Teile der zum ersten Mal in die dritte Fassung aufgenommenen Schwestern-Szene in Baals Dachkammer (B 2) und eine Umformung der Szene Branntweinschenke gegen Ende des Stücks (B 3) im Januar 1920 in einem Notizbuch entworfen worden sind.
Die dritte Fassung ist in ihrer frühesten Form in zwei Typoskripten erhalten. Beide sind Durchschläge zu einem verschollenen Original; das eine, T^{3a}, wird im Bertolt-Brecht-Archiv, Berlin, unter der Kopie-Nummer 199/01–43 verwahrt, das andere, T^{3b}, befindet sich im Besitz Elisabeth Hauptmanns, Berlin, und hat im BBA die Nummer 2134/01–48.

Typoskript T^{3a} (BBA 199/01–43)

Das Typoskript hat keinen Umschlag, die Blätter liegen lose. Blatt 01 beginnt gleich mit der ersten Szene; gegenüber T^{3b} fehlen das Titelblatt und Der Choral vom großen Baal sowie eine Textseite nach Blatt 29, an deren Stelle wohl irrtümlich ein Durchschlag zu Blatt 02 eingefügt ist. Daß zumindest die zwei Blätter mit dem Choral auch zu diesem Typoskript gehört haben, zeigt die handschriftliche Paginierung 3 und 4 auf den Blättern 01 und 02 der Kopie.
Im allgemeinen hat T^{3a} folgende äußere Merkmale:
Papierformat 210 x 330 mm, pergamentartiges Durchschlagpapier, kursive Schreibmaschinenschrift, blau-violette Schriftfarbe. Davon unterscheiden sich jedoch die Blätter 10–12 Baals Dachkammer mit den beiden Schwestern (B 2) und Blatt 24 Eine Hütte durch anderes Format (210 x 329 mm), schlechtere Papierqualität, Geradschrift und schwarze Schriftfarbe. Diese beiden Szenen erscheinen in der dritten Fassung zum ersten Mal. Die Blätter 22–23 Dorfschenke. Abend, 28 Grünes Laubdickicht, 29 und 31 Hölzerne braune Diele. Nacht. Wind und 34–35 Ahorn im Wind weisen am linken äußeren Rand Löcher von einer Fadenheftung auf. Diese Szenen müssen mit anderen, deren Blätter verschollen sind, zusammengeheftet gewesen sein.

Das Typoskript T^{3a} ist vor allem in den ersten beiden Szenen und gelegentlich auch später noch von Brechts Hand mit Tinte korrigiert worden; es können deshalb für die Textentwicklung und Lesartenverzeichnung zwei Schichten unterschieden werden: Die Grundschicht in Maschinenschrift, die ja auch für T^{3b} gilt, erhält die Sigle T^3M und die zweite Schicht der handschriftlichen Eintragungen Brechts die Sigle $T^{3a}H$.

Typoskript T^{3b} (BBA 2134/01–48)

Das Typoskript T^{3b} umfaßt 45 Blätter. Nummer 01 der Kopie bezeichnet die Vorderseite des Pappumschlags, die die Aufschrift Baal trägt; die Nummern 17 und 18 geben ein Originalblatt wieder, das, da es aus zwei Teilen zusammengeklebt ist, wegen seiner Länge zweimal kopiert wurde; Nummer 19 zeigt einen schmalen, von Brechts Hand beschriebenen Papierstreifen, mit dem eine Textstelle auf Blatt 20 überklebt worden war.
Die Blätter liegen ungeheftet in dem Umschlag. Einige von ihnen weisen am linken Rand Löcher einer früheren Fadenheftung auf. Abgesehen vom Choral vom großen Baal handelt es sich um die gleichen Szenen wie in T^{3a}. Es muß demnach mindestens zwei geheftete Exemplare der dritten Fassung des »Baal« gegeben haben, die dann wieder geteilt worden sind.
In den äußeren Merkmalen: Format, Papierbeschaffenheit, verwendeten Schreibmaschinen, Schriftfarbe, gleicht T^{3b} dem anderen Durchschlag T^{3a}. Bedeutsame Unterschiede weist jedoch die Textgestalt auf. T^{3b} enthält, wie schon erwähnt, zusätzlich zu T^{3a} ein Titelblatt mit der Aufschrift Baal von Bert Brecht und zudem den Choral vom großen Baal. Dann ist gegenüber T^{3a} die Reihenfolge einiger Szenen vertauscht. In T^{3a} heißt es: Landstraße. Weiden; Junge Weiden; Ahorn im Wind; bei T^{3b} steht die Szene Ahorn im Wind vor Landstraße. Weiden. In allen folgenden Stufen und Fassungen des »Baal« ist die Ordnung von T^{3a} beibehalten. Es ist möglich, daß die Abweichung in T^{3b} auf einer irrtümlichen Vertauschung der losen Blätter in späterer Zeit beruht;

vielleicht sind die Szenen auch von Brecht umgruppiert worden, als er zur Herstellung der letzten Fassung des »Baal« *auf* T^{3b} *zurückgriff.*
Bemerkenswert sind die zahlreichen Tintenkorrekturen von Brechts Hand in allen Szenen von T^{3b}. *Analog zur Siglierung bei* T^{3a} *ist die maschinengeschriebene Grundschicht wieder mit* $T^{3}M$, *die Schicht der handschriftlichen Änderungen mit* $T^{3b}H$ *bezeichnet. Durch diese Überarbeitung wird der Text begrifflich schärfer gefaßt, Inkonsequenzen und »Anstößigkeiten« werden beseitigt. Unversehens hat jedoch das Stück* »Baal« *mit der Beschneidung seiner Sinnenhaftigkeit die künstlerische Dichte und Überzeugungskraft eingebüßt. Brecht selbst war der erste, der Unbehagen gegenüber der abschwächenden Bearbeitung empfand (C 9, C 13).*

Druck bei Georg Müller, München, 1920: D^{1}

S. [5] Bert Brecht/Baal
S. [7] BERT BRECHT / BAAL / 1920 / *(Linie)* / Georg Müller Verlag/München
S. [8] Dieses Buch wurde in einer numerierten Auflage von 600 / Exemplaren für den Georg Müller Verlag in München bei / Emil Herrmann senior in Leipzig gedruckt. / Dieses Exemplar hat die / Nr. *(Nummer fehlt)* / Copyright 1920 by Georg Müller Verlag, Akt. Ges. München
S. [9] Meinem Freund George Pfanzelt
S. 11–113 Text des Stücks

Dieser erste Druck des »Baal« *gibt die Stufe der Textentwicklung wieder, die durch die Typoskripte* T^{3a} *und* T^{3b} *vertreten ist; jedoch kann weder* T^{3a} *noch* T^{3b} *als unmittelbare Satzvorlage in Betracht kommen: In* D^{1} *fehlt zwar, genau wie in* T^{3a}, Der Choral vom großen Baal, *und auch die erste Szene entspricht, nach der handschriftlichen Korrektur, weitgehend dem Text dieses Typoskripts. Von der zweiten Szene an ist dagegen die Ähnlichkeit mit* T^{3b} *sehr stark, jedoch auch hier ohne eine durchgehend wörtliche Übereinstimmung. Es wird also das etwas abweichend korrigierte Original oder ein anderer, bearbeiteter Durchschlag Satzvorlage gewesen sein. Lion Feuchtwanger ist es, der seinen Schützling Brecht dem Georg Müller Verlag empfiehlt. Vermutlich ist die Geschäftsverbindung Ende 1919 zustande gekommen, denn die Drucklegung des* »Baal« *ist am 15. Juli 1920 beendet (C 8). Zu diesem Zeitpunkt, als schon Korrektur gelesen werden muß, arbeitet Brecht immer noch an seinem Stück. Er möchte die für die dritte Fassung (T^{3a}, T^{3b}) neu geschaffene letzte Szene* Frühe im Wald *umgestalten; indessen ist er so unzufrieden damit (C 10, C 12, C 15), daß er sie für den Druck wieder streicht: in D^1 fehlt sie.*

Obwohl das Stück bereits gesetzt ist, weigert sich der Müller Verlag, den Band auszudrucken und zu vertreiben. Diese Entscheidung trifft der Verleger nicht aus freien Stücken; sie ist von außerkünstlerischen Rücksichtnahmen bestimmt. Ende 1920 und in den ersten Wochen des Jahres 1921 werden von der sittenstrengen Zensur mehrere Titel der klassischen Erotica beschlagnahmt, die der Müller Verlag in bibliophiler Ausstattung herausgebracht hatte. Da »Baal« *höchstwahrscheinlich auch von einem Verbot betroffen worden wäre, verzichtet man von vornherein auf Druck und Auslieferung des Bandes.*

Von den wenigen Exemplaren, die für Brechts eigenen Bedarf hergestellt werden, ist eins erhalten geblieben. Es ist im Besitz des Autographen- und Literaturarchivs Curt und Hans Hirschfeld, Berlin. Die Kopie im BBA hat die Nummer 1423/01–57. Dieses Exemplar enthält eine von Brecht auf die Rückseite des Schmutztitels geschriebene Bühneneinrichtung *(C 16) mit entsprechenden Bleistiftnotizen im Text. Auf S. [8] hat Brecht die Widmung eingetragen:* Frank Warschauer / dem Moralisten / 1922 *(vgl. die Erläuterungen zu* C *16).*

Erster Druck bei Kiepenheuer, Potsdam, 1922: D^2

S. [1] BERTOLT BRECHT · BAAL

S. [3] BERTOLT BRECHT / BAAL / POTSDAM 1922 / *(Linie)* / GUSTAV KIEPENHEUER VERLAG

S. [4] ALLE RECHTE, BESONDERS DAS DER ÜBERSETZUNG, VORBEHALTEN. DEN BÜHNEN UND VEREINEN GEGENÜBER MANUSKRIPT. DAS RECHT DER AUFFÜHRUNG IST NUR DURCH GU-

STAV KIEPENHEUER VERLAG A.-G. ZU ERWERBEN. COPYRIGHT 1922 BY GUSTAV KIEPENHEUER VERLAG A.-G., POTSDAM

S. [5] MEINEM FREUND GEORGE PFLANZELT *(!)*

S. 7–[92] Text des Stücks

S. [95] Verlagsanzeige: VOM SELBEN VERFASSER / DIE HAUSPOSTILLE / GUSTAV KIEPENHEUER VERLAG · POTSDAM

S. [96] (Druckerei-Signet) / GEDRUCKT IN / ACHTHUNDERT EXEMPLAREN DURCH / POESCHEL & TREPTE IN / LEIPZIG / *(Stern)*

Der Band ist in flexibles Leinen gebunden. Auf der Vorderseite des Umschlags ist in einer Zeichnung ein Mann dargestellt, der – wie Baal in der letzten Szene dieses Textes – in den Wald hinaus kriecht.

Der Gustav Kiepenheuer Verlag ist es endlich, der im Herbst 1922 Brechts dramatischen Erstling an die Öffentlichkeit bringt. Gleichzeitig werden zur Uraufführung der »Trommeln in der Nacht« *am 29. September 1922 in der Zeitschrift: Das Programm. Blätter der Münchener Kammerspiele. (Umschlagtitel:) Bert Brecht – Sondernummer. Nr. 46 (Oktober 1922). S. 9–13, »Drei Szenen aus Baal«* (Nachtkafé zur »Wolke der Nacht«; Grüne Felder, blaue Pflaumenbäume; Dorfschenke. Abend) *in einem mit D^2 nahezu identischen Text gedruckt.*

Die Ausgabe bei Kiepenheuer unterscheidet sich in vielen punktuellen Textänderungen von D^1. Zudem ist die Szene Bäume am Abend *(vgl. B 4) neu eingefügt. Die Szenen* Grünes Laubdickicht *und* Hölzerne braune Diele. Nacht. Wind *in T^{3a}, T^{3b}, D^1 erscheinen in D^2 und in den folgenden Drukken mit umgekehrter Reihenfolge.*

Zweiter Druck bei Kiepenheuer, Potsdam, 1922: D^3

S. [1] BERTOLT BRECHT · BAAL

S. [3] BERTOLT BRECHT / BAAL / POTSDAM / GUSTAV KIEPENHEUER VERLAG

S. [4] (Impressum wie D^2)

S. [5] DEM GEORGE PFANZELT

S. 7–[92] Text des Stücks
S. [93] Verlagsanzeige: (Stern) / VOM SELBEN VERFASSER / DIE HAUSPOSTILLE / GUSTAV KIEPENHEUER VERLAG POTSDAM
S. [94] DRUCK: GEBR. WOLFFSOHN G.M.B.H., BERLIN
Der Umschlag des Bandes besteht nunmehr aus dünnem Karton. Die Vorderseite wird ausgefüllt von einer Zeichnung Caspar Nehers, darstellend den gitarrespielenden Baal.

Nachdem Brecht im November 1922 für seine Stücke »Trommeln in der Nacht«, »Baal« *und* »Im Dickicht« *den Kleistpreis erhalten hat, können wohl die achthundert Exemplare von* D^2 *die Nachfrage nach dem prämiierten Stück nicht mehr decken. Es wird eine zweite, größere Auflage in bescheidenerer Aufmachung herausgebracht. Der Text weicht von* D^2 *kaum ab; die wenigen Änderungen sind im wieder verwendeten Stehsatz von* D^2 *vorgenommen worden.*

Erster Druck bei Suhrkamp, Frankfurt a. M., 1953: D^4

S. [1] (Verlagssignet)
S. [3] BERTOLT BRECHT / ERSTE STÜCKE / ERSTER BAND / BAAL · TROMMELN IN DER NACHT / IM DICKICHT DER STÄDTE / 1953 / SUHRKAMP VERLAG
S. [4] Den Bühnen und Vereinen gegenüber als Manuskript gedruckt. Alle Rechte vorbehalten, insbesondere das der Übersetzung, des öffentlichen Vortrags, des Rundfunkvortrags und der Verfilmung, auch einzelner Abschnitte. Das Recht der Aufführung ist nur vom Suhrkamp Verlag in Berlin und Frankfurt/Main zu erwerben. Copyright 1953 by Suhrkamp Verlag, Berlin
S. [5] BAAL
S. [6] Meinem Freund George Pfanzelt / *(Personenverzeichnis)*
S. 7–99 Text des Stücks

Nach mehr als dreißig Jahren erscheint »Baal« *wieder im Druck. Die Rechte für das gesamte Werk Brechts besitzt nun der Suhrkamp Verlag, Frankfurt a. M. In Zusammenarbeit mit dem Aufbau-Verlag in (Ost-)Berlin, dem Lizenznehmer, wird der Band im Druckhaus »Maxim Gorki«, Altenburg, gesetzt und hergestellt. Druckvorlage ist D3; der Text ist nur geringfügig geändert, neu hinzugefügt ist ein Personenverzeichnis. Zwischen dem 30. April und dem 15. Mai 1953 lesen Brecht und seine Mitarbeiterin Elisabeth Hauptmann in den Druckfahnen die »Erste Verfasserkorrektur«. Bei der Durchsicht des Stücks entschließt sich Brecht, ermuntert von Elisabeth Hauptmann, zu umfangreichen Änderungen. Da der erste Band der Stücke jedoch schon Ende Juli 1953 umbrochen ist, besteht zeitlich keine Möglichkeit mehr, in dieser Ausgabe bei Suhrkamp das Ergebnis der Überarbeitung erscheinen zu lassen. Von der intensiven Beschäftigung Brechts mit den frühen Stücken und von Elisabeth Hauptmanns tatkräftiger Hilfe zeugen zwei Briefe Elisabeth Hauptmanns, die mit ihrer freundlichen Erlaubnis hier wiedergegeben werden. Der eine ist an den Verleger Peter Suhrkamp gerichtet, der andere an Brecht in Buckow.*

Brief Elisabeth Hauptmanns, Berlin, an Peter Suhrkamp, Frankfurt a. M.; 28. Juli 1953 (BBA 2202/22)

[...]

Jetzt in Buckow und mit mehr Ruhe und vor allem sehr angetan von dem schönen Druck der FRÜHEN DRAMEN – auch über den Titel läßt er etwas ausrichten –, hat er sich sehr hinter die Korrekturen gesetzt, mit alten Korrekturen aus den zwanziger Jahren verglichen und jetzt »Trommeln in der Nacht« und »Mann ist Mann« sehr gründlich und meiner Ansicht nach ausgezeichnet korrigiert.

»Baal«, von dem wir auch noch die revidierten Fassungen der zwanziger Jahre fanden – Bühnenfassung Berliner Aufführung 26 und eine spätere –, ist nun leider schon in den Umbruch gegangen. Denken Sie nicht, wir vergessen die Schwierigkeiten mit den Terminen. Aber dies ist eine so einmalige Gelegenheit, Brecht selber zu den Korrekturen zu kriegen (er macht sich viel Arbeit damit, aber es macht ihm auch Spaß), daß wir sie, glaube ich, nicht versäumen sollten. Besonders da keine erläuternde Einleitung da sein wird, ist es umso nötiger, daß Brecht alles selber genau überwacht. Übrigens wird nichts am Charakter der Stücke geändert, es bleiben die FRÜHEN. Bei »Baal« hätte Brecht ungeheuer gern die Berliner Bühnenfassung – sie ist kürzer als die vorliegende – in kleiner Schrift hinter der Originalfassung gehabt. Wäre das nicht möglich? Ein sehr gut erhaltenes Bühnenexemplar ist vorhanden. Wenn das möglich wäre, bitte, Telegramm an Brecht, Berliner Ensemble. Der Entscheid müßte da sein, ehe der Rest des 1. Bandes Ende der Woche in Umbruch geht.

Zum Titel der beiden Bände: Brecht rief mich gestern abend an und meinte: FRÜHE STÜCKE oder DIE FRÜHEN STÜCKE, also auf jeden Fall »Stücke« (und nicht »Dramen«) wären das Richtige. Er hat sehr gute Begründungen dafür. [. . .]

Erläuterung: Die »Fassungen der zwanziger Jahre« im Besitz Elisabeth Hauptmanns sind: T^2, T^{3b}, T^4. $T,^2$ die zweite Fassung, und T^4, die vierte Fassung (zur Berliner Aufführung 1926), sind ediert in es 170.

Brief Elisabeth Hauptmanns, Berlin, an Brecht, Buckow; 1. August 1953 (BBA 2202/23–24)

BRECHT. Gestern habe ich nun noch einmal mit dem Herrn Herrmann die »allerhöchsten Gipfel der Literatur« erklommen (Punkte, Anstände, Sophie oder Sophie Barger; Einer oder Der Eine usw. usw.), das war so anstrengend die Stunden hindurch, daß ich für die »kleinen Überlegungen«, Baal betreffend, gar keine Kraft mehr habe. Leider überraschte er mich auch schon mit dem »Umbruch«. Den schicke ich Ihnen hier mit, Herrmann hat vorn aufgeschrieben, was von den höchsten Dingen man dann noch wissen muß:

a) Weitere Strophen des Chorals. Es ist scheußlich, daß da die leere Seite ist (10), aber der Choral sollte unbedingt auf 7 anfangen, rechts. Ich dachte immer, es gäbe noch ein paar Strophen.
b) Die Szenenüberschriften. Bei jedem Stück ist das anders. Nehmen Sie mal S. 15, S. 82 u. 79.

Es müßte doch heißen: S. 79
Grünes Laubdickicht
Fluß dahinter. Baal. Ekart.
oder 82: Junge Haselsträucher
Lange rote Ruten, die niederhängen.
Drinnen sitzt Baal. Mittag.

S. 15: H H war etwas konsterniert über das »Sie sehen Himmel«. Mehr noch über die »Sternennacht« in den Bemerkungen, denn z. B. auf S. 66 heißt es:
Ebene. Himmel. Abend.
Also der »Abend« ist hier in der Szenenüberschrift, während dort die »Sternennacht« nicht in der Überschrift ist. Jetzt kann ich mich nicht mit ihm darüber herumstreiten, ob ein Abend oder eine Sternennacht etwas sehr Wichtiges für die ganze Szene ist oder evtl. was Beiläufiges und etwas anderes die Grundstimmung usw.
Bitte, entscheiden Sie. Er glaubt mir sehr viel, aber hier ist leider Ihr autoritärer Entscheid nötig.
Ebenso: von S. 41 an würde ich anstatt Sophie Barger immer Sophie sagen, nur muß es konsequent sein.

Die Gedichte sind in der Vor-Hauspostillen-Fassung. Das ist bei einigen Strophen schad. Ich sagte es Ihnen schon.
[...]
Erläuterung: »Herr Herrmann« war Mitarbeiter bei Suhrkamp; damals hatte der Verlag noch einen Sitz in Berlin. – Die Seitenangaben beziehen sich auf D^4, doch hat es durch spätere Umbruchänderungen noch Verschiebungen gegeben. – Einige Gedichte in den Drucken nach 1955 erscheinen wieder in der »Hauspostillen-Fassung« (vgl. GW 1, S. 1–67).

Lesarten

Am Beispiel der Szene Helles Zimmer mit Tisch *in D^4 wird die fortwährende Veränderung eines Textes durch Brecht veranschaulicht. Dazu werden die Varianten verzeichnet, die innerhalb der dritten Fassung, also bei den Typoskripten T^{3a} und T^{3b} sowie den Drucken D^1, D^2, D^3 und D^4 entstanden sind. Die Bedeutung der Siglen ist aus der Textgeschichte bekannt; es müssen aber noch Erläuterungen zur Bezeichnung der Schichten in T^{3a} und in T^{3b} gegeben werden: Von T^3 wird gesprochen, wenn die in beiden Durchschlägen ja identische maschinengeschriebene Grundschicht die letzte Form dieser Stufe darstellt, also immer dann, wenn sie nicht hand-*

schriftlich korrigiert ist. An Stellen mit handschriftlichen Änderungen wird die den beiden Typoskripten gemeinsame Grundschicht durch die Sigle $T^{3}M$ von der jeweiligen Eintragung $T^{3a}H$ oder $T^{3b}H$ unterschieden.

Zunächst wird die ganze Szene mit durchlaufender Zeilenzählung abgedruckt, da sich die Lesartenverzeichnung auf sie bezieht (gleichzeitig ist damit ein Teil des Stücks in seiner früheren Form bekanntgemacht, der von der Umformung zur fünften Fassung besonders betroffen ist).

Die Lesarten können bei einfachen, punktuellen Textänderungen in der üblichen Weise verzeichnet werden (vgl. es 170): Das Bezugswort (Lemma), das hier also der ersten Szene von D^{4} entnommen ist, wird mit der Zeilennummer wiederholt. Bei längerem Lemma werden nur das erste und das letzte Wort angegeben; füllt es eine ganze Zeile, kann es durch die Zeilennummer mit Doppelpunkt vertreten werden. Das Lemmazeichen] steht zwischen Bezugswort und nachfolgender Variante. Die abschließende Sigle (in Kursiv) gibt an, in welchem Überlieferungsträger die Abweichung auftritt. Mehrere Varianten erscheinen, mit Beginn bei der frühesten, in ihrer zeitlichen Abfolge. Alle für die Überlieferung in Frage kommenden Texte, die nicht mit ihrer Sigle genannt sind, stimmen mit dem Lemma überein. Zwei Beispiele:

6 Cekasack] Müller *T^{3}* Meyer *D^{1}*

In D^{4} steht Cekasack, *in der Grundschicht von T^{3a} und T^{3b}* Müller, *in D^{1} heißt es* Meyer.

24 abessinischen] abessynischen *T^{3}, D^{1-4}*

Hier hat der Herausgeber korrigierend eingegriffen: Er schreibt abessinischen, *während in den Typoskripten und in allen Drucken (also auch in D^{4})* abessynischen *steht.*

Wo bei der Zerlegung zusammenhängender, komplexer Entwicklungsprozesse in einzelne, nacheinander aufgeführte Lemmata nur Unübersichtlichkeit und damit Unklarheit entstehen würde, muß man ein anderes, entwickelndes Verfahren anwenden. Dabei sind die Varianten im Verband so angeordnet, daß ihr Nacheinander das Wachstum des Textes sichtbar macht. Die verschiedenen Schichten werden zuerst durch Ziffern, dann durch Buchstaben bezeichnet, z. B. (1), (2) oder (a), (b). In der Abfolge ersetzt die bei der Entwicklung des Textes spätere Lesart (2) die Vorform (1), und (b) tritt für (a)

ein. Es ist dabei ohne Bedeutung, ob die Ziffern und Buchstaben mit ihren Varianten untereinander oder, etwa aus typographischen Gründen, hintereinander stehen.
Ein Beispiel soll das Verfahren erläutern:

76 dem Wein aber] *(1)* den Wein $T^{3}M$
(2) (a) dem Wein aber $T^{3a}H$
(b) den Wein aber $T^{3b}H$

In D^{4} *steht das Lemma, in der Grundschicht von* T^{3} den Wein; *im nächsten Ansatz wird die Stelle handschriftlich korrigiert, und zwar in* T^{3a} *zu* dem Wein aber, *in* T^{3b} *jedoch zu* den Wein aber. *Ergibt es sich, daß eine Variante am Ende der Entwicklung mit dem Lemma identisch ist (der letzte Schritt muß verzeichnet werden, um beispielsweise den Korrekturvorgang, der zum Ergebnis führt, darstellen zu können), wird sie, wenn es für den Vergleich mit anderen Lesarten nicht hinderlich ist, durch die Worte »wie Text« ersetzt. Es ist jedoch zu beachten, daß dieser Hinweis lediglich als Lesehilfe und nicht etwa als eine direkte textgeschichtliche Zuordnung aufzufassen ist.*

Helles Zimmer mit Tisch

Mech, Emilie Mech, Johannes, Dr. Piller, Baal kommen herein.

MECH Wollen Sie einen Schluck Wein nehmen? *Man setzt sich und ißt.* Essen Sie Krebse?
PILLER Sie müssen Ihre Lyrik herausgeben. Cekasack zahlt wie ein Mäzen. Sie kommen aus der Dachkammer heraus!
MECH Das ist ein Aalleichnam. Ich kaufe Zimmthölzer. Ganze Wälder Zimmthölzer schwimmen für mich brasilianische Flüsse abwärts. Aber ich gebe auch Ihre Lyrik heraus.
EMILIE Sie wohnen in einer Dachkammer?
BAAL *ißt und trinkt:* Holzstraße 64.
MECH Ich bin zu dick für die Lyrik. Aber Sie haben einen Schädel wie ein Mann in den malaiischen Archipels, den ich liebte. Der hatte die Gewohnheit, sich zur Arbeit peitschen zu lassen. Er arbeitete nur mit gebleckten Zähnen.
PILLER Soll ich über Sie einen Essai schreiben? Haben Sie Manuskripte? Ich habe die Zeitungen hinter mir.
JOHANNES Herr Baal singt seine Lyrik den Fuhrleuten vor. Es ist in einer Schenke am Fluß.
EMILIE Nehmen Sie noch Wein? Aber übernehmen Sie sich nicht. Trinken Sie viel? *Schenkt ein.*
MECH Reisen Sie? Das Meer, eine violette Sensation! Wollen Sie nicht einmal hineinspeien? Dann die abessinischen Gebirge! Das ist was für Sie.
BAAL Aber sie kommen nicht zu mir.
PILLER Bei Ihrem Lebensgefühl! Ihre Chansons haben sehr stark auf mich gewirkt.
BAAL Die Fuhrleute zahlen was, wenn sie ihnen gefallen.
MECH *trinkt:* Ich gebe Ihre Lyrik heraus. Ich lasse die Zimmthölzer schwimmen oder tue beides.
EMILIE Du solltest nicht so viel trinken!
BAAL Ich habe keine Hemden. Weiße Hemden könnte ich brauchen.
MECH Sie machen sich nichts aus dem Verlagsgeschäft?
BAAL Aber sie müßten weich sein.
PILLER *ironisch:* Mit was, meinen Sie, daß ich Ihnen dienen könnte?
EMILIE Sie machen so wundervolle Chansons!

40 BAAL *zu Emilie:* Wollen Sie nicht etwas auf dem Harmonium spielen?
PILLER Sie sind ein komischer Igel!
MECH Ich esse gern mit Harmonium.
Emilie spielt.
45 BAAL *knöpft auf. Zu Emilie:* Sie haben gute Arme!
MECH Nehmen Sie noch den Aal! Es wäre schad um ihn! Er schwämme in die Latrinen.
Baal schiebt ihn zurück.
Nicht? Dann esse ich ihn.
50 EMILIE Trinken Sie, bitte, nicht zu viel, Herr Baal!
BAAL *sieht auf Emilie:* Es schwimmen Zimmthölzer für Sie, Mech? Abgeschlagene Wälder? *Er trinkt beständig.*
EMILIE Sie können trinken, soviel Sie wollen. Ich wollte Sie nur bitten.
55 PILLER Sie sind auch im Trinken vielversprechend!
BAAL *zu Emilie:* Sie haben gute Arme: jetzt sieht man es. Spielen Sie weiter oben!
Emilie hört auf, tritt an den Tisch.
PILLER Die Musik selbst mögen Sie wohl nicht?
60 BAAL Sie reden zuviel: Ich höre die Musik nicht. Aber die Arme sieht man.
MECH *etwas gereizt:* Wollen wir wetten, wer mehr essen kann? Ich wette fünf Musselinhemden, Baal!
BAAL Ich bin satt. *Sieht auf Emilie.*
65 PILLER Ihre Lyrik hat einen bösen Einschlag, das ist leider sicher.
BAAL Handeln Sie nicht auch mit Tieren, Mech?
MECH Sind Sie dagegen? – Kann ich also Ihre Gedichte haben?
BAAL *streichelt Emiliens Arm:* Was gehen Sie meine Gedichte
70 an?
MECH Ich wollte Ihnen einen Gefallen tun! Willst du nicht noch Äpfel schälen, Emilie?
PILLER Er hat Angst, ausgesogen zu werden. – Ist Ihnen für mich immer noch keine Verwendung eingefallen?
75 BAAL Gehen Sie immer in weiten Ärmeln, Emilie?
EMILIE Jetzt müssen Sie mit dem Wein aber aufhören!
MECH Wollen Sie nicht noch ein Bad nehmen? Soll ich Ihnen ein Bett machen lassen? Haben Sie nicht noch was vergessen?

PILLER Jetzt schwimmen die Hemden hinunter, Baal. Die Lyrik ist schon hinuntergeschwommen.

BAAL *zu Emilie:* Ich wohne Holzstraße 64. Warum sollst du nicht auf meine Knie? Zittern dir die Schenkel nicht unterm Hemd? *Trinkt.* Warum die Monopole? Gehen Sie zu Bett, Mech!

MECH *ist aufgestanden:* Mir gefallen alle Tiere des lieben Gottes, aber mit d e m Tier kann man nicht handeln. Komm, Emilie! Kommen Sie, Piller! Kommen Sie, Johannes! *Geht hinaus.*

PILLER *zur Tür:* Total besoffen!

BAAL *zu Johannes:* Wie heißt der Herr?

JOHANNES Piller. *Stehend legt er den Arm um Baals Schultern.*

BAAL Piller, Sie können mir altes Zeitungspapier schicken!

PILLER *hinaus:* Sie sind Luft für mich! *Ab.*

JOHANNES *zu Baal:* Darf ich zu Ihnen in Ihre Kammer kommen? – Darf ich mit Ihnen heimgehen? – Wollen Sie noch etwas von ihm, Frau Mech?

EMILIE *in der Tür:* Er tut mir leid.

BAAL *sitzt allein, trinkt weiter.*

Tisch] *(1)* Tisch. *T3M* *(2) wie Text, T3bH*
Mech. Emilie Mech. Johannes.
(1) Piller. Baal. (zur Tür herein) *T3M*
(2) Dr. Piller. Baal. Man *(a)* ißt. *T3H*
(b) ißt *D1*
Mech] *danach:*
(ein dicker Herr mit bleicher feiner Haut und braunen Äuglein)
(1) in *T3M*
(2) gewandt und beweglich in *T3bH*
(a) einem braunen Anzug *T3M*
(b) weitem braunem Anzug) *T3M*
(ein dicker Herr mit bleicher, feiner Haut und braunen Äuglein in weitem braunem Anzug) *D1*
Wollen] *davor:* *(1)* Hier, Herr Baal! *T3M*
(2) gestr. T3H
Man (bis) ißt.] *(1)* (man setzt sich und ißt) *T3M*
(2) gestr. T3bH

5 Essen Sie Krebse?]
(1) fehlt $T3M$
(2) Es macht heiß *(a)* heut! $T3^aH$, D^1
(b) heut. $T3^bH$

6 Cekasack] Müller $T3$ Meyer D^1

8 f. Ganze Wälder] *(1) fehlt* $T3M$ *(2) wie Text,* $T3H$

14 malaiischen] malaischen $T3$, D^{2-3}

14 f. Archipels, den ich liebte.]
(1) Archipels. $T3M$
(2) Archipels, den ich *(a)* liebte. $T3^aH$
(b) liebte $T3^bH$

15 Der hatte die Gewohnheit,]
(1) Der hatte die Gewohnheit, $T3M$
(2) Der die Gewohnheit hatte, $T3^bH$

18 Manuskripte] Manuscripte $T3$

18 Ich *(bis)* mir.] *(1) fehlt* $T3M$ *(2) wie Text,* $T3H$

22 Trinken Sie viel?] Er ist stark. $T3$, D^1

24 abessynischen] abessinischen $T3$, D^{1-4}

25 Das ist was für Sie.]
(1) Das ist was! $T3M$
(2) Das ist was für *(a)* Sie. $T3^aH$
(b) Sie! $T3^bH$

26 Aber *(bis)* mir.]
(1) Aber zu mir kommen sie nicht. $T3M$
(2) Aber sie kommen nicht zu *(a)* mir. $T3^aH$
(b) mir! $T3^bH$

27 Ihrem] ihrem D^{1-4}

27 Lebensgefühl!] *(1)* Lebensgefühl?! $T3M$
(2) Lebensgefühl!! $T3H$

27 Chansons] Gedichte $T3$, D^1

29 zahlen was,] *(1)* zahlen, $T3M$
(2) zahlen $T3H$
zahlen, D^1

30 *trinkt:*] *(1) fehlt* $T3M$ *(2)* (trinkt) $T3H$

37 f. Mit was, meinen Sie, daß ich Ihnen dienen könnte?]
(1) Mit was, meinen Sie, daß ich Ihnen dienen kann? $T3M$
(2) Mit was meinen Sie daß i c h Ihnen dienen könnte? $T3H$
Mit was, meinen Sie, daß i c h Ihnen dienen könnte? D^{1-3}

39 Chansons!] Gedichte. Darin sind Sie so zart! $T3$
Gedichte! Darin sind Sie so zart! D^1

40 *zu Emilie:*] *(1) fehlt T3M (2)* (zu Emilie) *T3H*
43 MECH] *(1)* BAAL *T3M (2) wie Text, T3H*
45 *knöpft auf.*] (knöpft die Weste auf. *T3, D1*
46 Aal!] *danach: (1)* (Baal schiebt ihn zurück) *T3M*
(2) Umstellung wie Text, T3H
46 um] für *T3, D1*
49 ich] i c h *T3, D1–3*
50 Sie, bitte,] Sie bitte *T3*
51 *sieht auf Emilie:*]
(1) fehlt T3M (2) (a) (sieht auf Emilie) *T3aH*
(b) (sieht nach Emilie) *T3bH*
:2 Abgeschlagene Wälder? *Er trinkt beständig.*]
(1) Abgeschlagen? *T3M (2) wie Text, T3H*
:3 soviel Sie] *(1)* soviel sie *T3M*
(2) soviel Sie *T3M*
soviel sie *D1–3*
·6 Arme: jetzt] Arme. Jetzt *T3* Arme: Jetzt *D1*
9 selbst] *fehlt T3, D1*
o die Musik] sie *T3*
f. Aber die Arme sieht man.] *(1) fehlt T3M*
(2) wie Text, T3H
4 *Sieht auf Emilie.*]
(1) fehlt T3M (2) (a) (sieht auf Emilie) *T3aH*
(b) (sieht nach Emilie) *T3bH*
. Einschlag, das ist leider sicher.] Einschlag. *T3, D1*
7 Sie] sie *D1–3*
7 Tieren, Mech?] Tieren? *T3*
8 – Kann *(bis)* haben?] *fehlt T3, D1*
. – Ist *(bis)* eingefallen?]
(1) fehlt T3M
(2) (a) Ist Ihnen für mich immer noch keine Verwendung eingefallen? *T3aH*
(b) Ist Ihnen für mich noch immer keine Verwendung eingefallen? *T3bH*
5 Emilie?] Emilie! *T3, D1–3*
Sie] sie *D1–3*
dem Wein aber] *(1)* den Wein *T3M*
(2) (a) dem Wein aber *T3aH*
(b) den Wein aber *T3bH*
machen lassen] mitschicken *T3, D1*

82 *zu Emilie:*] *fehlt* T^3

82 du] Du T^3

83 dir die] *(1)* ihne *(wohl Schreibfehler für: ihre)* T^3M
(2) wie Text, T^3H

87 d e m] *(1)* dem T^3M *(2) wie Text,* T^3H

88 Komm,] Komm T^3, D^{1-3}

88 Kommen Sie,] Kommen Sie T^3

92 f. JOHANNES *(bis) Schultern.*] *(1) fehlt* T^3M
(2) wie Text, T^3H

94 BAAL Piller, Sie] *(1)* JOHANNES Piller: Sie T^3M
(2) (a) BAAL Piller: S i e $T^{3a}H$
(b) BAAL Piller, S i e $T^{3b}H$
BAAL Piller! S i e D^{1-3}

96 *zu Baal:*] *fehlt* T^3

97 mit Ihnen heimgehen? –]
(1) zu Ihnen hineingehen? T^3M
(2) mit Ihnen heimgehen? T^3H

100 *sitzt allein:*] *fehlt* T^3, D^1

100: *danach: (1)* Dunkel. T^3M *(2)* (Dunkel.) $T^{3b}H$

Erster Druck beim Aufbau-Verlag,
Berlin, 1955: D^5

S. [1] BERTOLT BRECHT · STÜCKE / BAND I

S. [3] BERTOLT BRECHT / STÜCKE *(rot)* / BAND I / BAAL / *(Linie)* / TROMMELN IN DER NACHT / *(Linie)* / IM DIKKICHT DER STÄDTE / *(rotes Verlagssignet)* / *(Linie)* / AUFBAU-VERLAG BERLIN / 1955

S. [4] Ausgabe für die Deutsche Demokratische Republik / mit Genehmigung des Suhrkamp Verlages, Frankfurt/M. / Der Vertrieb in Westdeutschland und im Ausland ist nicht gestattet
Alle Rechte vorbehalten · Aufbau-Verlag GmbH, Berlin W 8 / Printed in Germany · Lizenz-Nr. 301.120/206/54 / Ausstattung: John Heartfield / Satz und Druck: Druckhaus »Maxim Gorki«, Altenburg

S. 5–[15] BEI DURCHSICHT MEINER ERSTEN STÜCKE

S. [17] BAAL

S. [18] Meinem Freund George Pfanzelt / *(Personenverzeichnis)*
S. 19–[115] Text des Stücks

Der größte Teil der Veränderungen, die Brecht schon für die Suhrkamp-Ausgabe von 1953 geplant hat, kann aus zeitlichen Gründen erst in der ein Jahr später, 1954, vorbereiteten Lizenzausgabe des Aufbau-Verlags berücksichtigt werden. Vom Stehsatz zu D^4 *wird ein Abzug hergestellt (BBA 1462/01–77), in den Brecht die Ergebnisse der Umgestaltung einträgt; zudem ersetzen »Wechselmanuskripte« die ersten Seiten der bisherigen Fassung. Mit Hilfe der freundlichen Auskünfte Elisabeth Hauptmanns und des in ihrem Besitz befindlichen Materials läßt sich die Umarbeitung zur fünften (und letzten) Fassung des* »Baal« *schrittweise rekonstruieren.*
Wie aus dem Brief Elisabeth Hauptmanns an Brecht vom 1. August 1953 hervorgeht, gibt sie die Anregung, den Choral vom großen Baal *zu erweitern. Zu den vierzehn Strophen der dritten Fassung (*D^{2-4}*) treten vier andere, die in* D^5 *die Nummern 7, 12, 13, 14 haben. Sie werden aus* T^{3b} *übernommen, wo sie in der maschinengeschriebenen Grundschicht* $T^{3b}M$ *aufgeführt waren; in der zweiten Schicht* $T^{3b}H$ *sind sie von Brecht wieder gestrichen worden und deshalb auch nicht in den Drucken* D^{2-4} *zu finden. Auf einem Blatt (1462/23) sind sie dem Stehsatzabzug von* D^4 *hinzugefügt worden.*
Für die Umformung der ersten Szene ist hingegen das Typoskript T^2 *der Ausgangspunkt. In ihm (BBA 2121) trägt Elisabeth Hauptmann auf den Blättern 2121/07–12 mit Bleistift Ergänzungen ein, die teils aus* D^4 *übernommen, teils neu formuliert sind. Die erste Szene der dritten Fassung (*D^4*) und das Ergebnis der Veränderungen in* T^2 *werden zu einem neuen Text verschmolzen, der in einem Original (BBA 2202/09–12) mit Durchschlag (2202/01–04) abgetippt ist. Zunächst sind die Durchschlagblätter wieder von Elisabeth Hauptmann mit Bleistift korrigiert, jedoch nur an wenigen Stellen; das Original hingegen weist, als Ergebnis eines weiteren Arbeitsgangs, zahlreiche Veränderungen von ihrer Hand auf. Dieses zuletzt und gründlich korrigierte Exemplar der ersten Szene wird neu abgeschrieben, und zwar in einem*

Original mit zwei Durchschlägen, von denen abermals der eine (2202/13–16) stark, der andere (2202/05–08) nur geringfügig von Elisabeth Hauptmann geändert ist. Die Blätter 2202/13–16 werden abgetippt und dann als »Wechselmanuskript« (1462/25–31) anstelle der ersten Szene in den Stehsatzabzug von D^4 *eingefügt. Aber auch dieses Typoskript ist noch einmal, jetzt von Brecht selbst, handschriftlich geändert worden, und im Zusammenhang damit werden schließlich noch die Texte der von der »jungen Dame« vorgetragenen Gedichte: »Vorbereitung« von Johannes R. Becher und »Der Baum« von Georg Heym, auf zwei Blättern (1462/26+27) ergänzt.*

Außer der Eingangsszene hat Brecht den Schluß des Stücks geändert. Er sieht im Typoskript T^{3b} *die dort letzte Szene* Frühe im Wald, *die bisher noch nicht gedruckt ist. Die Szene wird aus* T^{3b} *abgeschrieben; auf diesem Blatt werden von Elisabeth Hauptmann die beiden letzten Sätze gestrichen. Sie lauten:*

ERSTER Er würde jetzt an seinem eigenen Leichnam sagen: Schaut euch das Licht zwischen den Stämmen an!

VIERTER *ist aufgestanden:* Es ist schon gut, wenn man ganz einfach da ist.

Die neu bearbeitete Szene (1462/77) kommt an den Schluß des Stehsatzabzugs hinter die bisher letzte Szene Bretterhütte im Wald.

Brecht hat damals noch weitere Pläne zur Umgestaltung des Textes. Er konzipiert in Anlehnung an T^2 *eine Szene, die im Amt des Wasserfiskus spielen soll (vgl. B 7); zudem möchte er die Mutterszenen der zweiten Fassung bearbeiten und wieder in das Stück aufnehmen. Zur Verwirklichung dieser Absichten ist Brecht jedoch nicht mehr gekommen.*

Die fünfte Fassung des »Baal« *erscheint 1955. Es ist der letzte Druck des Stücks, den Brecht selbst überwacht hat, und er wird deshalb als endgültig im Teil A dieser Ausgabe unverändert wiedergegeben.*

Die Varianten in den späteren Drucken sind ohne textkritischen Wert (s. z. B. GW 1, S. 1–67).

Graphische Darstellungen der Textgeschichte

Deszendenzschema

Das Deszendenzschema (S. 140) veranschaulicht den in es 170 und in dem vorliegenden Band dargestellten Verlauf der Textgeschichte. In der Senkrechten erscheinen nebeneinander die fünf Fassungen mit ihren Texten; für die einzelnen Überlieferungsträger kann man am linken Rand das Datum der Entstehung oder der Veröffentlichung ablesen. Die Verbindungslinien zwischen den Siglen zeigen an, welche Textstufen die Entwicklung von Fassung zu Fassung beeinflußt haben.

Szenensynopse

Bestimmend für die atektonische, offene Form des Stückes »Baal« *ist die Verselbständigung der Szene. Die Szenen schaffen die immer neuen Handlungsräume und Situationen, in denen Baal auf verschiedene Weise der Welt begegnet. Zwischen ihnen besteht nur eine lose Verbindung; die Figur Baals bildet die Mitte in der Bilderflucht.*

Die Bedeutung der Szene für die Gestaltung des Stücks ergibt sich auch aus der Textgeschichte. Immer wieder hat Brecht Szenen ausgetauscht, umgestellt, neu eingefügt, gestrichen. Dabei ändert sich zwar der Gesamtcharakter des »Baal« *wenig, wohl aber der Stellenwert des einzelnen Teils im Panorama. Es lohnt sich, in einer Synopse deutlich zu machen, wie sich die Szenen von Fassung zu Fassung zueinander verhalten (S. 141).*

Verglichen werden die fünf Fassungen; von der dritten Fassung wird D^4 zugrunde gelegt. D^4 und die fünfte Fassung D^5 gleichen sich, abgesehen vom Schluß, in der Szenenfolge und werden deshalb gemeinsam aufgeführt.

Jede Szene erhält eine Nummer; mit dem Durchzählen wird in der ersten Fassung begonnen, die in den anderen Fassungen neu auftretenden Szenen schließen sich an. In einer Tabelle werden, geordnet nach Nummern, die verwandten Szenen miteinander verzeichnet; zudem ist angemerkt, aus

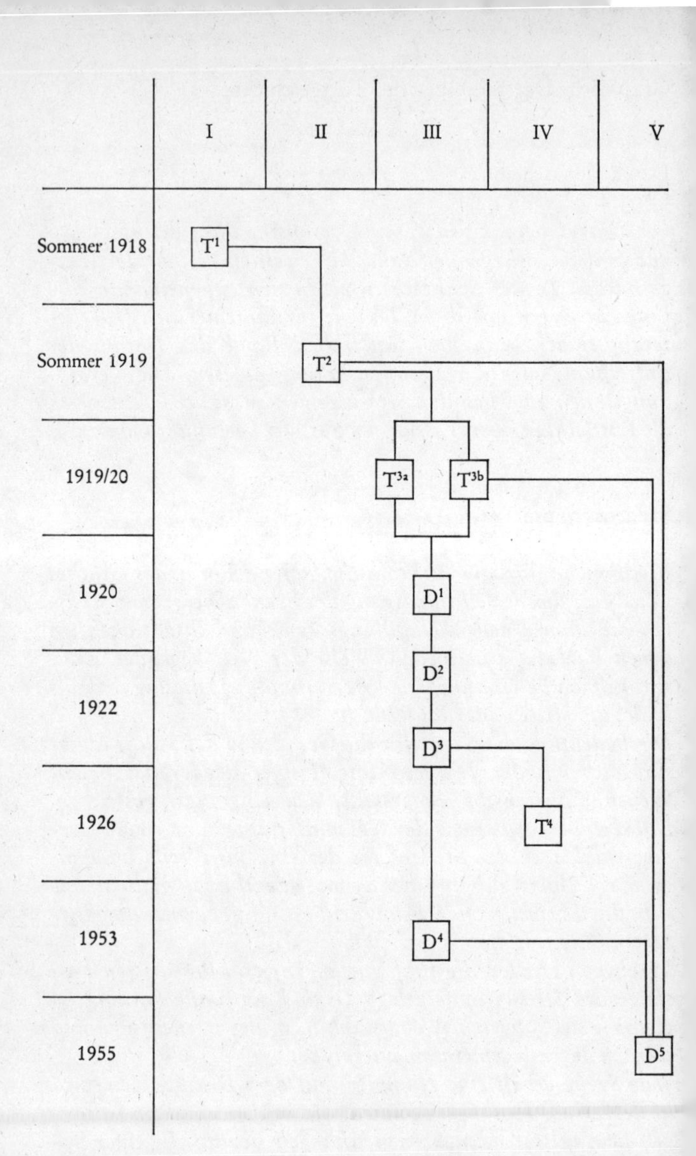
I
II
III
IV
V
Sommer 1918
Sommer 1919
1919/20
1920
1922
1926
1953
1955
T1
T2
T3a
T3b
D1
D2
D3
T4
D4
D5

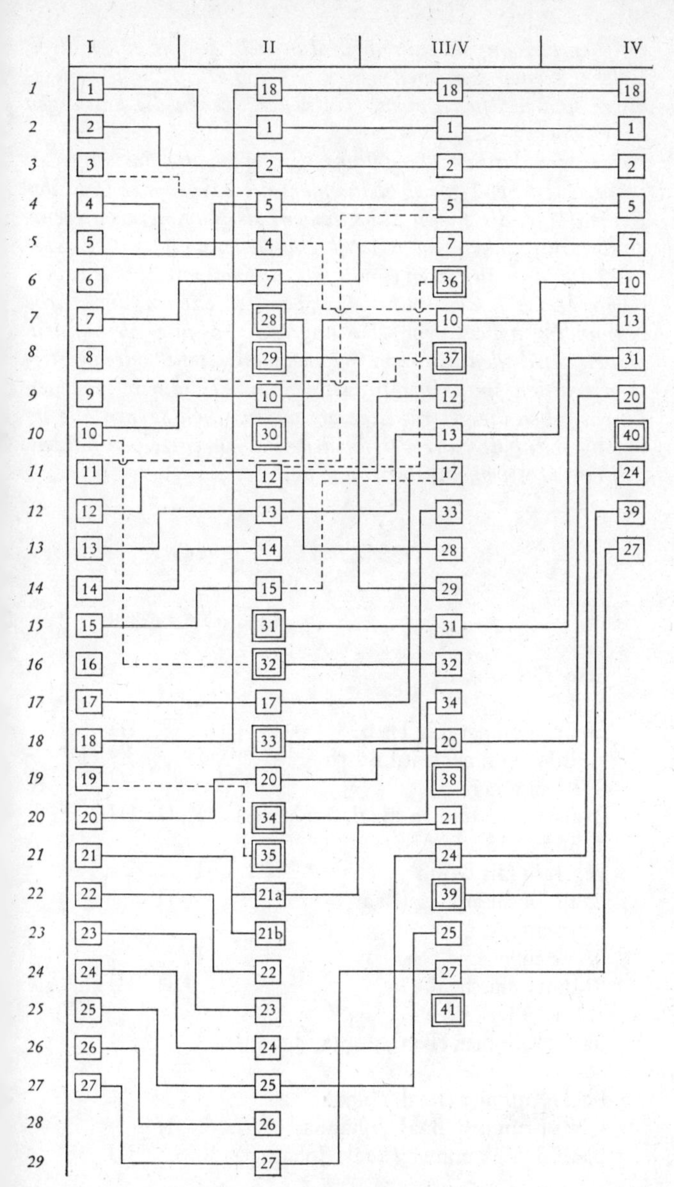

I
II
III/V
IV
1 2 3 4 5 6 7 8 9 10 11 12 13 14 15 16 17 18 19 20 21 22 23 24 25 26 27 28 29
1 2 3 4 5 6 7 8 9 10 11 12 13 14 15 16 17 18 19 20 21 22 23 24 25 26 27
18 1 2 5 4 7 28 29 10 30 12 13 14 15 31 32 17 33 20 34 35 21a 21b 22 23 24 25 26 27
18 1 2 5 7 36 10 37 12 13 17 33 28 29 31 32 34 20 38 21 24 39 25 27 41
18 1 2 5 7 10 13 31 20 40 24 39 27

welcher Fassung sie stammen. Man sieht so auf einen Blick, welche Szenen verschiedenen Titels inhaltlich zusammengehören und welchen Zuwachs an neuen Szenen die Fassungen haben (S. 142–144).
In der graphischen Darstellung erscheinen die Fassungen in senkrechten Spalten nebeneinander; die Szenen stehen in der Reihenfolge, die sie im Stück haben, als Nummern untereinander. Am linken Rand läuft ein Generalzähler mit. Szenen, die neu auftreten, sind mit doppeltem Rahmen versehen. Durch Linien sind die verwandten Szenen, die gleiche Nummern haben, von Fassung zu Fassung verbunden. Dabei wird deutlich, wo Szenen umgestellt oder gestrichen worden sind. Im Unterschied zu den durchgezogenen Linien geben die gestrichelten an, ob zwischen Szenen, die im sonstigen Inhalt ganz verschieden sind, in einzelnen Sätzen, Bildern, Motiven eine Beziehung besteht.

	Szenen	*Fassungen*				
	Erste Fassung, T^1					
1	Soiree	I	II			
	Helles Zimmer mit Tisch			III		
	1. Bild. Zimmer mit Eßtisch				IV	
	Speisezimmer					V
2	Baals Dachkammer (Baal, Johannes)	I	II	III		V
	2. Bild. Autoschuppen				IV	
3	Feldrain mit Baum	I				
4	Baals Dachkammer (Baal, Mutter, Amtsbote)	I	II			
5	Wirtsstube	I				
	Branntweinschenke		II	III		V
	3. Bild. Bierkaffee				IV	
6	Baals Kammer (Baal, Anna, Johannes)	I				
7	Baals Kammer (Baal, Anna)	I				
	Baals Kammer (Baal, Johanna)		II			
	Baals Dachkammer (Baal, Johanna)			III		

	4. Bild. Autoschuppen				IV	
	Baals Dachkammer. 1					V
8	Baals Kammer (Baal, Johannes)	I				
9	Straße vor einer niederen Schenke	I				
10	Baals Kammer (Baal, Sophie Dechant, Mutter)	I	II			
	Baals Dachkammer (Baal, Johannes, Sophie Barger)			III		
	5. Bild. Autoschuppen				IV	
	Baals Dachkammer. 3					V
11	Redaktionsstube	I				
12	Nacht	I	II			
	Mainacht unter Bäumen			III		V
13	Hinter den Kulissen eines Kabaretts	I	II			
	Nachtcafé zur »Wolke der Nacht«			III		
	6. Bild. Nachtcafé zum Stachelkaktus				IV	
	Nachtcafé »Zur Wolke in der Nacht«					V
14	Nachtcafé	I	II			
15	Gefängniszelle	I	II			
16	Grauer Gefängnishof	I				
17	Landstraße, Sonne, Felder	I	II			
	Grüne Felder, blaue Pflaumenbäume			III		V
18	Der Choral vom großen Baal	I	II	III		V
	ohne Überschrift:				IV	
19	Ländliche Schenke. Gegen Abend	I				
20	Landstraße am Getreidefeld	I	II			
	Landstraße. Weiden			III		V
	8. Bild. Landschaft, Vormittag, Wind				IV	
21	Bauernschenke	I				
	21 a: Ahorn im Wind		II			
	21 b: Diele am Abend mit offenen Fenstern		II			
	Ahorn im Wind			III		V
22	Die Kammer von Baals Mutter	I	II			
23	Bank in einer Anlage. Nacht	I	II			
24	Schenke	I				
	Branntweinschenke		II	III		V
	10. Bild. Biercafé				IV	
25	Landstraße. Abend. Wind. Regenschauer	I	II	III		V

26	Weg durch eine Heuwiese	I	II			
27	Wald. Eine Bretterhütte	I	II			
	Bretterhütte im Wald			III		V
	12. Bild. Nacht, Regen, Holzfäller spielen Karten				IV	
	Zweite Fassung, T^2					
28	Bäume am Abend		II	III		V
29	Höhlenartiges Blockhaus		II			
	Eine Hütte			III		V
30	Bar		II			
31	Ebene. Himmel. Abend		II	III		
	7. Bild. Ebene, Himmel und Abend				IV	
32	Hölzerne braune Diele. Nacht. Wind		II	III		V
33	Dorfschenke. Abend		II	III		V
34	Grünes Laubdickicht.		II	III		V
35	Braune Landschaft. Regen		II			
	Dritte Fassung, D^4					
36	Baals Dachkammer (Baal, Schwestern, Hausfrau)			III		
	Baals Dachkammer. 2					V
37	Gekalkte Häuser mit braunen Baumstämmen			III		V
38	Junge Haselsträucher			III		V
39	10° ö. L. v. Greenwich			III		V
	11. Bild. Baal auf der Flucht. 10 Grad östlich von Greenwich				IV	
	Vierte Fassung, T^4					
40	9. Bild. Landschaft				IV	
	Fünfte Fassung, D^5					
41	Frühe im Wald					V

B. Szenen, Entwürfe, Fragmente

B 1

BBA 437/30; B, mit Korrekturen; 125 x 191 mm; in 437/01 –114: Arbeits- und Notizbuch Brechts. Auf Blatt 06 wird das Datum 15. II. 19 *erwähnt; man kann deshalb annehmen, daß der Text etwa im Februar 1919 entstanden ist.*
Die wenigen Sätze stehen ganz isoliert, ohne inhaltlichen Zusammenhang mit dem Kontext. Wenn man davon ausgeht, daß sie zum »Baal« *entworfen sind, und dafür spricht der Name Johannes (vgl. die Szene* Branntweinschenke, *S. 62), müssen sie zwischen der ersten und der zweiten Fassung geschrieben sein.*

B 2

BBA 1087/07–08; B, mit Korrekturen; 125 x 191 mm; in 1087/ 01–102: Arbeits- und Notizbuch Brechts. Das Datum 21. 1. 20 *steht am Schluß, unter der Angabe:* Für Baal »Nachtkaffee«.
Der Text stellt in seinem ersten Teil den Entwurf zur Schwestern-Szene in Baals Dachkammer dar (vgl. S. 27–30). Brecht verfährt häufig so, daß er zunächst Formulierungen, Motive, Sätze, wie sie ihm einfallen, untereinander schreibt und sie dann in den Zusammenhang eines Dialogs einrückt (vgl. B 3).
Das Gedicht im zweiten Teil ist für die dritte Fassung notiert worden; in den ersten beiden Fassungen fehlt es. Nach Otto Bezolds Erinnerung ist es viel früher entstanden, das Datum 21. 1. 20 *würde also nur den Zeitpunkt der neuen Verwendung angeben. Auch in T^{3a} und T^{3b} erscheint das Gedicht noch nicht. In T^{3b} heißt es auf Blatt 24 unten:* »Baal fährt fort zur Klampfe:«; *Blatt 25 beginnt gleich mit der Reaktion des Klavierspielers. Man muß deshalb annehmen, daß ein Lied (wahrscheinlich dieses), von dem die Wirkung ausgeht, auf einem Blatt eingefügt werden sollte. Von D^1 an ist, in etwas veränderter Form, die erste Strophe des Gedichts abgedruckt (vgl. S. 36).*

B 3

BBA 1087/30–32, 437/111; B, mit Korrekturen; 125× 191 mm; in den Notizbüchern 1087 und 437 (vgl. B 1 und B 2). Auch Blatt 437/111 gehörte in das Notizbuch 1087; es ist dort nach der Beschriftung herausgerissen worden und zwischen die letzten Seiten von 437 geraten, dessen Kopienummer es dadurch bekommen hat.

Der Text ist wohl, wie B 2 auch, im Januar 1920 entstanden. Er zeigt die Umarbeitung der Szene Branntweinschenke *zur Form der dritten Fassung. In T²* *beginnt die Handlung gleich mit dem Eintritt Baals (es 170, S. 140); nun entwirft Brecht ein charakterisierendes Gespräch, das der Ankunft vorangeht. Er bedient sich dazu des gleichen Montageverfahrens wie bei der Schwesternszene (B 2). Zunächst stellt er verschiedene Sätze über Baal voran, dann konzipiert er den Dialog, in dem die zu ergänzenden Stellen fortlaufend numeriert werden. Schließlich trägt er vor den ausgewählten Sätzen oben die Nummern als Verweise ein, um sich die nochmalige Niederschrift zu ersparen. Der so zusammengestellte Text wird in der dritten Fassung weitgehend übernommen (vgl. S. 59 f.).*

B 4

BBA 199/45–47; M: Unterstreichungen und kleine Korrekturen b und darüber r, von unbekannter Hand; 219×278 mm; schlechtes bräunliches weiches Papier; schwarze Geradschrift; Paginierung bis 3; an der linken oberen Ecke waren die Blätter von Heftklammern zusammengehalten. Die Blätter liegen in der Archivmappe 199/01–47 hinter T³ᵃ; die äußeren Unterschiede sprechen jedoch gegen eine Beziehung zu diesem Typoskript.

Die Szene Bäume am Abend *tritt in T² (es 170, S. 101–105) und dann wieder in D² auf; aber nur in D² hat sie, wenn man die drei Szenen in Baals Dachkammer als Einheit auffaßt, wie hier die Nummer XI in der Szenenfolge. Der Text dieses Typoskripts weicht jedoch merklich von dem in D² ab. Die Art der Unterstreichungen, mit denen einzelne Sätze hervorgehoben werden, wenn nicht näher bestimmbare Personen* (Der Eine, der Andere) *sprechen, läßt vermuten, daß es sich um einen Rollentext handelt. Vielleicht ist damit ein Teil des*

Bühnenmanuskripts zur Leipziger Uraufführung am 8. Dezember 1923 erhalten. Die Szene müßte dann 1923 entstanden sein. In die Berliner Bühnenfassung von 1926 (T4) ist sie nicht aufgenommen.

B 5
BBA 199/44; M; 220 x 279 mm; dünnes weiches zerknittertes Papier. Das Blatt liegt in der Archivmappe 199 zwischen T3a und der Szene Bäume am Abend *(B 4); zwischen den drei Texten besteht jedoch keine Verbindung. Die Szene enthält Formulierungen aus den Bildern* Eine Hütte *und* Ahorn im Wind *der dritten Fassung, weist aber, schon mit der Überschrift, auf die achte Szene der vierten Fassung hin (es 170, S. 171 f.). Sie müßte demnach zwischen der dritten und der vierten Fassung, etwa 1925, entstanden sein. Worauf sich die Bemerkung* Beilage Nr. 3 *bezieht, ist unklar.*

B 6
Der böse Baal der asoziale

Texte zum Fragment »Der böse Baal der asoziale« *liegen weit verstreut in verschiedenen Archivmappen: in BBA 189 »Die Geschäfte des Herrn Julius Caesar«, 459 »Lose Blätter«, 500 Vermischte Aufzeichnungen, 529 »Baal« und 816 »Notizbuch 17«. Der Hauptteil des Materials befindet sich in der Mappe 529 auf den Blättern 01–52 und 61. Die Originaltyposkripte und Durchschläge liegen jedoch auch hier ungeordnet nebeneinander, so daß die Reihenfolge der Kopienummern keinen Anhaltspunkt für eine sinnvolle Gruppierung ergibt. Da sich das neu konzipierte Werk noch in einem frühen Entwicklungsstadium befindet, fehlt jeder Hinweis Brechts darauf, wie er sich die Ordnung der Texte gedacht hat. Man kann also lediglich, von einigen Indizien ausgehend, Vermutungen dazu anstellen.*
Ein Indiz für die Zusammengehörigkeit bestimmter Blätter ist ihr Format. Es fallen zwei häufig wiederkehrende Werte auf: 225 x 283 mm und 207 x 330 mm. Eine Untersuchung der beiden Gruppen hat ergeben: Bei den Blättern des Formats

225 x 283 mm hat zunächst Elisabeth Hauptmann den Text mit der Hand niedergeschrieben, dann ist diese Vorlage abgetippt worden. Es handelt sich hier schon um eine differenzierter gestaltete Form von Szenen und um Kommentare. Auch auf den Blättern des anderen Formats: 207 x 330 mm, sind Szenen fertig ausgeführt. Die beiden Gruppen sind anscheinend erst nach einigen Vorarbeiten entstanden. Ihnen ordnet der Herausgeber die Stichworte und Ansätze verwandten Inhalts zu. Die Reihenfolge innerhalb der Gruppen wird bestimmt durch die Paginierung auf der handschriftlichen Vorlage Elisabeth Hauptmanns und durch einen von Brecht angelegten Grundplan (B 6.1).
Er wird die Liste, die Baals Auftauchen im Habitus verschiedener Personen vorsieht, in der ersten Phase der Gestaltung zusammengestellt haben. Der Herausgeber hat mit Hilfe dieser Übersicht die Szenengrundrisse geordnet, die in einem nächsten Arbeitsgang entstanden sein werden.
Es muß also beachtet werden, daß es zwar einige äußere Anhaltspunkte für die Zusammenstellung des Fragments gibt, daß aber der Herausgeber im Einzelfall immer wieder (subjektiv) zu entscheiden hat, welche Reihenfolge die Texte einnehmen sollen. Damit der Leser eine Kontrollmöglichkeit gegenüber der Auffassung des Herausgebers hat, werden die Texte im Teil B mit Hilfe der Numerierung so voneinander abgesetzt, daß die einzelnen Szenen und Blätter gleich zu unterscheiden sind. Bedient sich der Benützer zudem der Erläuterungen hier im Apparat, kann er da, wo es ihm nötig scheint, die Textteile selbst anders kombinieren.
Für die Datierung des Fragments »Der böse Baal der asoziale« *gibt es keine direkten Hinweise. Es ist jedoch bekannt, daß Brecht sich Ende der zwanziger und Anfang der dreißiger Jahre damit beschäftigt hat, marxistische Erfahrungen und Lehren in Stücken zu veranschaulichen. In Gestaltung und Tendenz verwandte Versuche, die auch Fragment geblieben sind, stellen der* »Untergang des Egoisten Johann Fatzer« *und* »Aus Nichts wird Nichts« *dar. Der in B 6.1 erwähnte Entwurf* »Der Brotladen« *gehört ebenfalls in diesen Zusammenhang (s. GW, Band 7). Man kann also annehmen, daß* »Der böse Baal der asoziale« *wie die andern Fragmente in den Jahren 1929 und 1930 entstanden ist.*

B 6.1
BBA 500/01; M, mit Ergänzungen von B; 208,5 x 329 mm.

B 6.2
BBA 529/11; M; 210 x 328 mm.

B 6.3
BBA 529/16; M; 207 x 330 mm.

B 6.4
BBA 529/18; M, Durchschlag; 210 x 330 mm. An einigen Tippfehlern kann man ablesen, daß der Text diktiert worden ist.

B 6.5
BBA 529/17; M, Durchschlag; 210 x 330 mm.

B 6.6
BBA 529/13–14 (ein Blatt); B, mit Korrekturen; der Satz: der böse Baal *bis* entlang *R; 210 x 328 mm. Möglicherweise gehört der Text über den beiden letzten Zeilen des Abschnitts nicht zum Fragment.*

B 6.7
BBA 529/32; M; 209 x 325,5 mm.

B 6.8
BBA 529/33; M; BBDA *und* bbda *mit rotem Farbband; 209 x 325,5 mm.*

B 6.9
BBA 529/61; M, die Überschrift mit rotem Farbband; 211,5 x 340 mm. Auf der oberen Hälfte des Blatts steht ein Text mit der Überschrift Zeitlose Kommödie, *der keine Beziehung zum Fragment hat.*

B 6.10
BBA 529/34; M; 209 × 325,5 mm. Es ist nicht ganz klar, ob der Text über dem Stichwort der böse baal der assoziale *zum Stück gehört.*

Zweite Schicht

Die Reihenfolge von B 6.11 bis B 6.14 wird bestimmt durch die Anordnung in der von Elisabeth Hauptmann mit Rotstift geschriebenen Vorlage: BBA 529/41–45, 47–50a, 225 × 283 mm, die von 1 *bis* 7 *paginiert ist.*

B 6.11
BBA 529/04; M, Durchschlag; 225 × 283 mm. Der Text ist zunächst von r niedergeschrieben worden: 529/41–43 (im Manuskript S. 1 und 2); dann wird er mit leichten Änderungen abgetippt.

B 6. 12
BBA 529/03; M, Durchschlag, an einer Stelle von t korrigiert; 225 × 283 mm. Die Vorlage 529/44–45, 47 (im Manuskript S. 3 und 4) wird in einem Original *(529/27), das nicht mehr korrigiert ist, und dem Durchschlag abgetippt. Nicht von der Vorlage übernommen ist eine Aufstellung der Gäste (geschrieben mit einem anderen Rotstift) am Ende des Szenenteils:* 1 Arbeiter. 1 Verleger, Drucker. 2 dumme Leute, 1 Jüngling, Schüler d. H. Keuner.

B 6.13
BBA 529/28; M; 225 × 283 mm. Vorlage ist das Blatt 529/48 (im Manuskript S. 5), sein Text wird leicht verändert übernommen.

B 6.14
BBA 529/29; M; 225 × 283 mm. Der Text der Vorlage: 529/49 50a (im Manuskript S. 6 und 7), wird im Typoskript fast wörtlich wiederholt.

B 6.15
BBA 529/15; M; 210 x 328.

B 6.16
BBA 529/51; r, mit Umstellungen; 227 x 287,5 mm.

B 6.17
BBA 529/52; r, mit Korrekturen; 227 x 287,5 mm.

B 6.18
BBA 529/22–23, 500/02; M; von r ist das Original 500/02 und, abweichend davon, der Durchschlag 529/10 korrigiert; alle zu dieser Szene gehörenden Blätter haben das Format 207 x 330 mm.
Die Szene ist in mehreren Schichten überliefert. Die Grundschicht M auf zwei Blättern (529/02, 529/37) hat den Titel: der böse baal der assoziale besaß kein gefühl für billigkeit; *von B ist er geändert worden in:* ebenfalls in den industriestädten traf d. b. baal d. a. einen der im winter keinen mantel hatte. *Neben anderen Korrekturen von B stehen im Text Verbindungszeichen von r, die Texte auf anderen Blättern M in die Szene einweisen: Hinzugefügt werden das Selbstgespräch Baals am Beginn (von 529/38) und die Chorstrophen (von 529/35, 529/36).*

B 6.19
BBA 816/26; Überschrift R, Text B; 184 x 228,5 mm. Im »Notizbuch 17« liegt vorn eine »Vortragsfolge« der »Gesellschaft für wissenschaftliche Philosophie« vom WS 1932/33, in der einige Termine Anfang 1933 angekreuzt sind. Vielleicht kann daraus geschlossen werden, daß das Notizbuch und damit der Text zu baal *erst 1932 geschrieben wurde.*

B 6.20
BBA 529/21; M, verändert von b; 207 x 330 mm.

B 6.21
BBA 529/39–40 (ein Blatt); M, mit Ergänzungen von T; 209 x 337 mm. In der Grundschicht M treten nur Baal und

der Knabe auf, sie wird von Brecht durch die drei Hinwendungen Baals zu Lupu erweitert.
Diese Szene ist eng verwandt mit einer der 1930 entstandenen »Geschichten vom Herrn Keuner«: Der hilflose Knabe *(GW 12, S. 381):*
Herr K. sprach über die Unart, erlittenes Unrecht stillschweigend in sich hineinzufressen, und erzählte folgende Geschichte: »Einen vor sich hin weinenden Jungen fragte ein Vorübergehender nach dem Grund seines Kummers. ›Ich hatte zwei Groschen für das Kino beisammen‹, sagte der Knabe, ›da kam ein Junge und riß mir einen aus der Hand‹, und er zeigte auf einen Jungen, der in einiger Entfernung zu sehen war. ›Hast du denn nicht um Hilfe geschrien?‹ fragte der Mann. ›Doch‹, sagte der Junge und schluchzte ein wenig stärker. ›Hat dich niemand gehört?‹ fragte ihn der Mann weiter, ihn liebevoll streichelnd. ›Nein‹, schluchzte der Junge. ›Kannst du denn nicht lauter schreien?‹ fragte der Mann. ›Nein‹, sagte der Junge und blickte ihn mit neuer Hoffnung an. Denn der Mann lächelte. ›Dann gib auch den her‹, sagte er, nahm ihm den letzten Groschen aus der Hand und ging unbekümmert weiter.«
Die Gestalt des Herrn Keuner tritt auch sonst in der zweiten Schicht des Fragments auf: B 6.11, 6.12, 6.13, 6.15, 6.24.

B 6.22
BBA 189/70; B, mit Korrekturen; 20,9 x 213 mm (schmaler Streifen). Die Mappe 189 enthält Material zum Caesar-Roman, das Anfang 1939 in Svendborg, Skovsbostrand, Dänemark, zusammengestellt worden ist.

B 6.23
BBA 529/25; M, mit Korrektur; 207 x 330 mm.

B 6.24
BBA 529/30; M; 225 x 283 mm. Nahezu wörtliche Vorlage für die im Typoskript numerierten Fragen und Antworten ist ein von Elisabeth Hauptmann mit Rotstift beschriebenes Blatt: 459/47–48; auf ihm lassen sich, da verschiedene Rotstifte verwendet werden, zwei Schichten unterscheiden. Frage und Antwort am Schluß sind von Blatt 529/46 r übernommen.

B 6.25
BBA 529/24; M; 207 x 330 mm.

B 6.26
BBA 529/26; M, korrigiert von b; 207 x 330 mm.

B 7
BBA 2202/20 (im Besitz Elisabeth Hauptmanns); M, mit Korrekturen von b; 210 x 294 mm; in 2202/01–24 »Mappe Hauptmann / Baal / Rekonstruktion der 1. Szene«.
Der Text entwickelt sich aus zwei Vorstufen auf anderen Blättern. Blatt 2202/17 enthält eine erste Skizzierung von b, in der auch einige Szenentitel erprobt werden: Direktor im Amt des Wasserfiskus, Gang *(oder:* Korridor*)* im Amt des Wasserfiskus. *Auf Blatt 19 ist der Text mit dem Titel* Gang im Amt des Wasserfiskus *in einer erweiterten Form abgetippt. Durch eine Bleistiftkorrektur hat Elisabeth Hauptmann diese Niederschrift wieder verändert; dabei ist der Titel, der dem Ganzen den Charakter einer eigenen Szene gab, gestrichen worden. Diese letzte Textform ist wieder abgeschrieben auf Blatt 20.*
Brecht hatte sich durch T^2 (vgl. es 170, S. 98 f.) zu dem Szenenteil anregen lassen. Er sollte für die Fassung D^5 in den Stehsatzabzug von D^4 eingefügt werden, und zwar zwischen die ersten beiden Dachkammerszenen (S. 27). Der Plan ist dann wieder aufgegeben worden.

C. Äußerungen Brechts zum »Baal«

C 1
Münsterer, S. 21 f. Brecht schreibt aus München an Hans Otto Münsterer in Augsburg. Der Brief enthält von Brechts Hand den Vermerk Mai 18. *Münsterer ermittelt mit Hilfe des zweiten Briefes an ihn (C 2) als Datum den 1. Mai 1918.*

C 2
Münsterer, S. 22. Brecht schreibt aus München an Münsterer in Augsburg. Wedekinds Drama »Simson« ist am Montag, *dem*

6. Mai 1918, in einer Veranstaltung des Münchner Bühnenklubs im Schauspielhaus aufgeführt worden. Da der Brief die Angabe Brechts Sonntag 18. *enthält, muß er am 5. Mai abgefaßt sein.*

C 3

BBA 2200/87 (Kopie einer Abschrift). Brecht schreibt an Fronleichnam Mai 18 *(das ist der 31. Mai) aus Augsburg an Caspar Neher im Felde.*

C 4

BBA 2200/86 (Kopie einer Abschrift). Brecht hält sich in München auf, Neher ist wahrscheinlich noch im Felde. Das Datum Mitte Juni 18 *hat Brecht selbst unter dem Brief vermerkt.*

C 5

BBA 1087/76–78; B, mit Korrekturen; 125×191 mm; das Arbeits- und Notizbuch 1087/01–102 ist in seinem zweiten Teil in Berlin entstanden, denn auf Blatt 67 steht als Bemerkung unter dem Gedicht »Sentimentales Lied Nr. 1004«*:* 21. II. 20, abends 7 h im Zug nach Berlin. *Wie Doris Hasenfratz (d. i. Dora Mannheim) mitteilt (in: Die Zeit, 19.8.1966, S. 11), ist Brecht wegen des Kapp-Putsches, also Mitte März, nach Augsburg zurückgefahren. Der Text wird somit Ende Februar oder Anfang März 1920 geschrieben worden sein. – Unklar ist es, ob Brechts »Aufruf«, im Berliner Deutschen Theater zu demonstrieren, einen tatsächlichen, aktuellen Anlaß hat oder ob er die in seinem »Flugblatt« dargestellten Ereignisse fingiert (vgl. auch C 7).*

C 6

BBA 813/84; B (die Überschrift kann vielleicht auch lauten Kleine Methoden*); 120×192 mm. Im Arbeits- und Notizbuch 813/01–163 ist auf Blatt 72 das Gedicht* »Tod meiner Mutter« *(Brechts Mutter starb am 1. Mai 1920) eingetragen; auf Blatt 108 erscheint das Datum 22. 5. 20. Der Text ist demnach im Mai 1920 niedergeschrieben worden.*

C 7 – C 15

Diese Abschnitte stammen aus einem der sorgfältig angelegten literarischen Tagebücher Brechts: BBA 802/01–108; T;

163 x 207 mm; es reicht vom 15. Juni bis zum 26. September 1920. Die abgedruckten Daten sind von Brecht selbst vermerkt.

C 7

BBA 802/03. Die Eintragung ist wahrscheinlich in München gemacht. – Karl Zeiß beginnt seine Tätigkeit als Intendant des Münchner Staatsschauspiels am 1. Oktober 1920; vermutlich hat er schon früher das Amt verwaltet, da sein Vorgänger Viktor Schwanneke bereits am 1. März 1920 zurückgetreten war. – Vielleicht hat Brecht das Stück von T^2 zu T^3 auch umgearbeitet, weil ihm Hoffnung auf eine Aufführung gemacht worden war. Über eine vertragliche Vereinbarung mit dem Staatstheater ist jedoch nichts bekannt.

C 8

BBA 802/17, in München notiert. – Das ist die erste Nachricht von einer Drucklegung des »Baal« *(vgl. die Entstehung von D^1).*

C 9

BBA 802/19, die Eintragung ist in München gemacht.

C 10

BBA 802/37. – Lion Feuchtwanger ist in München Brechts Mentor, und er hat auch den Kontakt zum Georg Müller Verlag hergestellt. – Mit der Szene ist Frühe im Wald *gemeint.*

C 11

BBA 802/60; GW 15, S. 50f. – 1919/20 arbeitete Brecht an einem Drama »David oder Der Beauftragte Gottes«.

C 12

BBA 802/79, in Augsburg geschrieben.

C 13

BBA 802/92, in Augsburg geschrieben.

C 14

BBA 802/95, wahrscheinlich in Augsburg geschrieben. – Mit Cas *ist Caspar Neher gemeint.*

C 15

BBA 802/103, in Augsburg geschrieben. – Orge *ist George Pfanzelt, dem Brecht den* »Baal« *gewidmet hat.*

Zwei Äußerungen zum »Baal« *müssen hier noch nachgetragen werden:*

C 15a

24. November 1921

Eines ist im Dickicht: die Stadt. Die ihre Wildheit zurückhat, ihre Dunkelheit und ihre Mysterien. Wie Baal der Gesang der Landschaft ist, der Schwanengesang. Hier wird eine Mythologie aufgeschnuppert.

BBA 1327/49; T; 170 x 216,5 mm; in dem literarischen Tagebuch 1327/01–72, das vom 27. September 1921 bis zum 16. Januar 1922 reicht. Der Text ist in Berlin geschrieben, Brecht war am 7./8. November dort angekommen. – Das Datum stammt von Brecht.

C 15b

2. Dezember 1921

[...] Ich schreibe an den Wendeverlag, er kann Baal haben, an Bi, sie soll schreiben, an Feuchtwanger, was in Mü los ist. [...]

BBA 1327/50 (sonst wie C 15a). – Der kleine Verlag »Die Wende« hatte seinen Sitz in München-Schwabing, Inhaber war Paul Baumann. Wenig später, am 24. Dezember 1921, schließt Brecht jedoch einen Vertrag über den »Buch- und Bühnenvertrieb« seiner Werke mit dem Erich-Reiss-Verlag ab. Auf »Baal« *bezieht sich folgender Passus: »Lehnt der Verlag den Druck eines Stückes ab, obwohl eine größere Bühne es zu einer Aufführung erworben hat, kann der Autor das Verlags- und Vertriebsrecht einem anderen Verlage übergeben, wenn dieser die Drucklegung übernimmt.« Wahrscheinlich mit Hilfe dieser Bestimmung wechselt Brecht zum Kiepenheuer Verlag über (vgl. C 20, C 22). – Mit* Bi, *Paula Banholzer, in Augsburg ist Brecht eng befreundet.*

C 16

BBA 1423/02 (Kopie von D[1]); T. Die Bühneneinrichtung *ist in dem erhaltenen Exemplar des Müller-Drucks auf der Rück-*

seite des Schmutztitels notiert: Die Szenen mit gleichem Bühnenbild sind zusammengefaßt, so daß ein Grundszenarium von sechs Bildern entsteht, da die (auch in D^1 *gedruckte) Szene* Helles Zimmer mit Tisch *nicht berücksichtigt ist. Die Szenennummern werden von Brecht mit Bleistift im Text des Stücks eingetragen. Als Datierungshilfe kann Brechts handschriftliche Widmung im selben Exemplar von* D^1 *dienen:* Frank Warschauer / dem Moralisten / 1922. *Warschauer hatte sich Brechts in Berlin besonders herzlich und hilfreich angenommen, so daß der ihm bei der Rückkehr nach Augsburg im Frühjahr 1922 den* »Baal«*-Band geschenkt haben wird. Die* Bühneneinrichtung *muß zwischen der Ankunft Brechts in Berlin am 7./8. November 1921 und dem Frühjahr 1922 entstanden sein. Es gibt auch Hinweise dafür, daß Brecht hoffte, sein Stück würde von einem Berliner Theater angenommen (C 19 – C 23).*

C 17
BBA 913/90–93: ein Bogen, der auf der ersten Seite (90+91), der zweiten (92) und der vierten Seite (93) von T, mit Korrekturen, beschrieben ist; 235 x 295 mm; in 913/01–114 »Kreidekreis und andere Notizen« ohne Zusammenhang mit dem Kontext. – Die Regiehinweise geben, wie die Bühneneinrichtung *(C 16), Überlegungen zur Aufführung des Stücks wieder. Beide Entwürfe gehören auch zeitlich zusammen, sind also im Winter 1921/22 entstanden, denn die Seitenangaben in der* Baal-Regie *beziehen sich auf* D^1.

C 18
BBA 1327/68 (zu Tagebuch 1327 s. C 15a); GW 15, S. 62. Der Text ist im Winter 1921/22 entstanden.

C 19
Bronnen, S. 53 f. (C 19 gibt den Text des Faksimiles, S. 55–57, wieder); von Brecht aus Augsburg an Bronnen in Berlin geschrieben; die Datierung ist bei Bronnen angegeben. – Es geht um die Verleihung des Kleistpreises, dessen Empfänger von Herbert Ihering bestimmt werden. Tatsächlich hat Brecht im November 1922 den ungeteilten Preis für seine Stücke »Trommeln in der Nacht«, »Baal« *und* »Im Dickicht« *bekommen. –* Garga *ist eine frühe Form des Stücks* »Im Dickicht der

Städte«. – *In* Augsburg, Bleichstr. 2, *wohnt Brechts Vater; der Sohn zieht sich immer wieder dorthin zurück, wenn er in Ruhe und ohne äußere Sorgen arbeiten will.*

C 20

BBA 911/113; b von fremder Hand, mit einer Variante; 252×194 mm; in 911/01–149 »Gesammelte Korrespondenz«. Am 4. Oktober 1922 erhält Brecht in Augsburg zwei Telegramme aus Berlin mit folgendem (hier korrigierten) Wortlaut:

BBA 911/111, aus Berlin-Spandau:

ihre dramen haben mich leidenschaftlich bewegt sprach ausführlich mit ihering verständigte bereits gestern dreimaskenverlag der zustimmte höre heute daß andere seite dazwischen treten will bitte sie herzlichst ihre dichtung baal trommeln dickicht deutschem theater zu überlassen zumal verlag bereits einverstanden brief unterwegs grüße felix holländer

BBA 911/112, aus Wildpark/Potsdam:

direktor holländer mitteilt stärkste bewunderung für ihre gesamte produktion wünscht neben baal garga trommeln in der nacht zu erwarten anbietet sofortige garantiezahlung dreißigtausend für baal ich empfehle dringendst gesamtproduktion holländer zu überlassen und drahtlich dreimaskenverlag entsprechend anzuweisen erbitte ebenfalls drahtantwort an mich – schayer

Wahrscheinlich ist Schayer *Mitarbeiter des Kiepenheuer Verlags in Potsdam; welche Rechte der Dreimasken Verlag an* »Baal« *hat, ist unklar (vgl. C 15b). – Auf der Rückseite des Telegrammformulars 911/112 ist die vermutliche Antwort Brechts notiert, und zwar in zwei Fassungen; die wohl zunächst geplante lautet:* Baal Vertrag einverstanden wenn Klöpfer spielt und heuer Aufführung. *Eugen Klöpfer wirkt damals an verschiedenen Theatern Berlins (vgl. auch C 22).*

C 21

BBA 2200/96 (Kopie einer Abschrift). Die Datierung des Briefs ist unsicher, denn Brecht ist Anfang der zwanziger Jahre mehrmals nach Berlin gefahren. Er wird hier eingeordnet, weil die von Brecht angekündigte Reise im Zusammen-

hang mit der vom Deutschen Theater vorgeschlagenen Aufführung des »Baal« *gesehen werden kann.*

C 22

Bronnen, S. 89; der Brief kommt aus Augsburg und trägt das Datum 3. 10. 22; der Tag ist jedoch nicht zutreffend angegeben, denn Brecht kann dem Kiepenheuer-Verlag erst nach dem 4. Oktober telegraphiert haben (vgl. C 20).

C 23

Bronnen, S. 125 f.; der aus München an Bronnen in Berlin gerichtete Brief ist nicht datiert. Er muß aber, da die Tochter Hanne Marianne am 12. März 1923 geboren ist, vor diesem Zeitpunkt geschrieben sein. – Gerda *ist die mit Bronnen befreundete Schauspielerin Gerda Müller. – »Verrat« heißt ein Drama, an dem Bronnen damals arbeitet.*

C 24

BBA 462/135; M; 223×284 mm; in 462/01–148 »Lose Blätter – 4 –«; GW 15, S. 69. Die Passage ist überschrieben: kochel ende juli. *Nach Auskunft des Brecht-Archivs hat sich Brecht 1925 am Kochelsee aufgehalten. – Das* schwache Erfolgsstück *ist Hanns Johsts dramatischer Bilderbogen »Der Einsame. Ein Menschenuntergang«, der 1917 gedruckt und am 30. März 1918 in den Münchener Kammerspielen erstaufgeführt wurde.*

C 25

Die Scene, Jg. 16, Nr. 1, Januar 1926, S. 26; GW 17, S. 955 f. Der Aufsatz bezieht sich auf die am 14. Februar 1926 in Berlin erstmalig gespielte Fassung »Lebenslauf des Mannes Baal« *(s. es 170). Nach einer Arbeitsnotiz Elisabeth Hauptmanns vom 18. Januar 1926 (in: Sinn und Form, Zweites Sonderheft Bertolt Brecht, 1957, S. 241) hat Brecht* »Das Urbild Baals« in *Form einer Zeitungsnotiz geschrieben, um die Fabel zu klären. Die Gestalt des Josef K. ist fingiert; sie dient ihm als Vorwand, um die nahezu mythische Allgegenwärtigkeit des Baal der früheren Fassungen auf den einen historischen Fall, den es in einer* dramatischen Biographie *zu demonstrieren gilt, zu reduzieren. Vielleicht will Brecht auch verhindern, daß Parallelen zwischen Baals Leben und seinem eigenen gezogen wer-*

den. Der Name Josef K. *ist möglicherweise eine Anspielung auf den 1925 erschienenen »Prozeß« Kafkas.*

C 26
BBA 463/03; M; 224×284 mm; in 463/01–82 »Lose Blätter«. Die Datierung ist unsicher; vielleicht stehen die Sätze in einem Zusammenhang mit den Proben zur Berliner Aufführung am 14. Februar 1926. Es ist nicht klar, ob Brecht einen Fall fingiert oder ob er sich auf ein konkretes Ereignis bezieht.

C 27
BBA 156/17; M, mit Korrekturen von T; 223×283 mm; in 156/01–76 »Aufsätze, Rezensionen, Radiovorträge«; GW 15, S. 133 f. Die Datierung ist unsicher; einen Hinweis für den Terminus postquem gibt die Uraufführung des Dramas »Ostpolzug« am 30. Januar 1926.

C 28
BBA 817/41–42; T, mit Korrekturen; 106×137 mm; in dem Notiz- und Arbeitsbuch 817/01–97; GW 15, S. 64 (s. auch S. 2). Die Datierung ist unsicher; nach dem Inhalt, der sich auf die Berliner Aufführung vom 14. Februar 1926 bezieht, käme etwa das Jahr 1926 in Frage.*

C 29
Kasseler Neueste Nachrichten, 12. April 1928 (BBA 386/01); GW 17, S. 1 f. Im November 1927 ist der* »Lebenslauf des Mannes Baal« *in Kassel erstaufgeführt worden.*

C 30 – C 32
Die Texte sind der Mappe BBA 331/01–190 »Gesammeltes Arbeitsmaterial –3–« entnommen, in der ganz verschiedenartige Blätter beziehungslos nebeneinander liegen. Erster Anhaltspunkt für eine Datierung kann die Eintragung Ostern 29 *auf Blatt 26/27 sein.*

C 30
BBA 331/24; M; 224×281,5 mm; GW 15, S. 140. – Die Erkenntnis Brechts, daß »Baal« *bisher keine gesellschaftliche Wir-*

kung ausgeübt hat, kann zugleich Begründung für den Plan gewesen sein, unter dem Titel »Der böse Baal der asoziale« *ein marxistisches Lehrstück zu schreiben.*

C 31
BBA 331/96; M; 223 x 283,5 mm; GW 15, S. 163. – Marieluise Fleißers Drama »Fegefeuer in Ingolstadt« ist am 26. April 1926 zum erstenmal in der »Jungen Bühne« aufgeführt worden, Regie führte Paul Bildt.

C 32
BBA 331/159–160; M, mit Rotstift- und Blaustiftkorrekturen Brechts; 209 x 329 mm; GW 15, S. 218–220. – Brecht bezieht sich auf die Berliner Inszenierung der Fassung »Lebenslauf des Mannes Baal« *(14. Februar 1926); zur Szene* »In den Jahren *(...)« s. es 170, S. 171 f. (vgl. auch B 5).*

C 33
BBA 504/41; M, mit Rotstift- und Blaustiftkorrekturen Brechts; 214 x 338 mm; der erste Satz der Passage steht auf einem angeklebten Streifen 504/42, 214 x 34 mm; in 504/01–119 »Theaterarbeit–3–«; GW 15, S. 452. Eine genaue Datierung des Textes ist nicht möglich; vermutlich ist er Ende der zwanziger Jahre entstanden, als Brecht viele seiner theatertheoretischen Überlegungen niederschrieb. – Während der Arbeit an seinem neuen Werk »Der böse Baal der asoziale« *spricht Brecht meist vom* »Lebenslauf des assozialen Baal«, *wenn er die Berliner Bühnenfassung, den* »Lebenslauf des Mannes Baal«, *meint (s. auch C 34, C 35).*

C 34
BBA 504/71; M; 212 x 92,5 mm (s. im übrigen C 33). – In dem Vorspiel, *zu dem es sonst keine Auskünfte gibt, ist vermutlich der* Choral vom großen Baal *vorgetragen worden (vgl. es 170, S. 151:* Vorspruch).

C 35
BBA 42/31; M, Korrekturen Brechts mit rotem und blauem Kugelschreiber; schlechtes holzhaltiges vergilbendes Papier, wie es in der DDR Anfang der fünfziger Jahre gebräuchlich

war; 209,5 × 298,5 mm; in 42/01–48 »Theaterarbeit III«; GW 15, S. 472 (s. auch S. 12). Der Text ist in verschiedenen Schichten überliefert: Frühestens aus den dreißiger Jahren stammen ein Original (42/21) mit Durchschlag (446/25–26), denn das erwähnte Stück* »Die Rundköpfe und die Spitzköpfe« *ist 1931–1934 entstanden. Vom Durchschlag 446/25 und 26 (ein Blatt) ist Anfang der fünfziger Jahre der Text abgetippt worden, jedoch ohne die Fußnote, die bei dieser Vorlage mit dem unteren Blatteil abgerissen ist; sie wird hier von Blatt 42/21 ergänzt. Auf der Abschrift 42/31 vermerkt Brecht zwischen Titel und Text in blauem Kugelschreiber* 1935 *als Entstehungsjahr. – Die in der Fußnote angeführten Stücke, bei denen Piscator Musik verwendet hat, sind geschrieben von Walter Mehring (»Der Kaufmann von Berlin«, Premiere am 6. September 1929), Leo Lania (»Konjunktur«, Premiere am 8. April 1928) und Ernst Toller (»Hoppla, wir leben!«, Premiere am 3. September 1927).*

C 36
BBA 275/7; M, mit Korrekturen von T; 209 × 338 mm; in 275 »Tagebücher / Dänemark / Juli 38 – März 39«. Die Blätter sind sehr sauber beschrieben, die Daten über den einzelnen Eintragungen mit rotem Farbband getippt; die meisten Blätter sind aus mehreren solcher Datenblöcke zusammengeklebt. – Mit den »Gedichten aus dem Exil« *sind wohl die* »Svendborger Gedichte« *gemeint, die 1939 erschienen.*

C 37
BBA 275/10; M; 209 × 332 mm (sonst wie C 36). – Im Malik-Verlag Wieland Herzfeldes, London, sollen die »Gesammelten Werke« Brechts in vier Bänden erscheinen; die ersten beiden Bände liegen 1938 vor, sie sind in Prag gedruckt. Nach Nubel (»Bertolt Brecht – Bibliographie«, A 190; in: Sinn und Form, Zweites Sonderheft Bertolt Brecht, 1957) war für den dritten Band unter anderem »Baal« *vorgesehen. Der Band ist wegen der Kriegsereignisse jedoch nicht mehr erschienen. Mit den* (2) Buchausgaben *meint Brecht wahrscheinlich die bei Müller (D[1], vgl. C 9, C 10) und die bei Kiepenheuer (D[2–3]), mit der* Aufführung *wohl die Berliner Inszenierung vom* »Lebenslauf des Mannes Baal« *(Premiere: 14. Februar 1926).*

C 38
BBA 275/15; M; 209 x 328 mm (sonst wie C 36).

C 39
BBA 277/68; M; 225,5 x 340 mm; in 277/01–80 »Tagebücher / Finnland / April 40 – Mai 41«. Das Datum 7. 3. 41 steht, rot getippt, über dem Abschnitt.

C 40
BBA 279/21; M; 215,5 x 329,5 mm; in 279/01–24 »Tagebücher / Amerika / Januar 42 – März 42«. Das Datum 21. 3. 42 ist rot getippt und steht über dem Block.

C 41
D5, S. 8 f.; in: »Bei Durchsicht meiner ersten Stücke«*; GW 17, S. 947f. (s. auch S. 1*); Erstdruck: Aufbau. (Berlin). Jg. 10. H. 11. (November 1954). S. 959–963.*
Der Rückblick Brechts auf seine frühen Stücke entsteht in mehreren Stufen (Typoskripte dazu im Besitz Elisabeth Hauptmanns): Auf Drängen Elisabeth Hauptmanns (vgl. ihren Brief an Peter Suhrkamp, Textgeschichte von D4) schreibt Brecht im Herbst 1953 einen ersten Entwurf, in dem »Baal« *mit nur wenigen Sätzen bedacht wird:*
Das Stück »Baal« mag denen, die nicht gelernt haben, dialektisch zu denken, allerhand Schwierigkeiten bereiten. Sie werden darin kaum etwas anderes als die Verherrlichung nackter Ichsucht erblicken.
Ich lasse es, wie es ist, da ich nicht die Kraft habe, es zu verändern; ich habe nicht einmal Lust, es zu erklären. Ich gebe zu, dem Stück fehlt Weisheit.
Im nächsten Arbeitsgang bestimmt Brecht jedoch die Position Baals näher als eine besondere Art des Verhältnisses zur Gesellschaft; er fügt aber zugleich (nach den Sätzen von der asozialen Gesellschaft) eine relativierende Abschweifung an, in der er sich der Landschaft seiner Augsburger Jugend erinnert:
Die Grundannahme des Stücks ist mir heute kaum noch zugänglich, jedoch scheint sie mir ein Feld abzugeben, auf dem eine überaus genußvolle Beziehung zur Landschaft, zu menschlichen Verhältnissen erotischer oder halberotischer Art, zur Sprache usw. entstehen kann. Ich lasse das Stück, wie es ist, da

mir die Kraft fehlt, es zu verändern. Ich gebe zu (und warne), dem Stück fehlt Weisheit.
Nächster Anhaltspunkt für eine Umgestaltung des Textes ist der Korrekturgang vom 19. Mai 1954 im Stehsatzabzug BBA 1462, dem die »Durchsicht« *vorangestellt ist (1462/01–11). Zu dieser Zeit ist bereits die lange Passage über den chinesischen* Gott des Glücks *eingefügt. Zwei Monate später, am 20. Juli 1954, sind im Korrekturabzug die beiden Sätze von Elisabeth Hauptmanns Hand eingeschoben, die sich auf die inzwischen beendete Umarbeitung des Stücks zur fünften Fassung beziehen:*
Die erste und letzte Szene des Stückes »Baal« wurden für diese Ausgabe wieder so hergestellt, wie sie in der ersten Niederschrift waren.
Die Angaben sind ungenau; denn, wie die Textgeschichte von D5 (s. dort) zeigt, sind die erste und die letzte Szene nicht aus der ersten Niederschrift, sondern jeweils aus der zweiten und aus der dritten Fassung übernommen worden und zudem nicht unverändert, sondern in einer bearbeiteten Form.

E.
»Baal« auf der Bühne

Inszenierungen

8. 12. 1923	Uraufführung. Leipzig, Altes Theater Regie: Alwin Kronacher Bühnenbild: Friedrich Thiersch Baal: Lothar Körner Ekart: Hans Zeise-Gött
14. 2. 1926	Erste Aufführung der Fassung »Lebenslauf des Mannes Baal« (vgl. es 170, S. 149–182). Berlin, Junge Bühne des Deutschen Theaters Regie: Bertolt Brecht Bühnenbild: Caspar Neher Baal: Oskar Homolka, Ekart: Paul Bildt
21. 3. 1926	»Lebenslauf des Mannes Baal«. Wien, Theater des Neuen im Theater in der Josefstadt Regie: Herbert Waniek Bühnenbild: Georg Teltscher Baal: Oskar Homolka, Ekart: Rainer
16. 11. 1927	»Lebenslauf des Mannes Baal«. Kassel, Kleines Theater Regie: Erich Fisch, Baal: Hans Schultze Ekart: Hans Clasen
15. 2. 1957	Produced Reading. Oxford, The University Experimental Theatre Club Regie: Alan Hancock
7. 2. 1963	London, Phoenix Theatre Übersetzung: Peter Tegel Regie: William Gaskill, Bühnenbild: Jocelyn Herbert Baal: Peter O'Toole, Ekart: Harry Andrews
4. 4. 1963	Darmstadt, Landestheater Regie: Hans Bauer Bühnenbild: Hannes Meyer Baal: Hans Dieter Zeidler Ekart: Anfried Krämer
8. 4. 1963	Rundfunkbearbeitung. Baden-Baden, Südwestfunk

19. 5. 1963	Lesung. Oberhausen, Schauspiel-Studio der Volkshochschule Regie: Günther Büch, Baal: Günter Schulz Ekart: Heinz Treuke
1. 10. 1963	Wien, Atelier-Theater am Naschmarkt Regie: Veit Relin Bühnenbild: Jean Veenenbos Baal: Veit Relin, Ekart: Helmut Hron
16. 6. 1964	Oxford, Oxford University Dramatic Society Regie: Geoffrey Reeves, Baal: Robert Davies
29. 4. 1965	New York, Martinique Theatre Übersetzung: Eric Bentley / Martin Esslin Regie: Gladys Vaughan, Baal: Mitchell Ryan
9. 9. 1966	Lesung. Bremen, Lesebühne der Jugendvolkshochschule Regie: Burghard Mauer
5. 8. 1967	Hamburg, Theater im Zimmer Bearbeitung: Martin Sperr / Hans Neuenfels Regie: Hans Neuenfels, Bühnenbild: Jürgen Fischer, Baal: Ulrich Wildgruber Ekart: Michael König
9. 7. 1968	Tübingen, Studiobühne der Universität Bearbeitung, Regie und Bühne: Klaus Klefke/Wolfgang Steinfeld Baal: Hansjürgen Theiss Ekart: Klaus Jensen

Die hier zusammengestellten Theaterkritiken zu »Baal« unterrichten über Daten und Fakten der Aufführungen und vermitteln zudem, als Beitrag zur Wirkungsgeschichte, in den engagierten Berichten der Augenzeugen einen unmittelbaren Eindruck von der Aufnahme des Stücks.
Zu den Inszenierungen von 1923 bis 1927, also denen, die zu Lebzeiten Brechts auf die Bühne kamen, sind alle beschaffbaren Kritiken ungekürzt abgedruckt worden. Sie und eine Auswahl aus den Besprechungen späterer Aufführungen sollen die Vielfalt der Ansichten zu Brechts dramatischem Erstling widerspiegeln.

Uraufführung. Leipzig, Altes Theater; 8. 12. 1923

Herbert Ihering. Berliner Börsen-Courier, 9. 12. 1923
[zitiert nach: Herbert Ihering, Von Reinhardt bis Brecht, Band 1, (2. Aufl.), Berlin: Aufbau-Verlag 1961, S. 356]

Baal
Uraufführung im Alten Theater, Leipzig

Brechts genialische, szenische Ballade vom Baal wurde gestern bei der Uraufführung im Alten Theater in Leipzig mit dröhnendem, endlosem Beifall aufgenommen, der die Unruhe, die während der Vorstellung im Publikum einsetzte, und das Pfeifen am Schluß niederkämpfte. Die Aufführung war unzulänglich. Herr *Lothar Körner* arbeitete mit falschen Wegener-Tönen. Als er eine der herrlichsten lyrischen Stellen des Dramas in Grund und Boden sprach, rief eine Stimme auf sächsisch von der Galerie: »Erklären Sie mal das Gedicht!« Aber das Mißlingen der Vorstellung fällt viel mehr Berlin als Leipzig zur Last. Leipzig wagte mit schwachen Mitteln, was Berlin mit starken zum Siege geführt hätte. Denn der Eindruck war auch hier ungewöhnlich und zum Schluß überwältigend.

Egbert Delpy. Leipziger Neueste Nachrichten, 10. 12. 1923

Bertolt Brecht »Baal«
Uraufführung im Alten Theater

Mit dem Revolutionsstück »Trommeln in der Nacht« hat Bertolt Brecht vor zwei Jahren bei den deutschen Bühnen seine Visitenkarte abgegeben. Damals horchte man auf und merkte sich den Namen des neuen Mannes, der einem dunklen Stück Zeitqual dumpf dröhnenden Rhythmus und Klang zu leihen wußte. Der Aufführung seines »Baal« durfte man also mit berechtigten Erwartungen entgegensehen. Zumal als man in aufklärenden Vornotizen zu lesen bekam, daß es sich bei diesem Stück nicht wie bei den meisten Modernen um die dichterische Gestaltung von Zeiterscheinungen, sondern um das Verhältnis des Menschen zum Weltall, zum *Kosmischen*, gestaltet in einer neuen dramatischen Form, handle ...
Selten sind hochgespannte Erwartungen so radikal enttäuscht worden! Die »neue dramatische Form« entpuppte sich als das uralte *Sturm-und-Drang-Schema* der endlosen, sehr locker zusammengehefteten Szenenreihe, das unsere Modernen einfach von Büchner und Grabbe übernommen haben. Das Ganze ein rastlos fortlaufender Filmstreifen, der folgerichtig ohne jede Pause heruntergespielt wurde. Überschrift: »Liebe, Schnaps und Zigarrenstummel. Szenen aus dem Leben zweier Bohemiens.« Freilich, Brecht hat mit dem Instinkt des zünftigen Literaten, der weiß, wie man Zeit und Mode ködert, seinem durchaus naturalistischen Szenen-Bandwurm ein Versungetüm vorgespannt, das er den »Choral vom Großen Baal« nennt. Darin wird unter dröhnenden lyrischen Gongschlägen, absichtsvoll trivialisiert durch Kabarettgrimassen, allerhand dunkel Mystisches vom Leben, Lieben und Sterben des »Großen Baal« ausgesagt. Nun brauchte Brecht nur noch den einen seiner beiden Bohemiens »Baal« zu taufen. Das übrige konnte er dann getrost den berufenen Traumdeutern der Moderne überlassen ... Richtig – die haben denn auch prompt »das Kosmische« konstatiert und Brecht den Gefallen getan, in seinem Schlammbad gläubig die besondere Gestaltung des Verhältnisses von Mensch zu Weltall zu wittern ...

Sieht man ganz ohne Parteibrille an, was uns das Alte Theater an diesem aufregenden Sonnabend vorgesetzt hat, so wird man diese nur durch ein paar äußerliche Floskeln, doch durch keinerlei wirklichen *Schöpferakt des Dramatikers* gestützte Vorspiegelung unwillig beiseite schieben. Was man in Wahrheit sah, ist eine absichtsvoll wüste, brutale, zynische Paraphrase über das Leben zweier berühmter Außenseiter des bürgerlichen Lebens und der zünftigen Literatur: *Rimbaud* und *Verlaine*. Daß der junge Brecht dem wilden Zauber, der aus Leben und Lyrik dieser beiden genialen Eigenbrötler phosphoreszierend aufsteigt, erlegen ist, daß er *Götter* in ihnen sieht, die über jedem Herkommen und Gesetz stehen, Kerle, deren vor nichts zurückschreckende Kunst er leidenschaftlich zu überbieten trachtet, das alles ist typisches Erleben heißblütiger Jugend. Wem von uns ist es nicht ähnlich ergangen? ... Aber, daß er aus dem Leben seiner Götter nichts eifriger behalten und gestaltet hat als ihren unersättlichen Begattungstrieb, ihre Schnapsorgien, ihre zynischen Roheiten gegen jedermann, insonderheit gegen verflossene Geliebten, daß er sich in Kraßheiten, in unzweideutigen Unflätigkeiten des Ausdrucks gar nicht genug tun kann – das deutet denn doch auf eine für den Verfasser von »Trommeln in der Nacht« nicht mehr erlaubte knabenhaft jugendliche Ekstase, auf einen Pubertätsrausch, der äußerlich Unerhörtes häuft und häuft, weil es ihm innerlich an wirklicher gestaltender Urkraft mangelt. Einzig erträglich wäre dieses wilde Schlammbad gewesen, wenn Brecht in den Szenen, wo er seine Dichter-Kraftmeier sich aus ihrem Pfuhl erheben läßt, ihr Gottsein mit einer alle Bedenken hinwegfegenden dichterischen Gewalt hätte auflodern lassen. Aber hier, im Entscheidenden, versagt er gerade! Man braucht nur einen Blick in Rimbauds, in Verlaines Verse zu werfen, um zu erkennen, wie himmelweit der Deutsche von ihrer glühenden, tausend Farben schleudernden Kunst entfernt ist. Wie kalt, krampfig, monoton im Wechsel von Raffinesse und Banalität sind die meisten der Verse, die er ihnen in den Mund legt, wie fatal gering ist der Wortschatz, der Ausdrucksvorrat, den er für solche lyrischen Stellen bei der Hand hat und immer wieder benutzt. Er gefällt sich da neben der Kraftmeierei in einer verhängnisvoll steifleinenen Originalitätssucht, die von

Szene zu Szene den immer unruhiger werdenden Zuschauern mehr Anlaß zu fatalen Randbemerkungen bot. Wohl steigen hier und da Klänge auf, die aufhorchen lassen, aber es folgen keine Steigerungen, und nur zu bald bricht irgend eine herausfordernde Trivialität das aufkeimende Interesse ab. So stehen denn die Zynismen, ungedeckt und kolossal in ihrer Blöße, überwältigend vor dem Beschauer. Der Rest war (und konnte kaum anders sein): Protest, Skandal . . .

Kronachers Inszenierung zeigte ein merkwürdiges Doppelgesicht. In den mit ganz wenigen malerischen Mitteln zum Teil hervorragend schön gestellten Szenenbildern waltete ausgesprochener Geschmack. Hier hörte man, wenn irgendwo überhaupt, Schönheit, lyrischen Herzschlag. Um so befremdlicher wirkte daneben ein fanatischer Hang zur Drastik, zum Überbetonen, zur Überdeutlichkeit, zur brutalen Schärfe im Darstellerischen. Der Autor hat hier, wie es scheint, sehr zu seinem eigenen Schaden, in *Kronachers* Regie hineingeredet und Milderungen augenscheinlich vereitelt . . . Am bedauerlichsten war das bei dem Choralvorspiel und der Lazarettszene, die beide in *Kronachers* ursprünglicher Form (in der Generalprobe) weit zarter wirkten!

Darstellerisch standen *Körner* und *Zeise-Gött* im Vordergrund mit zugespitzten Sonderleistungen. Dem ersteren lag der wilde Viechskerl Baal hervorragend. Er zeichnete einen unheimlich drohenden Gewalttyp mit Orang-Utan-Gang, Riesenschädel und rätselvoll funkelnden Raubtieraugen. Ein possierlich dekadentes Gegenstück, elegant-verlumpt, weicher, geschmeidiger, war *Zeises* Eckart. Aus der Riesenfülle der eben nur auftauchenden, dann wieder verschwindenden Nebengestalten ragten *Schindlers* scharf akzentuierter Bettler und die mißhandelte Sophie der *Marg. Anton* heraus.

Was von Bertolt Brecht weiter zu erwarten ist, bleibt ungewiß. Daß er diese Jugendorgie verbrochen hat, ist an sich nicht tragisch. Junger Most pflegt sich gemeinhin ja absurd zu gebärden. Brechts nächstes Drama wird Entscheidenderes über den Reifezustand seines Talents aussagen! Nur eben – klüger und geschmackvoller wäre es gewesen, wenn das Stadttheater dieses Knabenparforcestück der Liebhaberlektüre überlassen und sich, Brecht und uns diesen tollen Abend erspart hätte!

Hans Natonek. Neue Leipziger Zeitung, 10. 12. 1923

Menschenuntergang mit Lyrik und Skandal
Bertolt Brechts »Baal« – Uraufführung im Alten Theater

Schwimmst du hinunter mit Ratten im Haar,
Der Himmel drüber bleibt wunderbar.

Bertolt Brecht, seit seinem erfolgreichen Nachkriegs-Volksstück »Trommeln in der Nacht« die *große Hoffnung des deutschen Dramas,* hat vordem ein wildes, formloses Pubertätsstück geschrieben, den »Baal«. Es bestätigt zwar die Hoffnung, aber das Theater hat von diesem kraftstrotzenden Szenarium allenfalls nur den Gewinn eines sensationellen Durchfalls. Im Alten Theater lief's noch glimpflich ab, hart am Rande des Skandals.
Der zureichende Grund für einen Skandal will mir nicht recht einleuchten. Das Publikum, diesmal aus dem Häuschen wie noch nie, ist sonst bei nicht minder starken Gegenständen ruhig geblieben. Es sei nur an Fritz Unruhs »Platz« erinnert, diese wilde Brandung der Geschlechtlichkeit, oder an Georg Kaisers Mädchenmörder Gilles de Rais. Diese erregte Teilnahme des Publikums ist wunderschön (bis auf die Formen, in denen sie sich äußert). Meinungskampf, das ist es ja, was ein Theaterabend auslösen soll. Nur sollte sich die Anteilnahme nicht so ausschließlich an das rein *Gegenständliche* heften; das Gegenständliche ist leicht anstößig, auch wenn das, worauf es ankommt, nicht anstößig ist.

Mit der Romantik der Verwesung macht man kein Theaterstück; man ärgert damit nur das Publikum. Die Überkraft, die sich in den höchsten Graden der Verkommenheit verschwendet, ist wohl reich an lyrischen Entladungen, aber dem Theater fremd. Denn sie hat keinen Gegenspieler; sie verschlingt alles um sich herum, bis sie allein dasteht, sie spricht die Monologe ihres Untergangs; und Himmel, Wolken, Sterne über dem fahlen Phosphorglanz des Sumpfes geben ein trübes Zwielicht, interessant, verwegen, ruchlos – aber nichts für die Bühne.
Der Baal ist der verruchte Dichter, der dekadente Kraftbube,

der verlumpte Literat, den ein Dämon treibt, sich selbst zu verwüsten; mit Frauen und mit Schnaps. Eine Gestalt, hundertmal dagewesen, in der Literatur wie im Leben; Christian Günther und Verlaine und Rimbaud und alle die Namenlosen, die die Gosse hinabschwemmt. Die Dichterkraft, eine Kraft strengsten Formwillens und äußerster Selbstdisziplin, ist der Zuchtlosigkeit nahe verwandt. Reicht es nicht zum Werk, dann entströmt der überschüssige Dampf brausend durch die lyrische Fanfare der Selbstzerstörung, und im Schmutzbad findet diese Seele ihre Reinigung.
Baal badet gründlich. Frauen frißt er wie unsereins Dreierbrötchen. Und hat er eine verschlungen, sagt er: Geh ins Wasser, Ophelia. Er ist das starke Mann-Tier, dessen Geruch die Mädchen anlockt. Er schleppt die Jungfrauen in seine Dachkammer, die so zum »Schwanenstall« wird (was man im Publikum wie Schweinestall versteht). Seinem Freund, der zu schwach ist, die Unschuld zu nehmen, entreißt er die unberührte Braut. Seinen gleichgeschlechtlichen Buhlen ersticht er, weil er eine eingeschriebene Dirne umarmt hat. Für einen Quart Schnaps verfertigt er Zoten im Chantant zur »Wolke der Nacht«. Zwischendurch tollt er mit seinem getreuen Ekart betrunken durch Wald und Felder; mitunter rezitiert er Gedichte, die gut sind. Lebt mit Holzfällern, wälzt sich im Tau, veralbert eulenspiegelhaft die Bauern, denen er einredet, daß er ein Dutzend Stiere kaufen will; nur um diese starken, männlichen Tiere in Massen zu sehen und zu riechen, die sein Ebenbild sind. Und verreckt schließlich in einer Waldhütte, einsam und angespien.
Es ist nicht jedermann gegeben, noch im Verkommensten das Menschliche zu fühlen. Denen es nicht gegeben ist, die rufen »Pfui«. Der Baal ist ein schlechtes Theaterstück, es ist eine Literatenarbeit mit starken dichterischen Einsprengseln, der Vergleich mit Georg Büchner liegt auf der Hand – aber »Pfui« ist es nicht. Baals zynisch-wissendes, gewalttätiges, verworfenes Herz, das so viele Opfer fraß, wird zuletzt selbst einem größeren Baal zur Vernichtung dargebracht – aber »Pfui« ist das nicht ...
Die einundzwanzig Szenenbilder *Alwin Kronachers* waren nicht frei von Monotonie. Nach der Kabarettszene ist der Gegenstand erschöpft, und was noch kommt, ist Episode und

Ausklang. Über allen Bildern liegt der freie, offene Himmel, den Baal so liebt – er hat nicht Raum und Luft unter einem Dach –, aber viel stärker noch müßte man Wolken und Wind, Wald und Welle spüren. Weidenstrünke, Dickicht und Schilfrohr: dekorativ wirksames Kunstgewerbe; aber nicht Baals Landschaft. Nicht mehr von Prof. Baranovsky, Dresden, sondern von Prof. *Thiersch,* der als Leiter der Hallischen Kunstgewerbeschule einen ausgezeichneten Ruf genießt, stammen die Entwürfe. – Den Baal stelle ich mir als einen zu wilder Mannheit aufgedunsenen Knaben vor. Ein verkommener Bacchant, aber nicht Weinlaub, sondern Ratten der Verwesung im Haar. Ein großes, gewalttätiges Kind, mit dem Wasser der Gosse getauft und gezeichnet mit den dreimal verfluchten Malen des Untergangs. *Lothar Körner* machte nur den wilden Mann, ein torkelndes Monstrum, lyrisch delirierend, aber das aufgedunsene Herz des Knaben spürte man nicht. Wenn *Hans Zeise-Gött* das äußere Format für solch einen Kerl besäße, wäre er der gegebene Baal; so war er nur sein Herzensfreund, erst Lehrmeister der Zügellosigkeit, dann sein Schüler, zuletzt das männliche Opfer des Baal. Die übrigen Gestalten sind nicht viel mehr als Nebengeräusche eines Monologs. Den Baal-Choral sprach *Eugen Aberer* – Hammerschläge auf einer erzenen Glocke.

Unter dem Kampfgetöse der Pfeifen, Pfuirufe und des Beifalls erschien ein verschüchterter, blasser, schmaler Knabe, der Dichter Bertolt Brecht, drückte sich sofort fluchtartig in die Kulisse und kam ängstlich wieder an der schützenden Hand des Schauspieldirektors hervor. Sein Gesichtsausdruck: Mein Gott, was habe ich da angerichtet ... Ich hätte mir eigentlich vorgestellt, daß der Dichter eines »Baal« seine männlichere Brust trotzig dem Entrüstungsorkan darbietet. Aber Dichter sind immer anders, als man sie sich vorstellt.

Alfred Kerr. Berliner Tageblatt, 11. 12. 1923

Toller und Brecht in Leipzig

I.
Das Alte Stadttheater (welches der mutige *Dr. Alwin Kronacher* leitet) bot an zwei aufeinanderfolgenden Tagen Tollers verzweifeltes Trauerspiel »Der deutsche Hinkemann« und Brechts naturschlemmenden Bilderbogen »Baal«.
Tollers Werk war an zwanzig Abenden schon gespielt. Brechts hatte wenig Glück: Skandal, Pfiffe, Gelächter, Trampeln, halbstündige Ulkrufe – so daß am folgenden Morgen der Obmann des gelesensten Blattes schrieb: »Ich habe die Leipziger nie so völlig außer sich gesehen.«
II.
Dabei lag die Stadt am Tage friedlich (in einer Art von Erholungsglück über den schrumpfenden Wucher), aufregungslos, beherrscht, fleißig, ohne Sucht nach Exzessen in der Wintersonne.
Leipzig macht jetzt einen vorzüglichen Eindruck. Soviel emsige Regsamkeit muß das Bewußtsein stärken: wir gehn nicht unter.
Was aber nun Baal betrifft ...
III.
Herr Baal ist ein sinnlich-rücksichtsloser Mensch, der sich, wohl nach der Universitätszeit, auslebt. Sein Ausleben beruht nicht im Denkversuch. Sondern im G'fühl. Neben dem Naturgenuß: in Schnaps, Schnaps, Schnaps – und nackten, nackten, nackten Mädchen. Er ist somit ein Kämpfer gegen seine Zeit. Das Naturgenie, so nicht mit dem Hirn, sondern mit Muskeln und sonstwas arbeitet.
Kurz und gut: das Wort All-Verbundenheit wird fällig.
IV.
Er nimmt seinem Freunde die Braut weg, verstößt die Frau eines Fabrikanten, rafft zwei junge Schwestern gemeinsam übers Lager (weshalb ihm die Wirtin aber auch kündigt), hält sich hernach an einen männlichen Begleiter, lebt mit ihm und einer geschwängerten Sophie, verläßt diese samt ihrem Kind im Leib nachts auf der Landstraße, mordet jenen Genossen, trinkt als ausgemachter Naturfreund einmal an elf Glas

Schnaps bei offenem Vorhang, stiehlt zwischendurch einem Leichnam den Branntwein – und stirbt als ein solcher Kämpfer gegen seine Zeit verkannt in einem Bretterbau. So Baal.

V.

Er ist äußerlich ein Gorilla und hat, als Urgeschöpf, den Beruf eines Kabarettdichters.

Jenes alt-brahmanisch-buddhistische Wort, das aus den indischen Veden zuletzt eine feierliche Umprägung in Lhasa durch den Dalai-Lama von Tibet erfuhr, »Die Liebe und der Suff, die reiben den Menschen uff«, gehört auf Baals Urnendeckel, als einer deutlichen Begabung.

Ist es ein Zeitstück? Aus unsrer, unsrer, unsrer Gegenwart? – Etwas, das uns angeht, könnte man sagen, wofern Grabbe, Büchner, Sturm und Drang an einem post-festum-Beispiel repetiert werden sollen ...

Der begabte Brecht ist ein schäumender Epigone.

VI.

Begabt im Lyrischen. Als ich sein Schreibmaschinenheft, »Baal«, 1918 am Starnberger See las, troff schon damals ein dampfender Dämmer aus dem Bruch-Stück. Waldfeuchtes; auch Schummriges verschollener Stuben; Schein umbuschter Schänken; Hauch vergessener Lichtungen. Oder so.

Brecht ist neben der Krafthuberei ein Poet ... und »Baal« mir lieber als das unvermochte Gellwerk »Trommeln in der Nacht« – (das mit dem Tiefsten der Zeit soviel Ähnlichkeit hat wie ich mit Hitler).

Manches aus dem Manuskript blieb im Gedächtnis. Dunkelnde Fenster; witternde Luft; etwas wie der Spessart.

VII.

Jetzt, bei der Aufführung, zog mir ein Studentenvers durch den Kopf: – »Als er nun, auf Universitäten, in die Kneipen sank so tief, wurden wütend seine Eltern, schrieb'n ihm einen groben Brief: Komm zurück aus Erlangen ... auf der Eltern Verrrlangen!«

Das Balladige, der Bilderbogenzug, das Bänkelhafte trat hervor.

Was bedeutet letzten Endes dies: wenn ein Autor sein Werk in halb spaßiges Licht setzt?

Was Doppeltes. Er bemängelt, wen er eigentlich bewundert. Und er bemäntelt, was er eigentlich nicht kann.

(Ist es ein Kunstmittel? oder eine Ausflucht? – Es ist ein Kunstmittel als Ausflucht.)

VIII.

Das Naturhafte fluscht in dem Stück. Allmählich etwas zu viel. Darf ich sagen, wie ein berlinisches Unter-Ich das roh ausdrücken würde? – :

Wetterfabrik; Aetherzimt; Horizontkiste; Frühlingsmechanik; Sterngesinger; systematischer Duft; Wolkenfeez; grundsätzlicher Ruch – mit Schwadenrezept und planmäßig quellendem Himmelsdach.

Alles in allem: ein Elefantenidyll.

Man spielt es heut: als Merkmal, was in der Zeit geschaffen wird; nicht, was aus der Zeit geschaffen ist ...

Rein literarischer Fall.

Ach, so eine Baalade hat nur als posthumes Fragment wirkliche Aussichten ...

IX.

Wer schafft aber die prähumen Stücke des jetzigen Tags? Wer ist ... nicht ein Enkel, wie Brecht; sondern ein Ahn? Wer gibt, statt Stimmung, Zufall und Sprechdelirium, ein Drama? Wer statt des Steinbruchs ein Haus? Wer unsre zerlegten Inhalte – statt das Zurück-zum-Viechsgefühl?

Ich will ihn salben, wenn er kommt.

X.

Toller für den Hinkemann schwerlich. Von dem, was die Zeit bewegt, ist er tief erfüllt – aber zum erstenmal auch von Kitschigem. Er scheint in diesem Werk ungewiß; wo er in drei anderen gewiß war. Der Übergang zum Halbnaturalismus ist nicht leicht ...

Was bildet hier den Kern? Die Tragik eines zeugungsunfähig gemachten Kriegers. Eines athletischen Mannes. Dank dieser Verletzung sinkt ihm die Welt.

Toller schöpft zwei Dinge daraus. Ein Symbol: den äußerlich Strotzenden vergleicht er mit ... Deutschland. Wie es vor dem Weltkrieg war. Etwas peinlich, für mein Empfinden. Und er faßt, Nummer zwei, einen Zorn wider Priapus, den Gott der Geilheit. (Brecht weniger.)

Halbkomisches kommt hinzu. Schwer faßbar. Als hätte die Courths-Mahler sich des Naturalismus bemächtigt. Ja, ja, ja. Walter Mehring, vielleicht Barlach, zeigen dann ihre Spuren.

Wedekind im unvermeidlichen Budenbesitzer. (Sogar Hauptmann borgte sich den – er las ihn mir, in einem ursprünglichen Entwurf zur Pippa, vor.)
Greuliche Längen am Schluß. Wiederholungen – bis zur Erkrankung. Und dennoch ...

XI.

Mit alledem ist Ernst Toller dennoch ... nicht nur ein Zeitgenosse – sondern ein Genosse dieser Zeit. Der Unterschied zwischen den zwei Begriffen war an Brecht zu sehen.
Man lebt nicht im Heut, weil man heute schreibt. Doch Toller schreibt, wie man heute lebt.
Diesmal schlampet, weich, finster. Allerdings: Mitte Zwanzig – und an der Kette. Nicht gegen kleines Ehrenwort auf dem Gut.

Wenig heiter guckt sich's in die Welt
Aus der Festung Niederschönenfeld.

Wenn er raus ist, soll er andre Stücke schreiben.

XII.

Doch er schreibt schon andre Stücke – hier im Verhältnis zu seinen früheren. Ob den Parteien schwebt er. Wichtiger als politische Not ist ihm heut menschliche Not. Wer hilft (ist seine Frage) der Seele des Einzelnen?
Jedermann sich selbst, Lieber ... dünkt mich.

XIII.

Toller gibt ein erziehliches Stück. Ein Volksstück – neuer Art. Er will nicht literarisch sein – obschon er papieren ist. Das reißt, letzten Endes, den Betrachter hin.
Toller spricht Zeitung. Doch saget nichts dawider. Es kommt drauf an: wer.
Ich stellte schon bei Shaw fest: daß auf den Planken gewisse Dinge heut ... erörtert werden müssen. Daß sie eben durch ein »dichterisches Gefühl« nicht mehr auszudrücken sind. Warum? Weil wir zu vielfältig geworden sind; zu verfeint; zu abgeschattet; zu erwägungshaltig. »So daß also«, schrieb ich, »manches Drama künftig nur Vorspiegelung eines Dramas (im alten Sinn) wird sein können; de facto jedoch Zeitung ... mit verteilten Rollen.«
Ich wiederhole das. Toller hat ganz recht. Das bloße G'fühl ist alte Schule.

XIV.
Was Kindlich-Ungeschrecktes liegt in der Behandlung des absonderlichen Themas. Ein herzhaft-reines Bis-ans-Ende-gehn. Bei eklig Abgedroschenem eine gütige Kühnheit. Das ist es. Etwas zittert nach. Selbst als Volksstück ist alles das unter der Kanone, wenn ein Spielordner nicht rasend streicht ... doch es zittert vieles, vieles, vieles nach. Hier predigt ein Dichter-Johannes dieser Zeit. Er sei gerüffelt ... und bedankt.
XV.
Mein Leipzig lob' ich mir ... Es hat zwar den Hinkemann mit Provinzpathos dargestellt (wenn auch redlich in dem Schauspieler *Engst* – fesselnd nur in *Hans Zeise-Gött*). Aber schön ist, daß überhaupt vor ernsten Hörern solcherlei gemacht wird.
»Baal« dagegen war, nicht nur relativ, eine Leistung. Voll eingehender Liebe. Klappend. Furchtlos. Mit Luft und Duft in schattenhaften Bildern von *Friedrich Thiersch.*
Wieder mit *Zeise-Gött* ... neben *Lothar Körner*, der kein »Elefant« als Baal sein kann, wie nötigenfalls *Klöpfer* – der aber vier, fünf Register sprachlich zieht.
Margarete Anton nebst zwanzig Namenlosen gut eingeordnet.
Alles in allem: der Kritiker schwärmt nicht – hebt aber den Hut ... Beide Poeten schließlich auch: der Nachfahr wie der Landsucher.

Hans Georg Richter. Leipziger Tageblatt, 11. 12. 1923

Der Choral vom großen Baal
Altes Theater

Dem großen Baal opferten die Juden, wenn sie's mit Jehova verdorben hatten. Der große Baal, der Heidengötze, ist sehr brutal, und Bertolt Brechts kleiner Baal – ein Dachkammerpoet, mit dem es nicht zum besten steht – ist auch brutal. Daher ungefähr der Name. Als man im Februar dieses Jahres die »Trommeln in der Nacht« im Schauspielhause vorführte, schrieb ich, es sei in Brechts Stücken allen, auch in dem wüst-

verknäuelten »Dickicht«, ein bißchen vom Urschrei der Kreatur, dramatisch artikuliert in den »Trommeln«, lyrisch im »Baal«. Das ist der Kernpunkt. Der Urschrei würde sich von der Bühne her leichter übertragen, wenn die dramatische Struktur fester wäre, wenn der Szenenfolge nicht, zumal in der zweiten Hälfte des – früher geschriebenen – »Baal«, die festen Bänder und Gelenke fehlten.
Der junge Brecht muß damals viel Hamsun gelesen haben. Manchmal klingt es, als ob der große Norweger zitiert würde. So meine ich, daß der wahnsinnige Bettler im Asyl »Die letzte Freude« in seiner Bibliothek hat: »Er stammte aus einem Wald und kam einmal wieder dorthin, denn er mußte sich etwas überlegen . . .« Es ist keine Schande für einen jungen Dichter von heute, wenn er von Knut Hamsun herkommt. Bis zum Beweis des Gegenteils vermuten wir also, daß der Mysteriendichter ein sehr starkes Literaturerlebnis des jungen Brecht gewesen ist. Und daß »Munken Vendt« zu Baals Vorfahren gehört.
Wie der Held in Hamsuns ungespieltem Riesendrama, ist Baal in seinen Beziehungen zum anderen Geschlecht nicht sehr zart und nicht sehr wählerisch. So ziemlich das ganze weibliche Personal des Stadttheaters wird von ihm in einer Weise in Anspruch genommen, die es erforderlich macht, daß der Vorhang fällt, sobald Baal länger als eine Minute mit der betreffenden Dame allein geblieben ist.
Durch solches Verfahren erregt er gleich in der ersten Szene den Unwillen des Fettbürgers Mech, der ursprünglich gesonnen war, seine Lyrik zu verlegen. Er erregte im weiteren Verlauf der Szenenfolge noch heftigeren Unwillen in weiten Kreisen der verschiedenen Ränge, die seine Lyrik, die allerdings von *Körner* sehr schlecht vorgelesen wurde, nicht einmal mehr anhören wollten und die schönen Verse vom Mann, der im ewigen Wald starb, unter Lachen und Trampeln begruben.

Es ist wohl doch am richtigsten, wenn jeder, der entschlossen ist, an einer ihm nicht zusagenden Kunst öffentliches Ärgernis zu nehmen, das fragliche Lokal, meinetwegen unter Mißfallenskundgebungen, aber womöglich in der Pause verläßt. Natürlich kann man wirtschaftliche Gründe, wie den einmal

erlegten Eintrittspreis, dagegen anführen. Aber über das Maß von grobem Unfug, zu dem man durch unnütze Ausgabe von 1–4 Goldmark berechtigt wird, bin ich doch mit jenem Mitbürger uneinig, der, als Baal, die übermütige Kreatur, die alles sehr schön fand, auf dem Sterbebett die letzte Not kriegt und »Mama!« ruft; weit entfernt, an das eigene letzte Stündlein zu denken; durch den Zwischenruf »Papa!« von einer Geistigkeit Zeugnis ablegte, deren Beifall zu erringen man ängstlich vermeiden sollte.
Schließlich, wenn die Zuschauer nicht verstehen, was los ist, dann machen sie dumme Witze, und ein Theaterskandal in den Pausen ist mir immer noch lieber, als wenn die guten Leute sich über Stöhr oder Montanwerte verständigen. Es hat natürlich wenig Zweck, den Unbefriedigten, mögen sie nun »Papa!« gerufen oder den Wunsch geäußert haben, den Dichter allein zu sprechen, etwa die Handlung zu erklären. Das, worüber immer der Vorhang fallen mußte, haben sie ja nur zu gut verstanden und irrtümlicherweise für die Hauptsache gehalten. Die wirkliche Hauptsache aber, die sie gar nicht verstanden, ist keine Handlung, sondern eben der »Choral vom großen Baal«, der in des kleinen Baals Leben, das man ruhig ein Lasterleben nennen mag, immer wieder hineinklingt.
Bedauerlich bleibt nur, daß normale, humanistisch oder anders gebildete Bürger auf die Worte etwa:

»Wenn ihr Kot macht, ist's von euch, gebt acht,
netter noch, als wenn ihr gar nichts macht!«

einfach deshalb unfreundlich reagieren, weil sie hinter der groben Form, hinter ihrer abgründigen, meinetwegen ein bißchen lausbubenhaften Lustigkeit den Sinn eines Weltgefühls nicht verspüren, das der Prediger Salomo mit den Worten »Ein lebendiger Hund ist besser als ein toter Löwe« vor längerer Zeit weniger anstößig ausgedrückt hat.
Die Schwäche dieses Frühwerks aber beruht keineswegs in seiner Unanständigkeit, sondern in einem Mangel an kompositorischer Kraft, die das lyrische Grundthema dramatisch noch nicht ausreichend zu instrumentieren vermochte. Derart, daß Brechts Lyrik Brechts Drama zu Hilfe kommen muß und die Regie, nachdem Baal zu den Sternen hinausgekrochen ist, um zu sterben, und das Publikum sich selbst überlassen

hat, es vorziehen mußte, dem Parkett wenigstens die Schlußstrophe des Choral-Prologs noch einmal zu geben:

»Als im dunklen Erdenschoße faulte Baal,
war der Himmel noch so groß und still und fahl,
jung und nackt und ungeheuer wunderbar,
wie ihn Baal einst liebte, als Baal war.«

So daß man, genaugenommen, die Szenenfolge Baal nur als eine Art gemimter Einlage in den Choral zu betrachten hatte, als szenische Biographie einer im übrigen mehr lyrisch festgelegten Persönlichkeit, eben des p. p. Baal.

So wird es denn wohl auch sein. Und man wartet mit einiger Spannung, ob Brecht, der nach »Baal« und »Im Dickicht« mit seinen »Trommeln« das beste deutsche Kriegs- und Nachkriegsstück gemacht hat, den Weg vom Verse-Gestalter und Worte-Former zum Dramen-Erbauer weitergehen wird. Ihn zu spielen, die uneinigen Häupter der Berliner Zeitungskritik, Kerr und Ihering, nach Leipzig zu locken und eben noch vor der sanften Weihnachtsmärchenzeit einen ausgewachsenen Theaterskandal mit großem Schlußapplaus hereinzubringen, bleibt *Kronachers* Ruhm.

Die Aufführung litt unter der hier nicht besetzbaren Hauptrolle. *Körner* ist zu reif, zu schwer und im Grunde zu brav. Er gab als ehrlicher Mann alles, was er hatte, aber es war nicht das richtige. (Vielleicht würde der nach Berlin übergesiedelte Frankfurter Heinrich George die Rolle tragen können.)

Der junge *Fernau* machte den Johannes, einen sanften Pedanten, dem Baal die kleine Johanna, ein lichtes Geschöpfchen der *Thea Kasten,* wegnimmt, recht klar. *Zeise-Gött* zeichnete den Ekart, Baals in der Anlage verschwommenen Liebling, mit wenigen grotesken Linien in Maske, Ton und Gebärde prächtig durch. Die *Anton* – virgo dolorosa – war Baals stärkste Partnerin. Aber die Weiber sind alle Nebenpersonen. Darunter die *Schippang* als Budenwirtin eine tapfere Lehmanniade.

Im ganzen lief die Sache mit etwas Anfängertum in Nebenrollen ganz ausreichend. Für die Bilder hat man ja nun den Rundhorizont, und da Brecht sich einen ins Zimmer hineinwachsenden Himmel, wie er in Berlin sogar bei Shaws »Candida« neuerdings sehr geschätzt wird, schon für seine »Trommeln« wünschte, hat man sich hier ganz an den Choral gehalten.

»Und der Himmel blieb in Lust und Kummer da,
auch wenn Baal schlief, selig war und ihn nicht sah.«

In Prosa: auch wenn die Versatzstücke Zimmer bedeuteten, waren Rundhorizont, Wolkenapparat und Sternscheinwerfer darüber tätig. Anstatt einer Zimmerdecke wurde also sozusagen der Choral vom großen Baal über jeden Bühnenraum gezogen.

Dieses Jugendstück mit seiner lyrischen Kraft, dramaturgischen Schwäche und moralischen Wurschtigkeit paßt auch wirklich in keinen Innenraum mit einem Deckel darüber. Stubenrein ist es nicht, aber stubendumpf noch weniger.

hgr. Leipziger Tageblatt, 14. 12. 1923

Baal wird geopfert

Bei der Uraufführung von Bertolt Brechts »Baal« im Leipziger Alten Theater waren die Meinungen des Publikums geteilt. Und diese geteilten Meinungen äußerten sich bei offenem Vorhang. Immerhin gab es einen gewaltigen Schlußapplaus und ein Dutzend Hervorrufe. Die zu diesem Kunstereignis nach Leipzig geeilten Führer der Berliner Kritik Alfred Kerr und Herbert Ihering stellten beide im »Berliner Tageblatt« und im »Berliner Börsen-Courier« dem Leipziger Schauspieldirektor *Kronacher* das Zeugnis aus, daß er – ein Vorbild für manche Berliner Bühnen – tapfer dem modernen Drama diene.

Aber im Leipziger Stadtverordnetenkollegium hat man die Intendanz, die gar nichts dafür kann, sowie den verantwortlichen Schauspieldirektor »Baals« wegen ausgescholten, und der Gemischte Theaterausschuß hat beschlossen, den armen »Baal« abzusetzen, zur Verhütung weiteren Skandals. Das war nicht sehr mutig von dem Gemischten Ausschuß, und die Berliner Kritik, die in Deutschland ja immerhin noch nicht die letzte ist, wird ihre günstige Meinung über den modernen

Geist der Theaterstadt Leipzig nun leider ein bißchen revidieren.
Auch den Feinden des »Baal« und der radikalen Jüngsten im allgemeinen geben wir dies zu bedenken: Man spielt im Leipziger Stadttheater jetzt recht oft den »Vetter Eduard«. Niemandem, der es sucht, sei dieses harmlose Vergnügen versagt. Aber es gibt doch auch in Leipzig eine ganze Menge Leute, die junge Dichter, auch wenn sie nicht ganz stubenrein sind, dem Vetter Eduard vorziehen. Soll man die schulmeistern? Sollten Vetter-Eduard-Leute die Zensur über Literaturfreunde haben?
Mitnichten. Es sollen nur beide Parteien an verschiedenen Abenden ins Theater gehen. Wie friedfertig ließe sich's so miteinander leben.
Und die Leipziger Stadtverordneten könnten sich dann dringenderen Geschäften widmen als der literarischen Zensur, für die sie – darf man es aussprechen? – nicht einmal so recht zuständig sind.

Erste Aufführung der Fassung »Lebenslauf des Mannes Baal«. Berlin, Junge Bühne des Deutschen Theaters; 14. 2. 1926

Herbert Ihering. Berliner Börsen-Courier, 15. 2. 1926 [zitiert nach: Herbert Ihering, Von Reinhardt bis Brecht, Band 2, (2. Aufl.), Berlin: Aufbau-Verlag 1961, S. 174–177]

Brecht-Aufführung
Junge Bühne

Um Brechts Frühwerk »Baal« wurde gestern mittag im Deutschen Theater nicht etwa gekämpft, sondern vorbereiteter Skandal gemacht. Indirekt ermutigt durch die Kritiken des Herrn Kerr, der in ähnlichen Fällen den Beifall für Dichter und Werk zu verschweigen pflegt, um schadenfroh auf Pfiffe und Zwischenrufe hinzuweisen, glaubten skandalsüchtige Theaterbesucher die Pflicht zu haben, sich zu entfesseln.

Es gab einst eine Kritik, die das Publikum zu führen suchte. Heute stellt sie sich unter das Publikum. Herr Kerr schnüffelt sogar neuerdings nach »Schweinereien«, nicht etwa in Boulevardstücken, nicht etwa in seinen eigenen hanebüchenen, dumm-dreisten »Caprichos«, sondern bei Bronnen, und fördert so die Wiedereinführung der Zensur. Beim »Baal« machte Herr Kerr sogar einige geglückte Versuche, höchst persönlich durch provozierendes Lachen und Reden die Vorstellung zu stören.
Es ist von fast gespenstischer Komik, sich mit solchen Kindereien überhaupt auseinandersetzen zu müssen – wo es um andere Dinge geht. Aber heute werden die Werke verstellt durch Eitelkeiten, Nebengezänke, privaten Egoismus. Der wegzuräumende Schutt ist ungeheuer. Daß Brecht ein Dichter ist – im Grunde zweifelt niemand daran. Aber Prestigefragen stehen höher als die Interessen des deutschen Theaters. Welcher Wurf ist »Baal«! Baal, der Vergeuder, der Fresser, der Säufer; Baal, der die Frauen nimmt und wegwirft; Baal, der sich aufbläht und verfault; Baal, der alles benutzt, alles einschlingt, alles mitnimmt, was seinen Weg kreuzt; Baal, der das Leben aufsaugt, der seine Wurzel in alles senkt: in Aas, in Gemeinheit, in Empfindsamkeit, und doch unfruchtbar bleibt; die verschlingende Kraft, die nicht schöpferisch wird, üppig und doch nicht zeugend, Baal, entgeistert und angeekelt von der schwangeren Frau. Baal, der doch Himmel und Sterne, Luft und Licht über sich und Wald und die ewige Fruchtbarkeit der Natur um sich hat.
Brecht selbst ist über dieses Stück längst hinaus. Aber die dichterische Kraft, mit der Häßlichkeit und Verwesung in den Ablauf der Natur gestellt sind, wirkt auch heute noch. »Baal« ist ein Stück der losen Szenen. Im Fragmentarischen liegt sein Reiz. Es ist kaum faßlich, daß ein Dichter, der so begann, der den »Baal« vor den »Trommeln«, vor dem »Dickicht«, vor dem »Eduard«, vor »Mann ist Mann« schreibt, nicht gefördert wird. Daß das »Dickicht« heute noch nicht gedruckt ist, die Balladen heute noch nicht herausgegeben sind, daß »Mann ist Mann« nicht längst aufgeführt wurde. Man verlangt fertige Dramen – aber wie soll ein Dichter sich entwickeln, wenn man von ihm am Beginn schon das Ende verlangt? Man verlangt einen eigenen Ton – aber wo ist er,

trotz Anregungen, die jeder fruchtbare Mensch aufnimmt (nur der sterile schließt sich ab), wo ist er faszinierender als im Choral vom großen Baal, als in der Sprache dieser dramatischen Szenen.
Wenn ein Werk, über das ein Dichter durch neue Stücke hinweggekommen ist, um Jahre zu spät und vom Dichter selbst aufgeführt wird, so drängen sich zwischen den Dichter und das frühe Stück seine neuen Werke. Das war auch an der Überarbeitung des »Baal« zu erkennen. Er ist jetzt eine dramatische Biographie geworden, durch Szenenansagen auf Tatsachengehalt gestellt. Personen sind durchgeführt, die früher nur Nebenbedeutung hatten, wie Emilie Mäch. Kontraste sind hineingebracht, die sonst kaum angedeutet waren, wie das Auftauchen der Riesenstädte, das Nahen einer eisernen, steinernen, mathematischen Zeit hinter der versinkenden Naturwelt des »Baal«. Das Werk ist so vielfach überzeichnet. Brecht hat es von seinem gegenwärtigen Standpunkt inszeniert, für ein Theater, das es noch nicht gibt. Brecht hatte schon seit Jahren die Idee eines Rauchtheaters. Eines einfachen Theaters, wo die Zuschauer rauchen und trinken wie im Varieté. Für dieses Theater paßt die Technik der Szenenansage. Man ist anders eingestellt. Man läßt sich nicht seelische Komplikationen, sondern dramatische Tatbestände vorführen, einfach, naiv und primitiv. Es kann ein Weg sein, unter vielen anderen, die das Publikum, die ein anderes Publikum ins Theater führen.
Die Vorstellung war in der Anlage großartig. Zwischen den einfachen Wanddekorationen von *Caspar Neher* wurde sachlich gespielt. Zuletzt fehlte die Zusammenfassung, die Straffung durch Striche und Tempo. Weil bei den Schwierigkeiten, die einer solchen Sonderaufführung begegnen, nicht zusammenhängend probiert werden konnte? Aber *Paul Bildt* als Baals Freund Ekart gab in Maske, Haltung, Blick und Sprache den Ton, die Atmosphäre des Stückes vollendet wieder. Wer *Bildt* oft in konventionellen Stücken konventionell gesehen hat, weiß, daß sich hier Dichter und Darsteller gefunden haben. Ausgezeichnet und von einer ungewohnten Eindringlichkeit bei aller Einfachheit *Hanns Heinrich von Twardowski* als Johannes und Ansager. Überraschend gut, wenigstens zum Schluß, *Sybille Binder* als verwüstete Emilie.

Sollten ihre Aufgaben auf anderen Gebieten als der Salonrolle liegen? In der stummen Bewegung (nicht beim Sprechen) sehr fein *Blandine Ebinger;* gehalten *Gerda Müller* als Sophie; eindringlich *Helene Weigel.* Zeichnerisch gut *Margo Lion* als Soubrette; witzig im Anfang *Kurt Gerron* als Mäch.
Den Baal spielte *Oskar Homolka* bewundernswert in allen vitalen, humoristischen und zynischen Möglichkeiten. Was ihm fehlt, was aber für den Baal nötig bleibt, ist Magie. Gerade was über Baal ist: Luft, Sterne, Himmel, gibt *Homolka* nicht. Er bleibt im Privattypus befangen. Technisch drückt sich das in mangelnder Sprachbehandlung aus. Brechts Wirkung kommt vom Wort her. *Homolka* wird leicht nicht nur akustisch undeutlich, sondern auch ausdrucksmäßig unklar. Man versteht das Ziel einer Szene nicht mehr.
Es war trotz allem ein Ereignis. Dieser Mittag der Jungen Bühne wird ihrem Leiter *Seeler* nicht vergessen werden.

Alfred Kerr. Berliner Tageblatt, 15. 2. 1926, Abendausgabe

Bertolt Brecht: »Baal«
»Die junge Bühne«. Deutsches Theater

I.
Ein matter Vormittag. (»Tödlich graute mir der Morgen«, beginnt ein Lied von Hugo Wolf.)
Als im letzten Bild jemand Herrn Baal zurief: »Wer interessiert sich für dich!«, stimmte das Haus mit Gelächter bei.
Jemand sagt Baals Ende vorher. Im Hause: Bravo.
Der Unterschied zwischen dem Leipziger Theaterskandal und dem gestrigen in Berlin liegt etwa darin, daß in Leipzig mehr Widerstand, in Berlin mehr beruhigter Ulk herrschte.
Was über die Epigonenarbeit zu sagen blieb, ist hier vor zwei Jahren gesagt worden. Es war nun die dritte Begegnung. 1918 im Manuskript. 1923 in Leipzig. 1926 in der »Jungen Bühne« – mit welcher das Ganze so wenig zu tun hat wie mit der Gegenwart.
Es dient als Merkmal, was in der Zeit geschaffen wird; nicht, was aus der Zeit geschaffen ist. (Man lebt nicht im Heut, weil man heute schreibt.) Vorläufig nicht mehr Baal.

II.

Dabei tat Brecht nun selber, was die Kritik ihm vorgemacht: er hat sein Werkchen etwas verspottet. Sogar seine Lober darin angeulkt.

Aber was nützt es, wenn ein Inhalt und eine Potenz hier mangeln?

Ja, was tut ein heutiger Mensch mit dieser Gestalt in der Mitte, wofür etwa die Unterschrift paßt: »Übles Tun und Bestrafung eines rücksichtslosen Burschen.« Selbst wenn das nun schon in der Form eines Bilderbogens vorliegt! Selbst wenn, wenn, wenn der Autor es von sich abrückt. Damit kommt noch nichts hinein – falls der Zeichner des Bilderbogens es nicht im Handgelenk hat.

(Daß er sein Werk in halb spaßiges Licht setzt, ist eine Ausflucht. Noch keine Leistung.)

III.

Herr Baal nimmt immer noch einem Fabrikanten die Frau, einem Freunde die Braut weg, rafft (in Leipzig) zwei junge Schwestern gemeinsam übers Lager (in Berlin fallen die gleichzeitigen Schwestern fort), hält sich hernach an einen männlichen Begleiter, lebt mit ihm und einer geschwängerten Sophie, verläßt diese samt ihrem Kind im Leib auf der Landstraße, mordet jenen Genossen, stiehlt zwischendurch einem Toten den Branntwein – und stirbt in einem Bretterbau.

Sobald man sich damit einverstanden erklärt hat, fragt man: »Und –?« Keine Antwort.

Es kommt nämlich auf die Art an. Die Art ist krafthuberisch, aber matt. Es empfiehlt sich, das Wort »Bilderbogen«, das Wort »Ballade« gefurchten Antlitzes in der Verlegenheit hinzuschreiben – damit ist aber nichts wettgemacht. Es muß halt ein guter Bilderbogen, es muß halt eine gute Ballade sein ...

IV.

Der Bearbeiter Brecht hat für Berlin die frühere Luftstimmung fast unterdrückt; Wetterbetrachtungen gekappt. Er läßt vor jedem Bild einen »Ansager« (im dinner jacket) an die Rampe treten, welcher die Ironie der Hörer vorwegnehmen soll. Auch das mißlingt. Die Zuschauer ulken sogar über den versuchten Ulk.

V.
Der Held, Herr Baal, soll stark sein – und Herr *Homolka* ist fett.
Er ähnelt hier, im Äußeren und im Laut, einem wienerisch-polnischen Zahlkellner. Solches mehrt an dem Stück, das nicht problemhaltig ist, das Problematische.
VI.
Der Schauspieler *Bildt* wiederholt eine frühere Leistung: den grotesk-fragwürdigen Gentleman.
Sybille Binder, im Schmerz ein bißchen ohne Versenkung, oder *Blandine Ebinger*, in der Knospigkeit prachtvoll, oder *Gerda Müller*, im Dasitzen und Blicken für das Werk völlig ausreichend, helfen der zuglosen Regie des Verfassers nicht auf die Beine. Brecht ist eine berufsmäßige Hoffnung.
VII.
Tödlich graute mir der Morgen.

Paul Fechter. Deutsche Allgemeine Zeitung, 16. 2. 1926

Bert Brecht: »Baal«
Matinee der Jungen Bühne

Es ging ganz munter zu bei dieser dramatischen Biographie, wie Brecht diese Szenenfolge nennt. Die ersten vier, fünf Bilder nahm das Publikum ohne Aufregung hin: dann setzte leise, gemütvoll flötend der Protest ein. Und nach der sechsten Szene, in der »Baal zum letztenmal Geld verdient«, ging das Flöten in Sturm über! In Geheul, Gebrüll und Trillerpfeifen, also daß es beinahe zweifelhaft schien, ob die Sache würde zu Ende gespielt werden können. Aber man beruhigte sich wieder, pfiff, klatschte, schrie weiter und ermattete langsam. Am Schluß mußte der Beifall erst durch die Pfeifer neu angefacht werden. Dann allerdings wurde er demonstrativ.
Das Thema der Komödie rechtfertigte beides und rechtfertigte beides nicht. Baal gibt in vierzehn Bildern die dramatische Biographie eines Dichters – mit Zügen des Autors, und zwar mit geliebten und gehaßten zugleich. Sie beginnt mit Baals erstem Auftreten als Lyriker, schwerer Erfolg, Verleger-

anträge, Liebe der Gattin des Verlegers – und endet mit seinem verlassenen Sterben im Schwarzwald, in einer Holzfällerbude. Dazwischen liegt Abstieg, nach der Meinung des Autors durch alle Abgründe des Lebens: Baal, der seinen Götzennamen nicht ohne Absicht trägt, singt vor Chauffeuren in einer Kneipe seine Lieder, mißbraucht seine Macht über Frauen – was sich darin offenbart, daß er die Verlegersgattin zwingt, Schnaps zu trinken und einen fremden Chauffeur zu küssen. Er verführt ein Minderjähriges, nimmt mit Lustmordgelüsten eine Dirne zu sich, die er, als sie ein Kind von ihm trägt, wieder verläßt; er erscheint mit seinen Balladen in einem wilden Kabarett und brennt in seiner Sehnsucht nach der Erfindung einer bösen Tat auch hier durch. Er wandert durch die Welt und kommt schließlich zu dem tief gewünschten Ziel seiner Tat; er ermordet seinen Freund, Musiker, Mischung aus homosexuellem Genossen und realisiertem besserem Ich Baals, flieht und stirbt schließlich allein und verlassen, mit dem letzten Blick zu den Sternen hinauf an der Tür der Hütte, im nächtlichen Walde. Ein Ansager verkündet vor jedem Bild die Überschrift und ironisch den ernsthaften Sinn des Kapitels.

Der Held dieser vierzehn Bilder ist ein Gemisch – halb Selbstporträt des Autors, halb Objekt, an dem er seinen Haß gegen die eigene arme Seele und gegen das eigene Tun auswirkt. Er ist von zwei Seiten gesehen – und man begreift den Zwiespalt der Zuschauer vor diesem Gebilde und seinem Autor. Der Mensch, der diese Gestalt hinstellte, hat den dichterischen Blick auf die Welt mitbekommen – aber zugleich eine traurige, banale und leere Seele. Die da klatschen, sehen (vielleicht) den Dichter, das Stückchen menschlicher Sehnsucht, die in ihm lebt, vielleicht auch die Restbestände bürgerlicher Literatur, die in diesen Wedekind-Balladen von Baals Taten, in diesem Melodrama von der Nichtigkeit des Daseins da und dort Gestalt werden. Die da pfeifen, sehen (vielleicht) den Menschen hinter dem Ganzen – seine magere Armut und die Tatsache, daß er selber nur zu sehr um sie weiß. Die einen halten sich an das Selbstbekennen, das in dieser Szene lebt, an die Versuche einer lyrischen, gedrückten Seele, durch Selbstdarstellung und Selbstbeschimpfung frei zu werden, die anderen sehen hinter der Trauer um die eigene schicksalhafte

Roheit und Besitzlosigkeit das Banale und Inkonsequente des Unternehmens. Der Zwiespalt in Brecht wird Zwiespalt in den Hörern. Das frierende Kind in der gealterten Landschaft, das da fühlt, daß es zu den letzten gehört, die noch die Ebene draußen sehen, das um die Verlassenheit weiß und weint, und seine Worte wenigstens da und dort aus den Schichten der Seele holt, wo das Leben selbst sie formt – läßt mehr als einmal aufhorchen: der Mensch aber, der über diesem Kind geworden ist, läßt diese Teilnahme nicht Wurzel schlagen. Denn er ist halb und unentschieden, einer, der zu der Welt wohl nein, zu sich selber aber nein und ja sagt, weil er zwischen Selbsterkenntnis und Selbstdekoration, Selbstverneinung und Selbstentschuldigung heillos pendelnd hin- und herschwankt. Über einem Weltgefühlchen, das bei aller Kleinheit echt ist, sitzt ein Kopf und ein Wille, die beide den vom Leben gestellten Aufgaben in keiner Weise gewachsen sind und sich im letzten Grund der eigenen Arbeit (nicht ihres Wertes) schämen.
Wäre Brecht wesentlich, so würde er nämlich aus seinem Leben und seinen Erkenntnissen die Konsequenz Rimbauds ziehen – und aufhören zu dichten. Er weiß ganz genau, daß er ein Loch hat, wo andere ein Herz haben, und daß alles, was zu sagen ist (ich zitiere seine Worte), in einem Satz von mittlerer Länge zu sagen wäre. Er weiß es selbst: daß kein vernünftiges Spiel zusammengeht, wenn man keinen Ernst mehr hat, und macht doch nicht Ernst. Er ist, wie er selber sagt, im Kopf nicht eben stark: so formuliert er Weisheiten wie diese, daß der Planet eine Niete und die Welt gar nichts sei, sie alle aber Tiere, verkommene Tiere – statt daß er den Strich unter alles zieht und das Dichten endgültig aufgibt. Es hat schon einen heillos guten Sinn, daß Brecht Rimbaud so sehr liebt, daß er ihn wenigstens energisch zitiert. Er fühlt die heimliche Verpflichtung zur gleichen Konsequenz, d. h. zum Schweigen – und weicht ihr durch literarische Benutzung aus. Also daß auch der Gutwillige am Ende die Diskussion aufgibt.
Man sagt das nicht gerne, weil in diesem Menschen trotz allem etwas Dichterisches lebt, ein dunkles Gefühl für das Verlorensein in einer Welt, deren er nicht Herr werden kann, die einen Ernst verlangt, den er nicht mehr aufzubringen vermag – und dem er mit der Pose des Schnapses und der

normalen wie der verdrehten Erotik auszuweichen versucht. Ein armer trübseliger Kerl, mit dem man Mitleid hat, weil man seine innere Angst spürt, markiert Sachlichkeit und redet von einer neuen Glücksepoche, die die Menschheit sich anschickt anzutreten. Ein Opfer der verworrenen Tage um die Kriegswende berauscht sich an der alten Conradiphrase vom Zugrundegehen – und spürt nicht, wie sehr ihn das Theater des Lebens im Genick hat, obwohl in ihm ein Quentchen Substanz sitzt, das wohl hinreichen könnte, das Theater vom Sein, den Schwindel vom wenn auch kümmerlich Echten zu sondern. Gemessen an seinem Genossen Bronnen ist Brecht ein Riese an Seelenbesitz; gemessen an irgendeinem armen Schächer, der sich nicht selbst um sein bißchen Besitz gebracht hat, ist er ein armer Gesell, den man eigentlich bemitleidet, wenn er wesenlos im Durcheinander von Beifall und Protest auf der Bühne erscheint. Es bleibt einem nicht viel anderes übrig, wenn man sich selbst nicht gar zu komisch vorkommen soll, daß man hier eine ernsthafte Diskussion aufnimmt. Denn man darf das nicht vergessen, daß Frank Wedekind schon vor Jahren gewesen ist – und daß Schnaps, Huren und das lustige Theater der kühlen Phrase als Begabungsbeweise nicht recht überzeugen. Die Angst im Leben und vor dem Leben ist echt; aber so leicht, wie sich die Herren von Dix bis Brecht und Bronnen vorstellen, ist die Sachlichkeit, die wir alle wollen und bejahen, denn doch noch nicht.

Die Aufführung unter Brechts eigener Regie war zum Teil ausgezeichnet, begann nur zu spät und wurde zum Schluß immer zäher und schleppender. Sie hatte zuweilen das Halbwirklich-Melancholische, das Brechts eigenster Ton ist, und war in einzelnen Szenen, wie der des Mordes, sehr stark gegliedert und gestrafft. Baal war Herr *Homolka.* Unheimlich in einzelnen stummen Momenten, wie anfangs am Büfett, beim dauernden Essen, dann im Schweigen vor dem Mord, in der zwecklosen Roheit gegenüber der Frau: zum Schluß notwendig im Theater verblassend. Es entstand kein Mensch, aber es entstand ein Sprachrohr Brechts, und die feiste Vitalität des Schauspielers lieh freigebig der mageren des Autors. Würde Herr *Homolka* noch verständlicher sprechen lernen, er hätte das Zeug zu einem Konkurrenten Kortners.

Neben ihm eine Reihe von Schemen, die Schauspieler von

Rang zu Menschenskizzen zu machen suchten. Am feinsten die Frau des Verlegers, die noch am meisten Rundung hat – von Fräulein *Binder* sehr schön und echt hingestellt. Ein Menschengespenst sehr eigener Art der *Bildt*, leer und ausgebrannt und von der Schemenhaftigkeit, die Brechts eigentliche Welt ist. Neben beiden Frau *Gerda Müller*, sehr verhalten und dumpf, von einer starken Geschlossenheit, aus den sparsamen Wortgaben des Verfassers einen Menschen machend. Sehr gut und echt Herr *v. Twardowsky* als Johannes Schmidt, in Ton und Beteiligtsein von feinem Stilgefühl; blaß und nett Frau *Ebinger* als Minderjährige. – Die Bühnenbilder von Herrn *Neher* halb Rückwendung zur partiellen Dekoration (in den Schwarzwaldlandschaften nicht ohne Geschick), halb Kombination von Naturalismus mit Raumkasten. Ein direkt Brechtisches Gemisch.

Julius Hart. Der Tag, 16. 2. 1926

»Baal«
Aufführung der »Jungen Bühne« im »Deutschen Theater«

Das übliche Sonntagsmittagstheater. Man geht nicht hin um der Kunst willen, sondern um zu randalieren und zu skandalieren. Alle Ränge und Räume sind drum überfüllt. Wildes Beifallsklatschen, wüstes Pfeifen und Zischen. Schimpfwörter hinüber und herüber. Publikum spielt mit, und wenn auf der Bühne Worte fallen: »Solch Geschwätz interessiert niemanden« und ähnliche, so schreit's Bravo, Hurra und klatscht frenetisch.
Auch Bertolt Brechts dramatische Biographie in 14 Szenen »Baal« macht schon den Eindruck, als sei es fast absichtlich allein um solcher Sonntagsmittagsfreuden und -geräusche willen geschrieben. Wie Amokläufer, Flagellanten, Selbstzerfleischer, Selbstsichkastrierende taumeln unsere jungen Bühnenbramarbasse daher, nur noch von Selbstzerstörungs- und -verwüstungswillen betrunken. Chaos-, Tohuwabohu- und Sintflutkunst. Ganz gewiß: völliger Kollaps jeder alten dreitausendjährigen Dramenkunst, Todesröcheln, Verwesungs

dunst nur noch. Alle Dekadenz- und Fin-de-Siècle-Schreie, die seit vierzig Jahren durch unsere Dichtung gellen, haben ihr höchstes Maß erreicht. Nur ein trübes letztes Prometheuslicht flackert auch noch durch diesen Brechtschen Hexensabbath. Eine Selbsterkenntnis, eine Ironie, ein Hohnlachen, eine Verzweiflung und Tragik des sich selbst mit Geißeln peitschenden Poeten. Er wirft uns sein Werk vor die Füße: »Dreck! Dreck! So sieht sie aus, eure Welt, eure Kultur, eure Kunst.« Leider, leider! Der Dichter selbst ist nur Geschöpf, Sklave, Gebilde, Wesen dieser Dreckwelt, Dreckkultur und Dreckkunst. Er wütet in ihren Fesseln. Er steht nicht über ihnen. Er sieht nichts von neuen besseren Erden. Auch in dieser Brechtschen »Biographie« hallt der Kriegsruf unserer Jüngsten, die das ganze Drama der Vergangenheit bis 1914 mit Stumpf und Stil ausrotten und von ihm nichts mehr wissen wollen. Auch Brecht hat keine Ahnung von dem, was Grund, Ursprung, Wesen und Kern alles bisherigen dramatischen Sehens war. Darüber ist kein Wort zu verlieren. In allem und jedem ist diese »Biographie« schon ein Widerpart zu aller dramatischen Komposition. Doch nur zerschlagen werden die alte Form, der alte Geist – aber mit völlig leeren Händen stehen unsere jungen Nihilisten vor uns und haben nichts – nichts, was sie an deren Stelle zu setzen gedenken.
Wahrhaft »schlotternde Lemuren« sind es nur noch, »aus Bändern, Sehnen und Gebein geflickte Halbnaturen«, die bei Brecht über die Szene nebeln und der dramatischen Kunst das Grab graben. Mit aller Selbstironie und wildem Hohn, ein Verächter seiner selbst, stellt uns Brecht seinen Baal als »Dichter« vor – ein blödes, wüstes kalibanisches kretinartiges Wesen, das auch gleich im Anfang als neues großes Genie entdeckt und umschwärmt, nur säuft, frißt, grunzt und auf die Weiber merkwürdige Anziehungskraft ausübt. Arbeitsfaul verloddert und versinkt er vierzehn Szenen lang immer tiefer im Sumpf, mit ihm die beiden verliebten Frauen, die er den Freunden abspenstig gemacht hat, verdirbt, ins Elend, in den Tod treibt. In der Trunkenheit, merkwürdigerweise sogar in Eifersucht aufkochend, erschlägt er den einzigen guten Freund noch. Auf der Flucht krepiert er schließlich, beschimpft und bespien von rohen Holzfällern, in deren Hütte er eine Zuflucht gefunden.

Ein Drama gewiß nicht. Eine Charakteristik! Brecht hält wohl unserer Zeit und ihren Menschen einen Spiegel entgegen: Tat twam asi! Das bist du! Du Mensch der abgestorbenen Seele, der toten Gefühle, der verdorbenen Empfindungen, Mensch ohne Geist und Hirn – Tier du. Amokläufer! Selbstzerstörer! Wer könnte leugnen, daß aus Stimmungen, düsteren Visionen, Schreckbildern, Gleichnissen, Symbolen, Aufschreien der menschlichen Kreatur auch eine Dichterzunge zu uns spricht? Wer sieht nicht in Bertolt Brecht auch einen Könner?
Leider, leider jedoch ist seine Kunst nur ein Spiegelbild dieser entseelten Kultur. Im besten Fall Wirklichkeitsdarstellung. Wenn Brecht dieser unserer Jammerwelt und ihrem Jammermenschen einen Spiegel entgegenhält, so reflektiert in seinem Glase auch nur die Totenmaske unserer jüngsten Kunst. Sieht er nicht, daß diese Kunst gerade dort aufhört, wo die echte, wahre Urkunst eben erst beginnt? Daß sie nicht Zustandsschilderung nur, sondern notwendig auch Entwicklung geben muß. Dem Bild das Gegenbild entgegenstellt – aus der Wirklichkeit das Ideal erwachsen läßt – erwachsen lassen muß? Tut sie das nicht, so ist und kann die Kunst nur Lemure sein und dramatisch impotent.
Zurzeit wiederholt es sich immer wieder: die Schauspieler müssen den Dichter retten. Auch Bertolt Brecht, der Spielleiter, tat für diesen alles Gute und griff ihm kräftig unter die Arme. *Oskar Homolkas* Baal war eine Gestalt, aus dem Innersten geschaut und gepackt, von Saft und Fülle des Lebens, voller Schärfen der Charakteristik, phantasiereich – roh und hart, schwammig und lemurisch, ein feister Dichter-Falstaff, grotesk und kalibanisch. *Sybille Binder* und *Gerda Müller* gaben die Zwillingsgestalten der in den Armen des Dichters von Damen zu Dirnen Herabsinkenden, mit hellen persönlich-individuellen Kräften gegeneinander abhebend und kontrastierend, beide stark, elementar – und *Blandine Ebinger* als drittes Baalopfer war die rührende, ergreifendste, seelisch-innerlichste Gestalt. *Paul Bildt* gab in den getreuen Ekart alles hinein, was sich hineingeben ließ; es war nicht seine Schuld, daß gerade diese Figur, die am schärfsten herausgearbeitet werden mußte, am dunstigsten blieb. Am lebendigsten aber wird mir wohl immer in der Erinnerung fortleben *Margo Lions* köstliche Soubrettentänzerin überle-

gensten Witzes und Humors, die Brotkunst, Berufs- und Sklavenkunst spielte, pomadig, wurstig, stumpfsinnig: Rutscht mir alle den Buckel entlang. Ein lebendiges Zusammenspiel Zahlloser auf der Szene, jeder tüchtig, und höchst gelungene Bühnenbilder von *C. Neher*, witzige Konterfeis des Geistes, der in dieser dramatischen Biographie quinquiliert.

Monty Jacobs. Vossische Zeitung, 16. 2. 1926 [aus den Beständen des Instituts für Zeitungsforschung der Stadt Dortmund]

Bertolt Brechts »Baal«
Aufführung der »Jungen Bühne«

Es gibt Leute von so unaufhaltsamer Beredsamkeit, daß sie sich im Theater nicht wohl fühlen können. Es wurmt sie, daß sie dort stumm den sprechenden Schauspielern zuhören müssen. Ihnen seien die Aufführungen der »Jungen Bühne« empfohlen. Denn in den Sonntags-Matineen dieser Vereinigung hat sich allmählich eine Gleichberechtigung des Publikums und der Darsteller im Mitreden herausgebildet.
So muß der Kritiker die Sopranstimme aus dem zweiten Rang wegen der deutlichen Textbehandlung rühmen, mit der sie in der Finsternis des Zwischenaktes, von Pfeifern umlärmt, ausrief: »Schmeißt doch den Kerl hinaus!« Ein Bassist aus dem Parkett aber fand den einmütigen Applaus des Hauses für seine Stimmleistung an die gleiche Adresse: »Sie sind ja gar nicht entrüstet, Sie tun ja nur so!«
Weshalb war eine kleine, aber geräuschvolle Minorität der Zuschauer gestern entrüstet? Weil Bertolt Brechts Erstlingswerk eine Ballade mit dem Refrain eines Gassenhauers ist und weil ihre Ohren nur ausreichten, um den Gassenhauer zu vernehmen.
Brechts »Baal«, die Herzenserleichterung eines Zwanzigjährigen, ist das Lied vom Untergang eines Vollmenschen. Wunschträume der Jugend verdichten sich zu dieser Figur. Baal reißt die Menschen mit seinen Versen hin, säuft maßlos,

ohne trunken zu werden, und alle Frauen laufen ihm zu, um seiner harten Faust hörig zu werden. Dem reichen Unternehmer, der seine Lyrik drucken will, nimmt er die Ehefrau fort, halbflügge und reife Mädchen fallen ihm zu, selbst der Beruf eines Bänkelsängers seiner Lieder im Kabarett ist ihm noch zu bürgerlich. Er bricht aus, durchläuft als Landstreicher die Wälder, ersticht seinen Wanderkameraden aus Eifersucht, weil er eine Frau umarmt hat, und verreckt einsam in einem Waldschuppen.
In diesem Liede hämmern die Pulse heftig, Katzenjammer packt die Seelen, aber der große Rausch bleibt wenigstens nicht aus. Ein Chaos von ausgebrannten Wünschen, von junger Verzweiflung, von enttäuschter Hoffnung – das ist nach dem Vorrecht des Zwanzigjährigen Brechts Welt. Eine Welt, aus der alle Melancholie der frühen Jahre strömt, aber auch Saft und Fülle einer überströmenden Lyrik. Baal, der Balladendichter, wird selbst zur Ballade, der Märtyrer einer chaotischen Welt wird selbst zum Chaos.
Diese Jugend wäre unerträglich, wenn sie sich beweinen wollte. Aber wie der Soldat in den »Trommeln der Nacht« geht auch Baal, ein Harter, ein Unbekümmerter, ohne Wehleidigkeit seinen Weg. Sein Schritt setzt der Ballade dramatische Akzente. Das Gefühl mag sich auflehnen, wenn er Frauen brutalisiert, wenn Schnapsdünste die Bühne umwölken. Aber die Aufmerksamkeit bleibt Baal, dem Menschenchaos, treu. Ihm und den Stimmen der Nacht, des Waldes, der Einsamkeit, die der Lyriker Brecht klingen läßt.

Die Nervenzarten lärmten gestern los, als der Flüchtling Baal aus einem Abort entsprang. Wenn sie das Buch lesen wollten, so würden sie über viel schwerere Steine des Anstoßes stolpern. Für die Ohren der Unbefangenen, die Brecht am Schlusse vor den Vorhang riefen, war dagegen die große Schmerzensballade der Jugend nicht stumm geblieben. Es ist die Ballade von der Schwermut des Schicksals, das Menschen vor die Hunde gehen läßt. Dieses Schicksal tönt deutlich genug aus der Melodie des Ganzen. Aber Brecht hat sein Drama, in der Naivität des Anfängers, auch noch obendrein von seiner besten Kunst, vom Bänkelsang, segnen lassen.

Als im weißen Mutterschoße aufwuchs Baal,
War der Himmel schon so groß und still und fahl,
Jung und nackt und ungeheuer wundersam,
Wie ihn Baal dann liebte, als Baal kam.

Der Schöpfer dieser Lieder hätte von einem Tumult verschont bleiben müssen, der sein Werk, wie bei der Leipziger Uraufführung, auch gestern in Berlin umtobte.

Selbst für den böswilligen Zuschauer muß es schwer sein, sich dem schwermütigen Reize zu entziehen, den, durch alle Brutalität hindurch, das Chaos dieses Werkes ausströmt. Aber es wird nun, da unsere neuen Dramatiker nicht mehr zwanzig Jahre alt sind, Zeit, daß das Chaos sich lichtet. Dürfen wir darauf hoffen? Der unverzagte Leiter der »Jungen Bühne«, *Dr. Seeler,* scheint im Augenblick keinen Fiduz zu einer bejahenden Antwort aufzubringen. Sonst würde er uns nicht, rückwärts gewandt, in diesem Winter Bronnens und Brechts Erstlingswerke spielen lassen.

In der Zeitschrift »Die Scene« hat Brecht eben erst vom Urbilde seines Baal, von einem heruntergekommenen Augsburger Monteur, erzählt. Als Regisseur seines Werkes hatte er die Marotte, diese Wirklichkeitselemente zu betonen. So hieß das Drama auf dem Zettel eine »dramatische Biographie«. So mußte der Schauspieler *Twardowski* als Ansager vor jeder Szene die einzelnen Stationen des Passionsweges nach Ort und Jahreszahl bestimmen. Seine Miene eines von Pfeilen gespickten Sankt Sebastian schien in ihrer stillen Noblesse den Publikumsaufruhr zu richten, in den er sich immer wieder hineinstellen mußte.

Sonst aber half der Regisseur Brecht dem Dichter Brecht mit Erfolg. *Nehers* Bühnenbilder, sparsame und doch nicht ablenkende Andeutungen vor einem Stadtprospekt mit Münchens Frauentürmen, förderten die Schnelligkeit der Verwandlung. Für Baal hatte Brecht den Darsteller *Oskar Homolka* ausgewählt. Nach seinem Abenteuer bei der Aiglon-Premiere muß die Standhaftigkeit gerühmt werden, die ihn hier, bei einer Rolle mit so ausgiebigem Konsum scharfer Spirituosen, aufrecht hielt. Dieser rechteckige Mensch mit rechteckigem Kopf, feist, herrisch, verschlagen, mit Schlitzaugen, die im Jähzorn tückisch funkeln, ist der Interpret des

Gassenhauers in Baal. Wie Peitschenknall jagt er Worte und Verse aus dem Munde. Aber nur für den Gassenhauer reicht sein Gehör aus. Die Ballade, der Choral von Baal bleibt in *Homolkas* Mund ungesungen. Sein versoffener Musikclown, der die Weiber kuranzt, ist nur eine kleine Welt aus dem Chaos der enttäuschten Wünsche, der Jugend.
Diesem Baal fehlte nun einmal jener Schuß Phantastik, der *Paul Bildts* Wanderkameraden so gespenstig schimmern ließ. Ergreifend und ungewöhnlich wirksam *Blandine Ebingers* junges Mädel, dumpf und erschütternd *Gerda Müllers* Märtyrerin, glücklich *Sybille Binder* im Wagnis einer von allen Giften zerrütteten Frau. Noch in kleinen Rollen Künstler wie *Helene Weigel* und *Leonard Steckel* – das bedeutet, daß wie stets in den Aufführungen der »Jungen Bühne« Niveau gehalten wurde.
Ihr Wagemut sichert dem jungen Drama die Hilfe, die ihm die Theater in ihrer Not versagen müssen. Das Instrument ist da. Nun heißt es die würdigen Spieler finden.

Ernst Heilborn. Frankfurter Zeitung, 17. 2. 1926, Abendblatt [aus den Beständen des Instituts für Zeitungsforschung der Stadt Dortmund]

»Baal« von Bert Brecht
Die Junge Bühne im Deutschen Theater: »Baal«. Dramatische Biographie von Bert Brecht (14 Szenen)

Bert Brechts »Baal« wurde bei seiner Berliner Erstaufführung durch die »Junge Bühne« im Deutschen Theater mit dem nachgerade traditionell gewordenen Theaterskandal aufgenommen. Die Übung wird auch da verräterisch. Denn wie man in einem Gespenst, das allabendlich wiederkehrt, allmählich die verliebte Magd oder den wütigen Hausknecht entlarvt, so überzeugt man sich mittlerweile bei diesen Temperamentsausbrüchen einer sonst reichlich temperamentslosen Zuhörerschaft, daß es vorbedachte Arbeit ist. Gleichviel wie die Aufführung ausfallen mag, die einen sind von Hause aus weggegangen mit der Absicht, ihren Beifall, die andern, ihr

gründliches Mißbehagen zu dokumentieren. Und schließlich sind es Dritte, Unsichtbare, die zu derartigen Konzerten die Noten geschrieben haben.
Solche Noten, drollig, sich das zu sagen, schreibe also auch ich jetzt.
Die Aufführung ließ, bis auf Verschleppung des Tempos, nicht viel zu wünschen übrig. Herr *Homolka* gab den Baal höchst eindrucksam: ein fetter, brutaler Bursche mit dem göttlichen Kehrmichnichtdran. Nur merkwürdig: während diese Figur auf der Bühne stand, suchte man beständig in Gedanken danach, ob nicht eine ganz andere Verkörperung: bleicher Gesell mit fahrigen Bewegungen und zuckenden Gliedern, mehr am Platze wäre. Und damit steht man bereits im Mittelpunkt der kritischen Bedenken: die Charakteristik der Hauptgestalt reicht nicht aus, ihr augenfällige Erscheinung zu geben. Sie mag so ausschauen oder auch anders; da Bert Brecht selbst Regie geführt hatte, wird das »so« wohl nach seinen Intentionen sein; dabei mag man sich beruhigen. Ganz hervorragende und darstellerische Leistungen boten die Damen *Gerda Müller* und *Sybille Binder*; letztere zumal; sie löste sich irgendwie von der Wirklichkeit los; wurde darin aber noch von Herrn *Bildt* übertroffen: die Figur, die er lebendig hinstellte, war nicht aus irgendwelchem Mutterleib auf diese Welt spaziert, sondern von der Leinwand eines elegischen Karikaturisten herabgestiegen; sie war gemalt und – lebte.
Baal ist Kabarettsänger, Weibergenüßling, Zuhälter, Mörder. Aber indem ich sage, er »ist« das, lüge ich. Wahrheitsgemäß müßte es heißen: all das passiert ihm. Er ist wie eine Leimrute, die sich Gott der Herr an einem heißen Tag gekauft hat und auf die sich nun die Fliegen der Taten und der Worte setzen. Wenn das eine neue Dramaturgie bedeutet, so keine glückliche. Denn bühnengemäß interessiert alles, was der Baal tut, den Mord am Freund und die Brutalitäten an Frauen mitinbegriffen, in keiner Weise. Schon deshalb nicht, weil man den ganzen Kerl, die ganzen Vorkommnisse nicht – glaubt. Der »Baal« ist in der Retorte des Experiments stekkengeblieben. Er ist ein Achtmonatsbühnenkind.
Dem verschlägt es nichts, daß man artistisch seine Freude daran haben kann. Die Farben sind deftig und doch flockig ge-

setzt. Die Sache hat (wenn auch kein Leben) so doch Schmiß. Hier steht man literarisch einer Atelierangelegenheit gegenüber, und wenn die Frage nachgerade nicht so überaus alltäglich geworden wäre, ließe sich über Brechts »Talent« ein gefälliges Pro und Contra inszenieren. Wer Sinn für den lebendigen Nero, den zuckenden, hat, stutzt an einer Stelle dieser »dramatischen Biographie«: Baal hat wieder einmal ein Mädchen heimgeschleppt, und angesichts ihrer packt's ihn, und er stößt sein Messer einem nackigten Frauenbild, das er an die Wand gemalt hat, in den Leib. Daraus hätte sich im Hinblick auf den späteren, unvorbereiteten, eruptiven Mord am Freunde etwas machen lassen; aber es ist nicht gemacht.
Kabarettsänger, Weiberverbraucher, Mörder – Baal und sein Freund Ekart sind daneben noch etwas anderes: Weltbummler. Darin sehe ich die Eigenart dieses Stücks: die Figuren haben (trotzdem sie selber nicht leben) Hintergrund. Es raunt um sie. Sie werfen weiten Schatten. Und manchmal ist es, als wären da Echoklänge, die von weit her kämen, und dann meint man, hinter all dem Fratzen- und Spukwesen eine Welt zu ahnen, in der alles gesetzlich so festgelegt ist, wie es sich hier gesetzlos gebärdet. Mit solcher Ahnung – denn mehr ist es nicht – steht man aber wieder vor der Talentfrage. Und ich weiß nicht, warum ich die beantworten soll. Das ist doch Bert Brechts Sache.

Hans Henny Jahnn. Sinn und Form, Zweites Sonderheft Bertolt Brecht, 1957, S. 424 f.

Vom armen B. B.

[...]
Er [Brecht] war nicht bequem. Wir hatten einander kennengelernt, als er, gemeinsam mit Arnolt Bronnen, mein erstes Drama, den »Pastor Ephraim Magnus«, für »DAS Theater« Joe Lhermanns inszenierte. Ich kam aus Hamburg zu den letzten Proben. Ich erkannte mein Stück nicht wieder. Es war leider auch kein Brechtsches Stück daraus geworden. Stundenlange Diskussionen bis zur Feindschaft. Das Publikum,

das dann die Vorgänge auf der Bühne sah, begriff weder Handlung noch Tendenz (glücklicherweise). Es ging schweigend hinaus, einzig davon überrascht, daß das Drama zu Ende war. Kein Pfiff wurde hörbar, keine Hand rührte sich. Das Theater mußte Konkurs beantragen. Eine sonderbare Station in der Geschichte der deutschen Bühne.

Ganz anderer Art war die Aufführung des »Baal« in Berlin. Wieder kam ich aus der »Provinz« Hamburg herbeigereist. Als ich die für mich bereitgelegte Eintrittskarte an der Kasse erbat, beschimpfte mich ein Mann in ungehöriger Weise. Es war der Theaterleiter, der, als ich zaghaft erklärte, wer ich sei, woher ich gekommen, mir einen Stuhl in den überfüllten Zuschauerraum stellen ließ. Die Aufführung begann mit großer Verspätung. Der Raum war mit Spannung und Ungeduld geladen, geradezu vergiftet. Es war heiß. Es war unnatürlich. Irgendwann, ich glaube, es war nach dem Gesang Orges: »Der liebste Ort, den er auf Erden hab / Sei nicht die Rasenbank am Elterngrab«, brach der Tumult aus. Baal war abgetreten, die Chansonette war allein auf der Bühne. Man pfiff, schrie, heulte, klatschte, im Zuschauerraum. Die Schauspielerin schwang sich aufs Klavier, bearbeitete mit den Füßen die Tasten und sang dazu: »Allons, enfants de la patrie!« Der Lärm wurde ungeheuer. Ich glaubte, eine Panik werde ausbrechen. Ich war eben aus der Provinz, der Berliner Premieren ungewohnt, und saß gefährdet im Gang auf einem beweglichen Stuhl. Aber es blieb bei diesem ohrenbetäubenden Lärm, und er hielt an, bis die Urheber davon erschöpft waren. Es trat plötzlich vollkommene Stille ein, und darin hörte man von irgendeinem der Ränge herunter die Worte: »Sie sind ja gar nicht entrüstet, Sie tun nur so ...« Es folgte das Geräusch einer nicht lautlosen Ohrfeige. Applaus setzte ein, steigerte sich, und das Stück auf der Bühne ging weiter.

[...]

»Lebenslauf des Mannes Baal«. Wien, Theater des Neuen im Theater in der Josefstadt; 21. 3. 1926

Oskar Maurus Fontana. Berliner Börsen-Courier, 25. 3. 1926

Brechts »Baal« in Wien

Das Josefstädter Theater eröffnete ein Sonntag-Vormittag-Unternehmen, »Theater des Neuen« genannt, mit Bertolt Brechts »Baal«. Zuvor gab es wie immer bei Reinhardt eine prologische Szene. Nett, mit kleinen Einfällen, mit graziöser Skepsis, mit gut erzogener Vorlautheit, die zum Zynismus ebenso weit hat wie zur Schüchternheit. Dies Bekenntnis eines Glaubenslosen, der vor dem Neuen den Hut zieht, ist aber gerade vor dem »Theater des Neuen« eine Peinlichkeit, um so peinlicher, je frohgelaunter, je weltmännischer es sich gibt. Entweder man glaubt an das, was man tut, dann ist jedes Witzeln unmöglich. Oder man glaubt nicht, dann wird das Segeln nach der Konjunktur auch durch geistreichelnd überlegenes »Laßt den Dingen ihren Lauf« nicht entschuldigt. Man kann auch vor zuviel Geschmack geschmacklos werden.
Gegeben wurde Brechts »Baal« in der neuen Fassung, die schweifendem, den Unendlichkeiten hingegebenem Gefühl stärkere, schärfere, kontrastierendere Wirklichkeit amalgamiert. Zur Landschaft kommt die Stadt, zum Ausschöpfen weltlicher Möglichkeiten das Erlebnis ihrer Nichtigkeit, die in der ersten Fassung nur geahnt, jetzt ganz fühlbar wird, etwa dem erschütternden Ausbruch Baals von dem flachen Planeten, denn die Berge seien nicht Berge, sondern nur das, was den Tälern fehle! So auch wird aus einem Jünger, wie dem reinen Johannes, jetzt einer, der in die Bürgerlichkeit heimgefunden, der als Kohlenhändler sich romantische Ideale und einen Schnaps leistet. Mag auch die neue Fassung manches Fremde dem ursprünglichen Baal hinzutun – sie ist ein großer Fortschritt, weil sie konzentrierter ist, weil sie den Dingen näher an den Leib rückt, weil sie nicht mehr allein im Gefühl (einmal mit einem Plus-, ein andermal mit einem Minus-Vorzeichen von Brecht versehen) zu Hause ist.
Am reinsten und unbestreitbarsten wirken auch in dieser

Fassung Brechts Balladen. Da ist Vision, da ist Musik. Seine dichterische Substanz hat in »Baal« noch nicht die Form gefunden, deshalb, wie mir scheint, weil Brecht hier ein Typisches individuell abgewandelt, weil er des Lebens Ablauf zur Geschichte einer Existenz gemacht, weil er nicht synthetisch wird, sondern biographisch bleibt. Aber auch seine Unsicherheiten, die die Unsicherheiten seiner Zeit sind, überglänzt der Stern des Dichters, unter dem man geboren sein muß.

Baal war, wie in Berlin, *Oskar Homolka.* Im kindhaften Lachen eines ungeschlachten Märchenriesen ist er nicht zu überbieten, dann wirkt er wie eine Holzskulptur von Barlach. Aber das Besessene, erdhaft Böse, das Meteorhafte in Baal – *Homolka* deutet das alles nur an, weil es nicht zu ihm gehört. Regie führte der junge *Herbert Waniek,* um neuen szenischen Ausdruck mit Glück bemüht, von den Lichtbilddekorationen *Georg Teltschers* sehr unterstützt, durch das schleppende Tempo etwas gehindert. Die leidvolle Sofie der *Servaes,* der prägnante Ekart *Rainers,* der weichliche Johannes *Hans Thimigs* – sie gaben den Brechtschen Szenen drängende Wirklichkeit. Eine Überraschung die Emilie des Fräulein *Bernhard.* Qual einer Existenz, Dunkles einer Seele sprang einen an.

Noch eine Überraschung. Das Publikum. Aber eine Überraschung nur für die Theaterroutiniers. Auf einmal war Publikum da. Viel zu viel für das kleine Josefstädter Theater. Und das Publikum füllte nicht nur das Haus, es ging sogar mit. Welche Ausrede nun, meine Herren Theaterdirektoren, wenn Sie das alte Mistbeet, das tägliches Theater heißt, in der alten Weise, die Theaterführung heißt, weiter bestellen?

Alfred Polgar. Weltbühne, 13. 4. 1926 [zitiert nach: Alfred Polgar, Ja und Nein, Hg. Wolfgang Drews, Hamburg: Rowohlt (1956), S. 82–84]

Mit »Baal«, dramatische Biographie in dreizehn Bildern, wurde das »Theater des Neuen« von den Schauspielern der Wiener Josefstadt eröffnet. Zur Eröffnung spielten die Spieler – denen es mit dem neuen Theater ernst ist – eine kleine Szene, in der sie sich über diesen Ernst lustig machten und die

Terminologie neuerer Kunst- und Weltanschauung zärtlich belächelten. Der *Homolka* spielte den *Homolka*, der *Thimig* den *Thimig* usw., jedem war der eigne Leib auf die Rolle geschrieben, als Ort des Gesprächs erschien das Büro des Josefstädter Theaters, und allgemein war die Überraschung, wie geistig, gesittet und formuliert es dort zugeht. Das Vorspiel – vermutlich gedacht als Puffer zwischen einem sehr gestrigen Publikum und einer sehr heutigen Zumutung – ist lustig, leicht pointiert, und wenn es nicht von Friedell ist und nicht von Hofmannsthal, ist es wahrscheinlich von beiden. Gewünschter Effekt wurde erzielt: die Zuhörer waren gewissermaßen weich beledert, als sie den dramatischen Stoß empfingen.

Baal ist ein Kerl, der über seine eignen Ufer getreten ist. Er hat keine Grenzen. Er ist Kraft, die jede Form, in der sie sich manifestiert, sprengen muß. Was bezweckt die Schöpfung mit solchem Überprodukt, das doch nicht wäre, hätte es nicht Sinn und Bestimmung? Baal ist stark; und böse, denn kein Tropfen Demut ist in seiner Stärke. Er hat so was wie: Welt-Koller. Unverschmolzen sind in ihm Natur und Geist. So taugt er schlecht zur zivilisierten Gemeinschaft, die jene beiden nur als Kulturmischung, in vorsichtiger Dosierung, verträgt. Baal ist eine Kreuzung aus Tier und Übermensch, in der Tat also: ein Unmensch. Entsprechend solcher Komposition wird er von zwei elementaren Trieben beherrscht: dem Drang nach Lust ... und dem, hinter den Sinn geschaffner Welt (mit Baal in ihr) zu kommen. Deshalb frißt und schlingt er große Quantitäten Weib, die Qualität ist ihm gleichgültig, seine Verdauung tadellos, seine unsentimentale Einstellung zum Geschlecht so niederträchtig wie beneidenswert; und ist zwischendurch gierig danach aus, ein Endchen Fadens zu erwischen, an dem man ziehen müßte, um den wirren Knäuel der Erscheinungen aufzulösen. Baal endet, wie er gelebt: tierhaft-einsam, kompromiß- und lügelos. Ein starkes Bild, wie der Sterbende hinauskriecht in den Wald, unter den Sternenhimmel, ins All und Nichts. Heimkehr eines wunderlichen Sohns der Natur zu Muttern.

Solche Abnormität – obwohl ihr ein Lebender Modell war – lebendig zu gestalten, ihrem Weg, der keiner ist (sondern ein Bleiben und Sinken auf dem Fleck durch die eigne Schwere),

dramatischen Ablauf zu geben, gelingt den dreizehn Bildern nicht. Immerhin steht hier, zum erstenmal, auf der Bühne ein Exemplar Mensch, dem das Dasein an und für sich Schicksal, die Funktion: Leben, das tollste Erlebnis ist. Da steckt die neue Tragik (und auch Komik) der Figur.
»Baal«, ob als Theaterstück gekonnt oder nicht gekonnt, beglaubigt Brechts dichterische Potenz. Durch Dunkelheit leuchten Genieblitze. Und vom »Finsterniswind«, der die Erdbeben begleitet, weht ein Hauch um die Erscheinung Baal. Das Problematische des Bodens, aus dem die Genie-Probleme und überhaupt die Probleme wachsen, wird angerührt, mit Worten von großer Kraft und Prägnanz. Heikel ist Brecht nicht, sein Humor gefährlich unzahm. Ein Raubspaßvogel.

»Lebenslauf des Mannes Baal«. Kassel, Kleines Theater;
16. 11. 1927

F.-C. K. Berliner Börsen-Courier, 18. 11. 1927

»Lebenslauf des Mannes Baal«
Uraufführung in Kassel

Man schreibt uns: Bert Brecht hat sein Frühwerk »Baal« umgegossen in eine Bühnenform, die am Kasseler Kleinen Theater unter *Erich Fischs* Spielleitung zur Uraufführung kam. Die Bearbeitung geht von lediglich theaterpraktischen Erwägungen aus und läßt von den dreiundzwanzig Bildern des Originals nur zwölf übrig; mit den elf anderen fällt der Hauptteil jener naturverbundenen Szenen, deren balladische Stimmung die Stärke und den besonderen Reiz der Dichtung ausmacht und die auch durch einige neu eingefügte Liedstrophen des Lyrikers Baal nicht ersetzt werden können. Die Zahl der handelnden Personen ist vermindert, die Eindeutigkeit wie die Ausdrucksweise gewisser Szenen abgeschwächt worden, und das so in jeder Hinsicht vereinfachte Werk, das sich nunmehr einschränkend »Lebenslauf des Mannes Baal« und eine dramatische Biographie nennt, kommt dem Begriffs-

vermögen des schlichten Theaterbesuchers noch weiter entgegen, indem es nach Wedekindschem Muster vor jedem Bild einen Einzeltitel setzt und das Ganze durch einen Vorspruch erläutert.
Die Kasseler Aufführung entnimmt der ersten Fassung im Austausch oder zur Ergänzung einige nicht unwichtige Teile und versucht, wenigstens das Stimmungsmäßige der Bilder zu verstärken. Im Bestreben, einen lyrischen Unterton deutlich werden zu lassen, verliert sich *Erich Fisch* jedoch in eine Breite, die den Rest einer balladesken Linie und einer rhythmischen Schwingung fast verschlingt. *Hans Schultze*, der zuletzt bei Fritz Jeßner in Königsberg tätig war, verfügt über die physischen Voraussetzungen der Baal-Figur, und *Lilian Berley*, die bisher bei Beer in Wien spielte, entfaltet als Emilie Mech zahlreiche Reize. Von den bereits einheimischen Kräften ist *Hans Clasen* zu nennen, der den Ekart mit einer Intensität zeichnet, die manche Lücke der Aufführung füllt; *Lore Semmt* gibt mit persönlicher Anmut die Szenen einer fünfzehnjährigen Johanna.

London, Phoenix Theatre; 7. 2. 1963

Milton Shulman. Evening Standard, 8. 2. 1963

Mr. O'Toole's Sheer Force of Personality Shines Through

[...]
Occasionally Brecht's lyricism breaks through the strip-cartoon obviousness of many of the situations to invest some fleeting moments with poetic grandeur. And there is an urgency and virility about much of the writing that grips in spite of one's resistance.
In addition, one feels that without *Peter O'Toole's* dedicated, relentless, over-powering performance this play would crumble into an old-fashioned relic of Teutonic expressionism.
Blazing

O'Toole cements these fragmentary situations into a cohesive whole through the sheer force of his personality. Whether he is seducing women, blinded with drink, crying to the stars or dying in misery, there is a blazing determination in his eyes and voice that still makes him a symbol of man's dignity in spite of the filth of both his body and his mind.
[...]

The Times, 8. 2. 1963

Brecht's First Play is Brought to London

[...] The waste-land Baal explores is a projection of private nightmare – a world of grimy dram shops, lonely woodland cabins, and empty crossroads. When he ventures into the real world, as in the opening literary luncheon scene, he has no place in it.
Although the play is overwhelmingly dominated by its protagonist, we learn very little about him. We see him drinking, entertaining girls in bed, leaving his pregnant mistress to drown herself, stabbing his only friend, and finally crawling away into the woods to die. But these actions reveal nothing of how his mind works, or of the social pressures that might have formed such a man. One can observe that he suffers from the kind of sated despair that tends to afflict those to whom sexual success comes too easily; and that his guardedly homosexual overtures to his travelling companion Ekart may spring from this state of mind. But neither his actions nor his words – alternately sardonic and portentously lyric – provide any real answer. He is what he is and does what he does without explanation.
Indifferently performed his part would be both ludicrous and boring. But in this production *Peter O'Toole* stamps it with heroic authority: Baal's actions may appear senseless, but one never questions them. Mr. *O'Toole* delivers the lines with a harsh measured dignity that can make bombast sound like a passage from the Old Testament; and he plays with a fiery depravity that raises the character to Dostoevskian grandeur.

The production is mounted in the later Brechtian manner, each scene being presented with a handful of simple naturalistic properties on a bare stage. [. . .]

Kenneth Tynan. The Observer Weekend Review, 10. 2. 1963

Finding Salvation in the Gutter

Throughout the performance of »Baal« (Phoenix) on Thursday night I heard behind me a constant, pervasive muttering, broken by gusts of frank, contemptuous laughter. The noise, though distracting, was not unfamiliar: it is the sound with which critics traditionally greet the début of poet.
You may hear it whenever a writer sets out to make his own map of experience, dispensing with those comforting, familiar signposts which indicate that this scene is »comic« and that »pathetic«. Thus cut off from their stock responses, how can an audience react except with defensive snickers? Yet last Thursday's snickers were especially depressing: they were more than 40 years late.
Vital link
»Baal« is not only Brecht's first play, written when he was 20; it is also – and obviously – a vital link between the poetic drama of the nineteenth century and the Theatre of the Absurd. Its roots go back to »Peer Gynt« (»I believe in myself«, cries Baal), and its descendant blooms can be seen in Genet and Beckett – and even in the contemporary cinema, where its closest analogy is with Jean-Luc Godard's »Vivre Sa Vie.«
Composed like a film script, in brusque, peremptory fragments, it sets before us the life of a total outsider. Baal is a drunken poet, a Rimbaud-cum-Villon, a lecherous freebooter who seeks the truth of human existence in the gutter and is alternately overjoyed and disgusted by what he finds. A publisher gives a party in his honour; like Dylan Thomas in Hollywood, he does nothing but eat, drink and make passes. Later, strumming on the guitar he always carries, he sings: »Man only eats in order to excrete.« He seduces numberless girls, some of them two at a time, often betraying his dearest

friends. We are nowhere invited to admire him: indeed, if the piece had an epigraph it might well be: »Never trust a poet.«

On the road

(Like Jack Kerouac and the Beats, another generation of Brecht's artistic debtors), he takes to the road, bound for the purity of a lumberjack's life; whereat we recall an autobiographical poem that begins: »I, Bertolt Brecht, came from the blackest forest...« He is befriended by Ekart, a hulking stranger who ambiguously attracts him, and whom he ferociously knifes. He plunges grinning into every extreme of moral and physical squalor; and emerges – this animal tormented by possession of a soul – gasping: »It was all beautiful!« »Connoisseur!« comments one of his mates derisively. Soon afterwards Baal dies, on all fours but undefeated.

De Sade and St. Francis are both present in Baal, who is played by *Peter O'Toole* with a weary, scruffy flamboyance that needs only a little less self-congratulation and a lot more voice to be flawless. *Harry Andrews*, our theatre's rock of ages, is his sidekick; and *Gemma Jones, Tim Preece* and *Bernard Kay* stand out from a vast supporting cast, directed with heartfelt precision by *William Gaskill.*

The settings, by *Jocelyn Herbert*, are many and stupendously lovely.

It is hard for a work like »Baal« to thrive in the mink-and-mohair atmosphere of a West End première; thus circumstanced, it resembles a pot of vitriol flung in the public's face. The ideal audience for »Baal« would be entirely composed of people who remember, more than once or twice a day, that they are going to die. Firstnighters, as a group, do not like their noses rubbed in the fact of mortality; they prefer it to keep its distance and speak blank verse.

Hilde Spiel. Süddeutsche Zeitung, 21. 2. 1963

Das Chaos frisiert sich nicht, Herr Thimig
Diskussion und Polemik über Brechts »Baal« in London

[...] »Baal«, in deutscher Sprache seit den Zwanziger Jahren nicht aufgeführt, in London jetzt höchst achtbar anglisiert und bühnenfähig gemacht, könnte unbemerkt in der Reihe der schmutzstarrenden, wanderlustigen, marihuanalüsternen und promiskuösen Avantgarde marschieren.

[...]

Vertreter und Anhänger der Beatniks aber, arm wie sie meistens sind, füllen kein Theater. Deshalb wagte man auch in London nicht, Brechts erstes Stück unverfälscht der Öffentlichkeit zu übergeben. Peter Tegels englische Fassung freilich hält sich dicht an das Original, kommt der Poesie so nahe wie möglich und vermeidet es, Brechts Sprachexzesse zu mildern. Auch die Regie *William Gaskills* schreckt weder vor dem Exkrementalen noch vor dem Doppelbeischlaf zurück, zeigt Baal mit den zwei kindlichen Schwestern im Bett, was selbst 1926 in Berlin unterblieb, und betont das homosexuelle Element in seiner Freundschaft mit Ekart, das der Dichter selbst nur angedeutet hat. *Jocelyn Herberts* Bühnenbilder schließlich sind von atmosphärischer Sicherheit, projizieren das vielbesungene Firmament in allen Schattierungen auf die Szene und verleihen dem Hintergrund jene Wozzeck-Stimmung, die Brechts Verwandtschaft mit Büchner – dem ältesten seiner deutschen Ahnen – mehr »erdüstert« als »erhellt«. Was also ist falsch? Die Besetzung Baals mit dem schönen *Peter O'Toole*, der schon T. E. Lawrence im Film romantisierte und hier, zumindest äußerlich, noch unpassender wirkt! Homolka war wohl der richtigere Protagonist.

[...]

Hans Joachim Nimtz. Donau-Kurier, 10. 3. 1963

In London: Ein Baal voll Ekel

Brechts reichlich hartes Erstlingswerk »Baal« erfuhr im Londoner Westend eine angemessene Aufführung, die an drastischer Schärfe nichts zu wünschen übrigließ. Die englische Sprache erwies sich wie schon beim »Kaukasischen Kreidekreis« und anderen Stücken allen Anforderungen an unflätige und obszöne Ausdrucksweise durchaus gewachsen, wobei »Baal« in dieser Hinsicht wesentlich höheren Einsatz erfordert.

[...] Die Londoner Inszenierung ist hervorragend, aber sie scheut weder vor dem Obszönen noch vor der Pornographie noch vor dem Ekel in seiner konzentriertesten Form zurück. Die Szenen, wo die Mädchen und Dirnen den Dichter in seiner Schlafkammer aufsuchen, sind erbarmungslos eindeutig ausgespielt. Die ewige Trunkenheit macht dem Zuschauer fast übel, die grausamen Kommentare über die Frauen und die Menschheit im allgemeinen lassen einen zwischen Lachen und Entsetzen schwanken. Der Ekel und Selbstekel, von dem Baal angefüllt ist, lassen bei den Londoner Aufführungen viele zartbesaitete Zeitgenossen vorzeitig aufbrechen, aber die meisten sitzen gebannt bis ans bittere Ende.
Für ein solches Spiel, wenn man es wagt, es ohne Verzierungen und Beschönigungen darzustellen (ohnehin wohl die einzig mögliche Form eines solchen Versuchs), braucht man Schauspieler, vor allem in der Rolle des Baal, die vor nichts zurückschrecken. Nur ein Ire wie *Peter O'Toole* kann den wüsten Dichter in seiner ganzen Hemmungslosigkeit und zügellosen Sentimentalität darstellen. Man denkt sofort an Brendan Behan und andere kapitale Beispiele dieser Art, die das an schockierenden Genies reiche Irland produziert hat. *Peter O'Toole* macht den Baal in seiner ganzen Abscheulichkeit glaubwürdig. Die Schockwirkung, die Brecht zusammenballt und auf die ehrbaren Zeitgenossen losläßt, bringt er überzeugend aufs Parkett. Mit dieser radikalen Inszenierung bekommt dieses wenig schöne, auf weite Strecken abstoßende Stück mit Hilfe einer großen schauspielerischen Leistung eine eigenartige Attraktion, die sich darin ausdrückt, daß das Theater stets ausverkauft ist, obwohl dann regelmäßig viele Leute davonlaufen. [...]
Nach dem Wechselbad dieser Aufführung kann man den Ausspruch des begabten Stratforder Regisseurs Peter Hall verstehen, daß Brecht »die große Hure des Theaters« sei. Obwohl der Baal keineswegs ein vollendetes und fehlerfreies Werk ist, beweist Brecht bereits in seinem Erstling die Fähigkeit, mit allen Mitteln und auch Tricks des dramatischen Genies zu arbeiten, um am Ende mit Verführung, Abstoßung, Ekel, Schmeichelei, Witz und Unflat doch zu bannen – den jedenfalls, der einiges Standvermögen besitzt.

Darmstadt, Landestheater; 4. 4. 1963

Rolf Michaelis. Stuttgarter Zeitung, 6. 4. 1963

Auch Baal wird alt
Nach 40 Jahren wiederaufgeführt: Brechts Jugendwerk in Darmstadt

[...] *Hans Bauers* um raschen Wechsel der kurzen balladenhaften Szenen bestrebte Inszenierung; *Winfried Zilligs* stimmungshafte Vertonung der Songs; *Hannes Meyers* aus wenigen, klaren optischen Zeichen gebildete Bühnenbauten (gekalkte, schräge Wand für Baals Dachstube, rote Bretterbuden für die Kneipen, Schilf, Weidengeäst, Geflecht von Zweigen, Baumstämme für die Naturszenen); *Meyers* mit Stilgefühl entworfene Kostüme (zu knappe oder zu weite Landstreicherkluften; Verzeichnungen allerdings bei den Kleidern für die Darstellerinnen, die zu weltstädtisch fein waren und so das kleinstädtisch-ländliche Milieu des Stückes sprengten); die beachtliche Leistung eines Ensembles von vierzig Darstellern – all das konnte den Eindruck nicht bannen, daß hier ein für die Literatur*geschichte* und für Brechts Entwicklung als Lyriker und Dramatiker bedeutendes Stück ausgegraben worden sei. Ausgegraben. Aus den Archiven der Literarhistoriker. Diagnose: Auch der Über-Mann, der Säufer, Fresser, Hurer, Faulenzer, Clown, auch der in Frauen, Männer, Bäume, Wind und Sterne verliebte Pan aus den dunklen Wäldern, auch dieser (wie er im Stück genannt wird) »Elephant« an animalischer Kraft und geiler Potenz, auch Baal wird alt.
[...]
Die Regie hat diese Gefahr erkannt. Manches ist gestrichen, vieles ist gedämpft, alles ist gestimmt auf sachlich knappen Ton. Dabei kommt die Poesie der Elemente zu kurz. Regen, Wind, Wolken, Sonnenglut dürfen bei einem so in die Natur eingebetteten Stück nicht ausgespart werden wie auf der schwarz ausgeschlagenen Darmstädter Bühne, in die lediglich die Lichtschneisen der Scheinwerfer geschlagen wurden. *Zeidlers* voluminöser Baal erhielt so von der Technik zu wenig

Hilfe. Er war isoliert. Isoliert auch von den anderen Darstellern, die nicht schwach waren, aber selten *Zeidlers* besessene Intensität erreichten. Außer *Sonja Karzaus* draller Zimmerwirtin gewann von den zahlreichen Schauspielerinnen keine eigenes Profil, während *Anfried Krämers* fahler Ekart und *Karl Friedrichs* seimiger Fabrikant Gesicht, Stimme, Figur und genaue Bewegung hatten.

Hans Dieter Zeidler demonstrierte vom ersten Auftritt an die Ungebrochenheit eines Naturereignisses. Wenn er im abgewetzten Rock, prall in zerbeulter Hose, in schmuddeligem Hemd mit eingesetztem Brustteil ohne Kragen, mit ausgelatschten Schnürstiefeln in den Salon des Fabrikanten stolpert, den ramponierten Hut, eine »Melone«, in die Fruchtschale zu Trauben und Pfirsichen knallt, mit schmierigen Pranken in die Schüsseln fährt und schweigend Wurst und Aal und Braten und Brot in sich schlingt, ist im szenischen Bild die ganze, sich nicht entwickelnde Figur lebendig da. So wird das Ungeheuer mit dem zerlaufenden Pfannkuchengesicht in den folgenden Szenen alles verschlingen, was in Reichweite seiner Polypenarme gerät: Freunde und deren Bräute, Fremde und Bekannte, Mensch und Tier – die ganze Welt. *Zeidler* weicht geschickt in spielerische, pantomimische Leichtigkeit aus. Zwar »Elephant«. Aber mit Grazie. Ein Schauspieler mit Orgel in der Brust. Aber ein Komödiant, der von zärtlichem Charme ist, wenn er, flüsternd fast, das Lied von der Wasserleiche singt. Man versteht, weshalb der bis auf den letzten Platz besetzte Saal in der Orangerie raste, sobald *Zeidler* am Schluß alleine aus den Kulissen trat.

[...]

g. r. Frankfurter Allgemeine Zeitung, 6. 4. 1963

Baal
Brechts erstes Stück in Darmstadt

[...]

»Baal« nach dreißig Jahren wiederaufführen heißt, auf [...] Stützen vom Zeitgefühl her zu verzichten. Brechts später Satz »Dem Stück fehlt Weisheit« meint auch, daß die-

ser elementare Protest gegen den Geist auf die Dauer nicht reicht und daß der Geist eine unüberspringbare Position innerhalb der Welt ist. Der Geist selbst hat heute dieses Stück zu akzeptieren als einen Ausschnitt der Welt, als ihren Anfang, als ihre wilde und wüste Möglichkeit, meinetwegen, als deren Mythos. Für die Regie heißt das: 1. »Baal« begreifen als poetisches Gebilde, das menschliches, von der Natur verschlungenes Leben als einen eigenen Kosmos zeigt. 2. Baal umgeben mit allem, was ihn in die Natur zieht. Ihn selbst zum Teil der Natur machen. 3. Ihn aber auch so weit zum Menschen machen, als er willentlich die schwierige Kunst beherrscht, mit Wort und Trick die Natur aus anderen hervorzulocken, daß sie sich selbst verlieren. 4. Die Verführungskraft des Textes entbinden, die Brecht in Baals Worte legte. Es heißt 5., das Ganze fortrücken vom Zuschauer.
Die Inszenierung von *Hans Bauer* geht im Wichtigsten andere Wege. Aus einer richtigen Überlegung zergliedert *Bauer* den Choral des großen Baal, der das Stück einleitet, in die einzelnen Strophen und läßt sie zwischen den einzelnen Szenen vortragen. Er erreicht damit Distanz, Interpretation und Einstimmung der folgenden Szene. Es ist ein Trick, der die Szenen bindet und das Stück ganz in eine Ballade verwandelt. Aber die Inszenierung hat zwei ganz verschiedene Teile. Bis zur Pause wird sie immer leerer, nach der Pause wird sie mit stilleren, elegischen Tönungen gefüllt. (In der Premiere wuchs daraus ein rauschender Erfolg.)
[...]

Marianne Kesting. Süddeutsche Zeitung, 8. 4. 1963

Mißverständnisse um Baal
Bertolt Brechts dramatischer Erstling in Darmstadt

Ein illustres Publikum versammelte sich zur Premiere von Brechts wüst-genialem Erstling »Baal« in der Darmstädter Orangerie. Lockte doch der Abend nicht minder die Großbourgeoisie Darmstadts wie die Intellektuellen der Verlagsmetropole Frankfurt an. In die Neugier mag sich ein gewisser Snob-Appeal gemischt haben: »Baal« galt seit seiner skan-

dalösen Uraufführung 1923 in Leipzig als unaufführbares Stück.
Inzwischen ließ die Gewöhnung des Publikums an Genet und Henry Miller die Theaterfachleute offensichtlich Hoffnung schöpfen, des jungen Brechts anarchisches Frühwerk werde keine Proteststürme mehr auslösen. In der Tat verließen nur einige ältere Damen in der Pause still ihre Plätze, die übrigen klatschten freundlich Beifall.
Hat man nun »Baal«, die große spätexpressionistische Orgie entfesselter Sprach- und Sinnenlust, der Bühne wiedergewonnen? Man muß dem Darmstädter Theater bestätigen: Was zu tun war, dies zu verhindern, hat sie getan. Noch selten war hier eine solche eklatante Fehlinszenierung zu sehen. Anstatt einer in düster leuchtende Bilder aufgelösten Szenenflucht, an Büchners »Woyzek« gemahnend, sah man ein langsam sich aufklappendes, ziemlich harmloses szenisches Bilderbuch. *Hans Dieter Zeidler* als Baal war eher ein Falstaff, bramarbasierend und hohl, trotz vielfacher Brüllanfälle auf der Bühne schwach, ein dickes, ungezogenes Kind, keinesfalls ein Anarchist aus Lebensüberschwang. Er faszinierte nicht, und es schien nicht ohne Komik, daß auf der Bühne sich alle Figuren von ihm fasziniert zeigten. Das war keine Schauspielerei, das grenzte an Verstellung. Besser gelangen *Zeidler* die Songs, besonders wenn er ausnahmsweise leise sang. Insgesamt geriet die Figur, die mit ausgebreiteten Armen und zum Himmel erhobenen Augen Inspiration von oben empfing, in die fatale Nähe der Grabbe-Figur aus Johsts »Der Einsame«, zu der Brecht in Baal eben eine Gegenfigur konzipiert hatte.
An der Unglaubwürdigkeit der *Zeidler*schen Interpretation scheiterte die ganze Inszenierung selbst da, wo sie, von einzelnen Chargen her (so *Sonja Karzau* als Baals Wirtin, *Anfried Krämer* als Ekart, *Lizzi Reisenberger, Maria Pichler, Ilse Ritter, Karin Kaiser* als Geliebte Baals), richtig angelegt war. *Johann-Ludwig Morlinghaus* mit dem »Choral vom Manne Baal«, auf dunkler Bühne gesungen, traf den Brecht-Ton. Die einzelnen Strophen überbrückten balladesk den Szenenwechsel, wobei freilich störend wirkte, daß man den Gesang zum geräuschvollen Szenenumbau auf offener Bühne benutzte. Dieser »Choral«, mit knarrender Stimme zu einer hart angeschlagenen Gitarre vorgetragen, bedarf der abso-

luten Stille. Wer aber war wohl auf die Idee gekommen, einzelne seiner Strophen von einem HJ-mäßigen Männerchor hinter der Bühne brüllen zu lassen? Es gibt zu denken, daß sich weder der Regisseur *Hans Bauer* noch das Gros der Schauspieler darum kümmerten, wie Brecht selbst, der schließlich einen neuen Stil auf der Bühne einführte, eine Inszenierung des Stückes aufgefaßt haben würde. In »Baal« ist Brecht schon mit allen Eigenarten präsent.

Wenn man sich die Mühe macht, kann man in Brechts Theaterschriften nachlesen, daß er eine voll ausgeleuchtete Bühne liebte, kein schwummeriges Halbdämmer; daß er eine knappe, stilisierte Sprache verlangte, kein »Bühnentemperament«; daß er nur wenige, aber präzis ausgeführte Dekorationen wünschte, nicht halbabstrakte Versatzstücke, Türen oder Fenster, die, mit einigen Andeutungen von Wand, sinnlos auf der Bühne herumstehen.

Brechts Figuren sind so prall, satt und leuchtend wie seine Szenerie. Breughel dürfte das Vorbild sein, nicht ein fehlinterpretierter Henry Moore. Der Mißverständnisse war kein Ende.

Der Spiegel, 10. 4. 1963

Macht nichts

Weil ihr das Stück ungeeignet erschien, »von jungen Menschen gesehen zu werden, die nicht zum mindesten das siebzehnte Lebensjahr vollendet haben«, verschickte die Intendanz des Landestheaters Darmstadt ein Rundschreiben »für den nicht seltenen Fall, daß Abonnenten, die selber am Besuch einer Aufführung verhindert sind, ihre Kinder hinschikken wollen«.

Denn es ging um Gier und Völlerei, um Wasserleichen und Leichenschändung, um, so der Autor, die »obszönen Wonnen des Fleisches« – um Bertolt Brechts erstes Bühnenstück »Baal«, das letzten Donnerstag in Darmstadt neu aufgeführt wurde. [...] Regisseur *Hans Bauer* strich etliche Passagen, die auch heute noch Anstoß erregen könnten. Die zwei Schwestern etwa, die gemeinsam in Baals Mansarde kommen, müs-

sen sich nicht mehr darüber streiten, wer »zuerst muß«. Diffuses Licht verschleiert den derben Realismus einiger Szenen, und die Bühnenkneipen sind keineswegs »schweinisch«, wie Brecht vorschreibt, sie sind nur baufällig.
Bauers Vorsichtsmaßnahmen waren übertrieben. Brechts Wasserleichen-Poesie, in den zwanziger Jahren en vogue, wirkt heute lachhaft; sein Pansexualismus und seine Fäkalsprache, von modernen Romanen längst übertroffen, verfängt nicht mehr. Supermann Baal wurde mit zunehmendem Bühnenalter zur komischen Figur.
Baal in »Baal«: »Das ist Papier. Aber es macht nichts.«

haj. Neue Zürcher Zeitung, 10. 4. 1963

Bertolt Brecht
Wiederaufführung des »Baal« in Darmstadt

»Ein Stück wie dieses ist die letzte Einheit. Hier sind nicht ausgeklügelte Worte auf ein ausgeklügeltes Szenarium geklebt. Hier ist Gebärde und Wort eins. Innere Gewalt entlädt sich und schafft den neuen Lebensraum, indem sie ihn mit sich erfüllt.« Diese Worte mit einem Unterton leiser Ironie ließ Hugo von Hofmannsthal 1926 den Schauspieler Homolka in dem zur Eröffnung der neuen Studio-Bühne des Wiener Theaters in der Josefstadt gedichteten Prolog zu einer drei Jahre nach der Leipziger Uraufführung stattfindenden Inszenierung von Bert Brechts Erstling »Baal« sagen, der im gleichen Jahr auch von der Jungen Bühne im Deutschen Theater gespielt wurde. Seither ist dieses genialische Kraftstück, mit dem sich der Dichter in den fünfziger Jahren mit unverkennbarer Verlegenheit nochmals befaßte – »Dem Stück fehlt Weisheit ...« –, auf keiner Bühne mehr in Szene gesetzt worden. Um so größer ist das Verdienst des Landestheaters Darmstadt, welches das Experiment einer Neuaufführung vierzig Jahre nach der Uraufführung wagte.
Wie empfinden wir heute jenen aus der Entladung innerer Gewalt geschaffenen »neuen Lebensraum«? Da bricht dieses panische Wesen, dieser Übermann in eine Welt der kleinen Leute und der Spießer ein, frißt, säuft, schwelgt »in weißen

Leibern«, schlägt sich den Tag um die Ohren, schockiert und provoziert, ein Koloß mit einer zarten Seele, die »das Ächzen der Kornfelder« ist, »wenn sie sich unter dem Wind wälzen und das Funkeln in den Augen zweier Insekten, die sich fressen wollen« und die ihn Verse dichten läßt, die er in ungestümer Liebe dem Wind und den Wolken, den Feldern und Wäldern, den Frauen und Männern schenkt. Diese Kraftnatur, dieses »Originalgenie«, wie man hundertfünfzig Jahre zuvor gesagt hätte, feiert Orgien der Maßlosigkeit und der Chaotik, singt das Hohelied der entfesselten Lebensgier. Erinnerungen an Vorbilder werden bei ihrem Anblick wach, die Schatten von Villon, Rimbaud, Verlaine, Strindberg und Wedekind huschen im Hintergrund vorbei. Und dies alles lebt von einer eruptiven, kühne Visionen, leuchtende Bilder beschwörenden, lyrisch weichen und unmittelbar darauf zynisch harten oder ernüchternd sachlichen Sprache, die von einer ungemeinen poetischen Dichte ist und sich vor allem in den Balladen und Songs zu Festen eines Rhythmus erhebt, dessen Faszinationskraft man sich auch heute kaum entziehen kann. Die Provokation und die Schockierung aber, die der junge Dichter mit seinem Werk erzielen wollte, sind abhanden gekommen. Die Welt hat in den letzten vier Jahrzehnten andere Schocks erlitten, neben denen sich jene des »Baal« vergleichsweise harmlos und antiquiert ausnehmen. Antiquiert: mit diesem Wort halten wir einen Haupteindruck dieser szenischen Konfrontation mit Brechts Erstling fest. Die Gestalt des Baal ist einem völlig andern Lebensgefühl entsprungen, unser Interesse an ihr ist historischer Art und nicht zuletzt durch unsere Kenntnis all der Figuren bestimmt, die Brecht später kreierte. Die Wiederaufführung des »Baal« läßt die Länge des Weges erkennen, den der Dramatiker Brecht bis zu seinem Tode gegangen ist.

Vom Szenischen her ist überdies festzustellen: Dieses ungestüme Werk ist seinem innersten Wesen nach kein Drama, sondern eine Ballade. Eine Ballade, die zwar eine Reihe theaterwirksamster Momente in sich schließt, welche schon den großen Szeniker ankündigen, die aber doch in erster Linie vom Lyrischen lebt. Den balladesken Charakter des Werkes hat der Regisseur *Hans Bauer* denn auch in seiner sehr durchdachten, allzu extreme Exzesse dämpfenden In-

szenierung dadurch unterstrichen, daß er den »Choral vom Manne Baal« als roten Faden benützte, der die einzelnen Bilder miteinander verband, wenn er sie auch nicht ganz zur Einheit zu verschmelzen vermochte. *Winfried Zillig* vertonte auf einprägsame Weise die Songs, und *Hannes Meyer* schuf die auf die wesentlichsten Dekorationselemente sich beschränkenden, einen raschen Umbau ermöglichenden Bühnenbilder, die in chiffreartiger Andeutung den jeweiligen Schauplatz charakterisierten, der in hartem Scheinwerferlicht aus dem Dunkel der Bühne hervortrat. Durch die mangelnde Differenzierung des harten Lichtes, welches zwar plakatartige Effekte hervorrief, ging die, eine wesentliche Komponente des Stücks ausmachende Poesie der Natur verloren, in einem Wort: die Welt des großen Pan. Möglicherweise wäre diese Atmosphäre dichter geworden, wenn die ganze Inszenierung noch mehr vom klingenden, in den mannigfachsten Nuancen schwingenden Dichterwort ausgegangen wäre.
Hans Bauer gelang es, mit straffer Hand die zahlreichen Schauspieler, deren Part vor der Titelrolle zurücktreten muß, zu einem homogenen Zusammenspiel zu führen. Von ihnen prägten sich vor allem *Anfried Krämer* als Baals zerquälter Freund Ekart und *Karin Kaiser* als die ihrem Verführer magisch verfallene Geliebte Sophie Barger ein. Das Ereignis des Abends aber war *Hans Dieter Zeidler,* der vom ersten Auftreten an mit seiner alle Bande und Konventionen sprengenden Vitalität die Bühne dominierte: eine Elementargewalt, »wild, bleich, gefräßig«, mit mächtigen Gliedern seine Umwelt umschlingend und verschlingend, ein ungeschlacht-wüster Riese, in dessen wuchtigem Körper doch ein Glockenspiel verborgen ist, dem er zarteste Melodien zu entlocken wußte. Eine großartige schauspielerische Leistung, auch im langsamen Verfall dieses ganz der Welt verwurzelten Hymnikers; und doch: zur Deckung mit der Rolle – die wohl kaum möglich ist – fehlte ein Letztes: jene alles Menschenmaß übersteigende Dämonie Pans, jene Ungeheuerlichkeit einer Gestalt, in deren Unersättlichkeit sich das Böse schlechthin verkörpert und neben der selbst eine mit so hohem Kunstverstand, wie er *Zeidler* eignete, gezeichnete Figur sich höchstens wie eine überdimensionierte Bürgerkarikatur Sternheims ausnehmen mußte.

Brechts »Baal« ist der Ausdruck einer Epoche, die unwiderruflich der Vergangenheit angehört. Und gleichzeitig der Fanfarenstoß eines Dichters, der sich in der Zukunft das Theater erobern sollte.
[...]

Ulrich Seelmann-Eggebert. Stuttgarter Nachrichten, 11. 4. 1963

Plädoyer gegen Bertolt Brecht
Wiederaufführung seines Frühwerks »Baal« in Darmstadt

[...]
Das Darmstädter Theater beruft sich auf die »erste Aufführung seit 1926« [...].
[...] Wenn nach der Berliner Premiere vom Februar 1926 das Urteil vorherrschte, mit diesem ausgegrabenen Frühwerk habe Brecht seinem bereits damals erworbenen Ruf geschadet, so ist dieses Urteil nach der Darmstädter Aufführung 1963 um so berechtigter. Wenn der »Baal« heute als vollwertiges Werk des Autoren genommen werden soll, so wirkt es nur als ein Plädoyer gegen Ruhm und Rang von Bert Brecht.
[...] Wie Brecht später unermüdlich seine marxistische Sozialkritik anwandte, so erschöpft er sich hier mit geradezu manisch anmutendem Eifer in einem Herausschreien seiner pubertären Geschlechtsnot. Und wenn sein Baal gleich im ersten Bilde (auf die Melodie der »Rasenbank am Elterngrab«) den Vers singt: »Orge sagte mir, der liebste Ort auf Erden war ihm immer der Abort«, hat man angesichts des dann folgenden 23 Bilder langen Zotenreißens durchaus den Eindruck eines Brechtschen Selbstbekenntnisses.
Gewiß ist auch an diesem frühen Werk schon ein gewisser Theatersinn spürbar, und die lyrische Atmosphäre mancher Formulierung, in der der radikale Subjektivismus des Baal gleichsam den ihm zu eng werdenden Raum sprengen und sich in kosmischen Mächten auflösen möchte, zeigt die verarbeiteten Anregungen von Johann Christian Günther und Reinhold Michael Lenz über Grabbe und Büchner bis zum frühen Stefan George und Rilke. Vor allem aber ist sein

Stück von jenem formlosen Kraftmeiertum erfüllt, das ekstatische Lautstärke schon für künstlerisches Gestaltungsvermögen hält und in Deutschland nun einmal seit den Tagen des Sturm und Drang für ein Zeichen von Originalgenie gilt. Wahrscheinlich sind auch die Verantwortlichen in der Dramaturgie des Darmstädter Landestheaters, als sie das Stück annahmen, diesem Irrtum zum Opfer gefallen. Die kurzen, einander schier jagenden Bilder (eine Regieanweisung: »ein kleines schweinisches Café«) spielen meist an unappetitlichen Orten, in Darmstadt meist in Halbdunkel gehüllt, und nehmen – ohne jeden Vorausgriff auf das spätere »epische Theater« Brechts – die expressionistische Stationentechnik auf. Die Regie von *Hans Bauer* ließ den sozusagen ad usum delphini notdürftig gereinigten Text im gebotenen balladesken Ton spielen, und *Hans Dieter Zeidler* in der Titelrolle teilte schnapssaufend die von Brecht geschriebenen Ohrfeigen für die Bürger im Parkett aus.

Wien, Atelier-Theater am Naschmarkt; 1. 10. 1963

Paul Blaha. Kurier, 3. 10. 1963

Das viehische Leben ohne Haut
Premiere in Veit Relins Ateliertheater: Bertolt Brechts Jugendwerk »Baal«

[...]
Unerschrocken und unzerstörbar in ihrer Abscheulichkeit, aufwühlend in ihrer unbezähmbaren Gefährlichkeit, umstritten wie am ersten Tage und verletzend, abstoßend, provokant ersteht die szenische Ballade vor uns. Die bis zum hausbackensten Normalverbraucher beliebte »Dreigroschenoper« ist Kinderschreck dagegen.
Brechts »Baal« verkörpert die Urkraft und den Schauer der Revolte. Den Extrakt des Schmerzes. Den unerhörten Aufschrei. An diesem Epos eines Zwanzigjährigen erkennt man die Naturgewalt, die über das deutsche Theater einst herein-

brach. Pardon wird keiner gegeben. Rücksicht wird nicht genommen. Politik keine gemacht.
»Baal«, das abstoßende Leben, Treiben und Sterben eines Poeten, Frauenschänders und Mörders: das ist das Chaos, und das ist die Verwesung und ist die Verzweiflung. Die Sünde aus Qual. Der Frevel als Wahnsinnstat im Überdruß und Ekel: die Erwiderung auf das viehische Leben ohne Haut. Baal, Sänger, Säufer, reißendes Tier, Gejagter: das ist aber auch Poesie und Sprachgewalt von elementarer Schönheit. Aus Schmutz und Kot erhebt sich reine Dichtung.
[...]
Relin spielt den Baal. Spielt, sage ich, nicht ist. Baal ist gewalttätig, brutal. Ein Vieh von einem Mann mit kleinem Gemüt. Deshalb macht er soviel Aufhebens um sich. *Veit Relin* ist weich, romantisch, melodramatisch. Naturalistisch. Die Tonlage ist falsch. Rhythmus und Stärke der klobigen Bildersprache kommen nicht zu ihren Brechtschen Rechten. Das ist an manchen Stellen François Villon, geteilt mit Rilke. Kellerekstase.
Veit Relin ist nicht Baal, er interpretiert ihn, siedelt ihn in Café Havelkas Bereichen an. Er macht ihn intellektuell, macht ihn genialisch. Dadurch kommen Plattheiten, dem Baal von Brecht zuinnerst angemessen, zum falschen Vorschein und in die falsche Kehle. Dadurch erst wird vieles mißverständlich. Das Pensum ist enorm, die Leistung nicht zu unterschätzen, aber es reicht nicht aus.
Das Premierenpublikum war unruhig. Geht aber trotzdem hin. Ihr seht sonst die Moritat vom Baal im Leben nicht wieder.

Manfred Vogel. Hamburger Echo, 6. 10. 1963

Schocktherapie mit Brecht
Des Dichters Erstling wurde jetzt in Wien ausgegraben

Wiens Avantgardistenkeller, das Ateliertheater, dessen Direktor und Star *Veit Relin* den Ehrgeiz hat, die Schockwirkung zur Kneippkur des kulturellen Normalverbrauchers zu machen, ging mit einem dröhnenden Paukenschlag in die neue

Saison: mit der späten österreichischen Erstaufführung von Bertolt Brechts dramatischem Erstling »Baal«.
Relin hat seine kühnsten Erwartungen auf diese Provokation gesetzt, er rechnete felsenfest mit einem zünftigen Skandal, für den das Stück in der Tat wie nach Maß geschneidert wirkt – aber das Premierenpublikum spielte nicht mit. Es bestand freilich nur aus Theaterkritikern, Branchenkollegen und jenen österreichischen Schriftstellern von siebzig aufwärts, die mehr oder weniger am gleichen literarischen Brandherd ihre ersten Menüs gekocht haben. Sentimentale Erinnerung mischte sich im Parkett also mit Neugier und respektvoller Toleranz – wer hätte da auf die gezielte Provokation anders als mit gemessenem Beifall reagieren sollen? Allerdings galt der Beifall auch einer für Kellertheaterverhältnisse fast sensationellen Aufführung, deren chorischer Prolog zumal als schlechthin mustergültig in Erinnerung bleiben wird. Zwar ging der geschickt auf einem rohen Holzpodest angesiedelten Inszenierung *Relins* und seiner eigenen Verkörperung der animalischen Titelrolle später bisweilen der Atem aus – *Relin* spielte offenkundig wider die eigene Natur, und das personenreiche Stück konnte er an der Peripherie kaum vollwertig besetzen –, doch im Detail gab es viele starke Akzente. Erstaunlich bei einem Ensemble, dessen durchschnittlicher Jahrgang nicht die geringste Beziehung zum Stil und zur Entstehungszeit dieser sonderbaren dramatischen Ballade vermuten ließe.
Ob die Ausgrabung sich gelohnt hat? Für die vergleichende Literaturwissenschaft sicher. Darüber hinaus vielleicht als Anschauungsunterricht, als Reminiszenz des dithyrambischen Theaters von 1920, das mit seinem expressionistischen Pathos oder seiner korrespondierenden Schnoddrigkeit Aufbruch zu neuen Ufern sein wollte und dabei, wiewohl bar jeder vernünftigen Dramaturgie, nur Schwanengesang einer letzten formprägenden Dramatikergeneration war.
Immerhin, das ist ja nicht wenig. Und es ist »Baals« Vermächtnis aus heutiger Sicht, wenn man die überflüssigen Obszönitäten des Textes abzieht. Relin dachte jedoch nicht daran, sie zu streichen, denn wer provozieren will, begibt sich nicht freiwillig der Chance, Schweinereien an den Mann zu bringen.

Formal kann man übrigens diesen Erstling als solide Grundlage für den ganzen Brecht nehmen. Moralisch indes – das heißt amoralisch – war der »Dichter des Proletariats« seinem geliebten Vorbild Villon nie wieder so nahe wie hier. Panerotik, maßlose Egozentrik, Suff, Mord, antibürgerliche Kloake, unterspickt mit leidenschaftlicher balladesker Lyrik und Hymnen auf das Tier im Menschen, Revue eines gewissenlosen Lebens und Strebens: das ist die Summe des »Baal«. Dem Ulbricht dürfte anzunehmenderweise solch ein Brecht nicht vor die Augen kommen ...

Dietmar Grieser. Frankfurter Rundschau, 26. 11. 1963

Baal wirbt für Nachttischlampen
Wiener Brecht-Bühne wird abgewürgt / Rettung durch Firmenreklame

»Ich hab's, ich hab's!«, ruft Baal, der wüste Barde, ganz im Glücksgefühl dessen, dem soeben der Vers aller Verse zugeflogen ist, seinen zechfreudigen Kumpanen zu und entrollt ein großes weißes Transparent. Doch der Text dieses Transparents, das er da buhlerisch dem Publikum entgegenstreckt, stammt nicht von Bert Brecht, sondern von der Firma Ungersböck, Radio-, Elektro- und Fernsehgroßhandel in Wien VII. Was, so fragt man, hat Geschäftsreklame in einer Brecht-Aufführung, was haben Werbeslogans auf den Brettern des »Ateliertheaters am Naschmarkt« verloren?
Sie sind der Verzweiflungsschritt jener Wiener Kellerbühne, die seit Jahren unter allen das anspruchsvollste und profilierteste literarische Programm hat, die mit ihrer seit Monaten allabendlich ausverkauften »Baal«-Aufführung mithalf, dem so dummen jahrelangen Wiener Brecht-Boykott ein Ende zu machen, und die dafür von der sonst durchaus reichlich subventionierenden öffentlichen Hand mit notorischer Ignorierung bestraft wird.
Veit Relin, der hochtalentierte und idealistische junge Leiter des Ateliertheaters, der seine persönlichen Einkünfte (aus einem Burgtheaterengagement sowie aus Regieaufträgen am

Theater in der Josefstadt und beim Fernsehen) regelmäßig in die kleine, im Souterrain eines Wiener Naschmarktkaffeehauses untergebrachte Avantgardebühne investierte, um sie weiterführen zu können, sieht, seitdem nun auch die Steuer sein Unternehmen abzuwürgen droht, keine andere Möglichkeit, als mit in die Vorstellung eingeblendeten Werbedurchsagen seine finanzielle Krise zu überwinden.
Damit hat Wien den traurigen Ruhm erworben, sogar Amerika, das doch in Sachen Reklame weiß Gott nicht als zimperlich gelten kann, überrundet zu haben: In den US-Theatern, die nicht ohne Reklamedarbietungen auskommen, werden diese immerhin – nach Art unserer Kinowerbung – an den Anfang der Vorstellung gerückt. Nur das Fernsehen vermengt bedenkenlos Kunst und Kommerz.
Ebenso muß nun »Ateliertheater«-Chef *Relin*, um den von seinem »Mäzen« gewünschten Werbeeffekt zu erzielen, mitten in der Szene zur »geschäftlichen Verfremdung« schreiten und sein gutbezahltes Reklamesprüchlein aufsagen – dort, wo der Dichter seinen Sänger Baal das seit langem gesuchte und nun endlich gefundene Gedicht herzeigen läßt. Es ist ein »Gedicht«, das von Radiogeräten, Nachttischlampen und Heimhöhensonnen handelt...
Man hatte sich auch in unseren Breiten schon daran gewöhnt, statt eines instruktiven Programmheftes einen überladenen Inseratenfriedhof am Theatereingang ausgehändigt zu bekommen; auch hatte man kaum noch etwas dabei gefunden, an der justament spannendsten Stelle seines Taschenbuchkrimis mit einem Zigaretten- oder Benzininserat an die Konsumfront zurückgerufen zu werden; man hatte sogar nachsichtig jene gewisse Reklame auf der Bühne in Kauf genommen, die sich in der allzu forcierten Zurschaustellung von Markenartikelrequisiten verbarg.
Doch bis jetzt konnte man immerhin davor sicher sein, daß die Schauspieler nicht irgendwo mitten im zweiten Akt in ihrem Text innehielten und flugs das Dichterwort zum baren Werbeslogan prostituierten. Daß zum Einstand dieser üblen Sitte ein Theater herhalten muß, das vielleicht unter allen Wiener Bühnen dasjenige mit dem interessantesten Spielplan ist, und eine Aufführung, derentwegen sich die Besucher Wochen im voraus mit Klappstühlchen um Billets anstellen,

ja derentwegen Brecht-Fans eigens nach Wien reisen, ist besonders betrüblich.
[...]

George Salmony. 8-Uhr-Blatt, Nürnberg, 27. 5. 1964

Bert Brechts Jugendsünde
»Baal« im Münchner Werkraumtheater – mehr Mut- als Talentprobe

[...]
Aber seien wir offen: das Schauspiel des 20jährigen Bert Brecht ist keine Talent-, sondern eine Mutprobe. Imponierend, was der Autor einem bourgeoisen Publikum jener Zeit an brachialen Emotionsexzessen und blasphemischem Hohn, an Sexualphantasie und Fäkalienverwertung zuzumuten wagte. Ein Rebell, dies gewiß, trat auf den Plan. Der Dichter, trotz manch schroff-eindrucksvollem Eiland im »absynthenen Meer« von Ekstase und Abschaum, hatte Verspätung. Brecht schuf sich einen Helden aus Dreck, Genie und Fusel, einen dionysischen Barden und Libertiner aus dem Fleische der Villons und Rimbauds.
Verschollene Wut, erstarrter Kraftakt der Weltverachtung, Bürgerschreck im Spiritusglas. Gewiß ein interessantes Museumsstück für Literaturhistoriker; eine Aufführung aber – selbst vor einem verschworenen Werkraumkreis – kann nur die eine furchtbare Erkenntnis bringen. Wie wundersam kraß sich Brecht aus dieser Welt romantisch-melodramatischer Verstiegenheit in das extreme Gegenteil hinübergerettet hat.
Das Publikum, einige ängstliche Minuten lang zu irritierter Heiterkeit neigend, verhielt sich dann höflich und zuvorkommend gegenüber der Spielgruppe des Wiener Ateliertheaters, die das Schauspiel nur wohl um einige Nuancen zu realistisch nahm. Ihr Leiter, Regisseur und Hauptdarsteller *Veit Relin* hatte eine gute Zeit mit dem Öffnen von Flaschen und Miedern – teils blauer Baal, teils erotischer Vielfraß und da-
Welt (»das Exkrement Gottes«) mit leichter, doch schmutzi-
zu noch ein eindrücklich verbeatnikter Übermensch, der die
ger Hand aus den Angeln hebt.

Hanns Braun. Christ und Welt, 12. 6. 1964

Werkraumtheaterwoche in München
Von Brecht bis Saunders

[...]
Es war auf paradoxale Weise hübsch, daß die eigentliche Gastspielwoche mit einem Stück anhob, das sein inzwischen verstorbener Autor bereits 1918, und zwar in München, geschrieben hatte. Nämlich mit dem hier nie gespielten Erstling Bertolt Brechts, »Baal«. Was das Wiener Ateliertheater vom Naschmarkt in Baals Geburtsstadt exportiert hatte, genügte zwar dem Übermenschen-Anspruch, den Brecht in seiner wedekindnahen anarchischen Frühperiode erhob, keineswegs. Denn *Relins* (Damen und Freunde konsumierender) Protagonist war ein bärtiger, schmuddeliger Pullover-Schwabinger ohne Anflug von geist-schöpferisch verstandener Genialität.
Der Zuschauer gewann dennoch ein Doppeltes: Er erlebte, daß Baals Exzesse in Sex und Suff, darauf berechnet, »den Bürger zu schrecken«, heute nur mehr nachsichtig belächelt wurden. Und er konnte auch begreifen lernen, warum ein Poet von so exzessiver Konstitution sich bald darnach auf das Floß einer Ideologie rettete: Wirklich erscheint das »Dienenwollen« als Rettungsaktion gegenüber dem drohenden totalen Selbstverlust durch Anarchie.
[...]

Oxford, Oxford University Dramatic Society; 16. 6. 1964

The Times, 17. 6. 1964

A Martyrdom of Squalor
Brecht's Baal

O.U.D.S. have done Brecht a signal disservice tonight. Were it not his first play, »Baal« would arouse little interest in

anyone and its selection for this term's major production seems, like its writing, a gesture of defiance.
[...]
The play and the production did each other considerable damage. Mr. *Geoffrey Reeves* infused the whole performance with considerable energy which tended to show up the undisciplined quality of the writing. By contrast, Brecht's repetitiveness gave no opportunity for any deepening of effect. The frequent liberties taken with the text were Brechtian by a sorry paradox: they merely shook one out of the idiom of the play.
This self-indulgent attitude to the production reflected itself in the acting. Mr. *Robert Davies's* Baal, fearfully resembling *Peter O'Toole*, lurched around on the stage, relapsing occasionally into a boisterous buffoon mocking at his own antics for the benefit of the audience. Some lively support came from Mr. *David Ambrose* and Mr. *Geoffrey Beak*.
But on the whole the evening, like the play, is a display of misdirected energies.

New York, Martinique Theatre; 29. 4. 1965

Howard Taubman. New York Times, 6. 6. 1965

Off Broadway in Late Bloom

[...]
Seasoned professional forces have a way of prettifying, diluting, and distorting Brecht. Furthermore, his style and views, though they have had a profound influence on Western theater, are still alien and antipathetic to people accustomed to the trivialities of most of the commercial offerings.
This defensive attitude of devout Brechtians has its justification. But if Brecht cannot be accommodated properly amidst the pressures and hoopla of big-time commercial theater, it does not follow that he lacks a large, potential audience in New York. Nor does it follow that men, institutions and

money are lacking to see to the production of his plays under circumstances that will allow them to find their audience.
For the moment the job is being done, however modestly, off Broadway. In recent weeks we have had productions of »Baal«, Brecht's first play, written in 1918, and the one-acter, »The Exception and the Rule«, written 13 years later.
[...]
Under *Gladys Vaughan's* direction »Baal« is being performed with gusto and integrity at the Martinique where it is playing in repertory with her impressive production of »Othello«.
[...]

Hamburg, Theater im Zimmer; 5. 8. 1967

Martin Sperr, Hans Neuenfels. Aus dem Programmheft

Zur Bearbeitung

Die vier Fassungen des »Baal« von Bertolt Brecht sind datiert: 1918, 1919, 1922, 1926.
Für unsere Bearbeitung verwendeten wir alle vier Fassungen. Wir stellten eine Szenenfolge her, wie sie keine der vier Fassungen bildet. In verschiedene Szenen übernahmen wir Bestandteile der Parallelszenen: aus einer Fassung, aus mehreren oder allen vier Fassungen. Verschiedene Szenen setzten wir mit Texten sich nicht entsprechender Szenen zusammen: aus einer Fassung, aus mehreren oder allen vier Fassungen. Die Szenenfolge teilten wir in zwei Abschnitte. [...]
Wir entdeckten »Baal« als eine Parabel von der ewig-plötzlichen Sehnsucht: Trampen, Gedichte, Skandal, Trunkenheit, Besoffensein, Mädchen, Ruhm, Freundschaft. Wir meinten, daß Glück eine Veränderung bedeute, für die wir letzten Endes selbst die Katastrophe hinnehmen, den Schmerz, die Vergewaltigung, die Ernüchterung, das Versagen, das Unglück sowohl für den, der sie auslöst, Baal oder wir, als auch für die, die die Katastrophe erfahren, wir oder die anderen.
[...]

»Baal«: ein demonstratives Durchmessen einer Kraft, die man zeigen muß, um sie zu gewinnen, und die es zu verlieren gilt, um sie wiederzuerhalten: die Parabel von der ewig-plötzlichen Sehnsucht, die beweist, daß das Pralle abmagern muß, auf daß es sehnig wird und bleibt.

Klaus Wagner. Frankfurter Allgemeine Zeitung, 11. 8. 1967

»Baal« – von und für Twens
Brechts Erstling im Hamburger Zimmertheater

[...]
Vor etwa einem Jahr erschien die textkritische Ausgabe der drei »Baal«-Fassungen aus dem Nachlaß als Ergänzung der Buchversion. Mit diesem wohlfeilen Suhrkamp-Bändchen ändert sich anscheinend das Bild. Jetzt läßt sich billig und leicht die Spanne nachmessen zwischen der wutschnaubend dramatisierten Polemik des jungen Brecht gegen den »idealistischen« Expressionismus Hanns Johsts in dessen Grabbe-Drama »Der Einsame« und der späteren »Baal«-Fassung von 1926; zwischen dem keuchenden Sturm und Drang des zwanzigjährigen Studenten und jener vergleichsweise kühlen Montage, der erkalteten Spätform einer »dramatischen Biografie«, die sich ihrerseits abhebt vom meistbekannten Buchtext. Diese offizielle Lesart seiner Jugendsünde hatte der alte Brecht »Bei Durchsicht meiner ersten Stücke« achselzuckend passieren lassen: »da mir die Kraft fehlt, es zu verändern«.
Für junge Leute von heute ist das anscheinend kein Grund, die Finger davon zu lassen. Zwei – wie man wohl sagen darf – Twens haben die vier vorliegenden Fassungen Brechts zu einer selbstgestrickten fünften zusammengezogen: *Martin Sperr*, der seit seinem Bremer Debüt mit den »Jagdszenen aus Niederbayern« als Urviech unter den jungen deutschen Autoren gilt, und *Hans Neuenfels*, der Krefelder Dramaturg und Regisseur. Im Hamburger Zimmertheater Gerda Gmelins stellt er, mitten in der Sommerpause, diesen umgekrempelten »Baal« zur Diskussion.
Zögernder Schwellenübergang: aus dem sommerwarmen Alsterpark in die enge Kleinvilla an der Alsterchaussee; gleich

fühlt man sich angerempelt. »Glotzt nicht so romantisch« will, auch ohne Spruchband, *Jürgen Fischers* Bühnenbild sagen. Getürmte Ablagekästen für allerhand Eindeutigkeiten als Portal, darüber ein aquarellbunter Fries, im übrigen weiße, kahle Stellwände. So leicht kann man Wilfried Minks und seinen Bremer Stil mißverstehen. Außerdem gibt es eine Brecht-Gardine in fleischigem Rosa; o schwerer Schock, wenigstens vorübergehend möchte man farbblind sein. [. . .]
Hans Neuenfels zeigt sich eingangs zum Schocker mit Brecht grimmig entschlossen. Er zieht zum öffnenden Choral vom Großen Baal eine Twist-Parodie ab. Ähnlich schließt er zweieinhalb Stunden später den Rahmen: mit einer riegenweisen auch optisch exekutierten Fuge für Baal-Solo und Sprechchor. Die Herausforderung ist nicht zu verkennen: Brecht-Texte, die manchen recht teuer sind, werden wie durch den Reißwolf gedreht, ohne falsche Scham als motorischer Antrieb für ein Sprechballett ausgenutzt. Im übrigen aber geht *Neuenfels* die zweigeteilte Szenenfolge, dieses durchaus merkwürdige Durcheinander von früher Brecht-Lyrik und Coca-Cola-Satire, von Villon-Zitaten und Bearbeiter-Zutaten (Dürrenmatt und Johannes R. Becher werden genannt), mit einem dreisten Stilgemisch an. Tremolierendes O-Mensch-Pathos an der Grenze zum Ulk löst sich ab mit stilisierenden Elementen des szenischen Sprechoratoriums, Besoffenenmimik mit häufiger Katzbalgerei auf dem Boden, das (durchaus unbrechtisch eingeführte) Götz-Zitat mit Sexualspielerei im Gammlerspital. Baal 67.
Das ist: Jugend-Bewegung als veranstaltete Turbulenz. Sichtbar viel guter Wille, doch Twen-Theater. Und auch eine knäbisch grausame Auslieferung Brechts an frühe Schwächen. Zu viel Schall erzeugt diese forcierte Aufführung im Zimmertheater, zu viel Rauch ist um die imitierten Räusche und die übertourten Ekstasen beim Jugendlichtun. Dahinter tritt die zeitlos aktuelle Parabel vom großen Amoralischen, vom Asozialen in einer asozialen Umwelt, ins Unscheinbare zurück. *Ulrich Wildgruber*, immerhin, hat die Stämmigkeit und das sprecherische Stehvermögen für den ausufernden Titelpart. Um seine Figur ist, zumindest episodenweise, etwas von der Aura des triebhaft Anarchischen, gleichsam die Ausdünstung des menschlichen Raubtiers. *Michael König* als ephe-

bisch-luziferischer Ekart setzt dagegen, in der Auffassung anfechtbar und recht verzappelt, nur Parfüm. Sein überanstrengtes Spiel ist symptomatisch für das zu ehrgeizige Unternehmen dieser »Baal«-Aufführung, die uns so mehr zur Lektüre verlockt.

Johannes Jacobi. Die Zeit, 18. 8. 1967

Brecht als Twen-Autor

Unser Kritiker sah: »Baal«
Stück von Bertolt Brecht. Hamburger Theater im Zimmer

[...]
Das Stück verlangt eigentlich drei Dutzend Schauspieler. *Hans Neuenfels* schaffte es mit einem Drittel, indem er Nebenrollen mehrfach besetzte.
Solche Einbuße an Individualität war hinzunehmen, zumal sich wenigstens einige Profile abzeichneten. Über schauspielerische Unzulänglichkeiten führte vor allem die Regie hinweg mit einem Furor an Temperament.
Das kühne Inszenierungsunternehmen triumphierte über seine eigenen Mängel, vor allem über eine überdimensionale Lautstärke. Getragen wurde es von zwei Schauspielern: *Ulrich Wildgruber* aus Heidelberg, ein abendfüllendes Urviech mit erstaunlicher Stilisierung der Sprache. Wildgruber präsentierte das Scheusal tonlich fast parodistisch, um dann, wenn Baal, der lyrische Dichter, spricht, Herztöne anzuschlagen. Abgesetzt von dieser mehrschichtigen Gestalt hatte der Regisseur den Baal-Freund Ekart von *Michael König*. Sein Beatle war naiver Natur, traumselig lief er sogar in das tödliche Messer des eifersüchtigen Baal.
Die Hamburger »Baal«-Vorstellungen ziehen ungewöhnlich viele junge Zuschauer an.

Bertolt Brecht
im Suhrkamp Verlag und im Insel Verlag

Werke. Große kommentierte Berliner und Frankfurter Ausgabe. Dreißig Bände. Herausgegeben von Werner Hecht, Jan Knopf, Werner Mittenzwei und Klaus-Detlef Müller. Gemeinschaftsausgabe des Aufbau-Verlages Berlin und Weimar und des Suhrkamp Verlages Frankfurt am Main. Leinen und Leder. (Die Bände erscheinen zwischen 1988 und 1993.)

Gesammelte Werke. 1967. Dünndruckausgabe in 8 Bänden. Leinen

Gesammelte Werke. 1967. Werkausgabe in 20 Bänden. Textidentisch mit der Dünndruckausgabe. Leinenkaschiert

Erste Gesamtausgabe in 40 Bänden von 1953ff. Nur noch teilweise lieferbar. Leinen und Paperback

Einzelausgaben

Arbeitsjournal 1938-1955. 3 Bände. Herausgegeben von Werner Hecht. Mit über 200 Abbildungen. Leinen und st 2215 (2 Bände)

Der aufhaltsame Aufstieg des Arturo Ui. es 144

Aufstieg und Fall der Stadt Mahagonny. Oper. es 21

Ausgewählte Gedichte. Auswahl von Siegfried Unseld. Nachwort von Walter Jens. es 86

Ausgewählte Gedichte Brechts mit Interpretationen. Herausgegeben von Walter Hinck. es 927

Baal. Drei Fassungen. Kritisch ediert und kommentiert von Dieter Schmidt. es 170

Baal. Der böse Baal der asoziale. Texte, Varianten, Materialien. Kritisch ediert und kommentiert von Dieter Schmidt. es 248

Das Badener Lehrstück vom Einverständnis. Die Rundköpfe und die Spitzköpfe. Die Ausnahme und die Regel. Drei Lehrstücke. es 817

Biberpelz und roter Hahn. Bearbeitung zweier Stücke von Gerhart Hauptmann. es 634

Brecht für Anfänger und Fortgeschrittene. Ein Lesebuch. Ausgewählt von Siegfried Unseld. Mit einem Vorwort von Hans Mayer. es 1826

Briefe an Marianne Zoff und Hanne Hiob. Herausgegeben von Hanne Hiob. Redaktion und Anmerkungen von Günter Glaeser. Leinen

Briefe. 2 Bände. Herausgegeben und kommentiert von Günter Glaeser. Leinen

Broadway – the hard way. Sein Exil in den USA. 1941–1947. es 1835

Der Brotladen. Ein Stückfragment. Bühnenfassung und Texte aus dem Fragment. es 339

Buckower Elegien. Mit Kommentaren von Jan Knopf. es 1397

Dialoge aus dem Messingkauf. BS 140

11/1/2.94

Bertolt Brecht
im Suhrkamp Verlag und im Insel Verlag

Bertolt Brechts Dreigroschenbuch. Texte, Materialien, Dokumente. Herausgegeben von Siegfried Unseld. st 87

Die Dreigroschenoper. Nach John Gays ›The Beggar's Opera‹. BS 1155 und es 229

Dreigroschenroman. st 1846

Einakter und Fragmente. es 449

Flüchtlingsgespräche. st 1793

Frühe Stücke. Baal. Trommeln in der Nacht. Im Dickicht der Städte. st 201

Furcht und Elend des Dritten Reiches. es 392

Gedichte. Ausgewählt von Autoren. Mit einem Geleitwort von Ernst Bloch. st 251

Die Gedichte in einem Band. Leinen

Gedichte über die Liebe. Ausgewählt von Werner Hecht. Leinen und st 1001

Gedichte und Lieder. Auswahl Peter Suhrkamp. BS 33

Die Geschäfte des Herrn Julius Caesar. Romanfragment. es 332

Geschichten vom Herrn Keuner. st 16

Die Gesichte der Simone Machard. es 369

Die Gewehre der Frau Carrar. es 219

Der gute Mensch von Sezuan. Parabelstück. es 73

Bertolt Brechts Hauspostille. Faksimile mit Erläuterungsband. 2 Bände. Kartoniert

Bertolt Brechts Hauspostille. Mit Anleitungen, Gesangsnoten und einem Anhang. BS 4 und st 2152

Bertolt Brechts Hauspostille. Mit Anleitungen, Gesangsnoten und einem Anhang. Radierungen von Christoph Meckel. it 617

Die heilige Johanna der Schlachthöfe. es 113

Herr Puntila und sein Knecht Matti. Volksstück. es 105

Ich bin aus den schwarzen Wäldern. Seine Anfänge in Augsburg und München. 1913-1924. es 1832

Der Jasager und Der Neinsager. Vorlagen, Fassungen, Materialien. Herausgegeben und mit einem Nachwort versehen von Peter Szondi. es 171

Der kaukasische Kreidekreis. es 31

Leben des Galilei. Schauspiel. es 1

Leben Eduards des Zweiten von England. Vorlage, Texte und Materialien. Ediert von Reinhold Grimm. es 245

Liebesgedichte. Ausgewählt von Elisabeth Hauptmann. IB 852

Liebste Bi! Briefe an Paula Banholzer. Herausgegeben von Helmut Gier und Jürgen Hillesheim. Kartoniert

11/2/2.94

Bertolt Brecht
im Suhrkamp Verlag und im Insel Verlag

Brecht-Liederbuch. Herausgegeben und kommentiert von Fritz Hennenberg. st 1216

Mann ist Mann. Die Verwandlung des Packers Galy Gay in den Militärbaracken von Kilkoa im Jahre neunzehnhundertfünfundzwanzig. Lustspiel. es 259

Die Maßnahme. Kritische Ausgabe mit einer Spielanleitung von Reiner Steinweg. es 415

Me-ti, Buch der Wendungen. BS 228

Die Mutter. es 200

Mutter Courage und ihre Kinder. Eine Chronik aus dem Dreißigjährigen Krieg. es 49

Der Ozeanflug. Die Horatier und die Kuriatier. Die Maßnahme. es 222

Politische Schriften. Ausgewählt von Werner Hecht. BS 242

Prosa. Bd. 1- 4. es 182-185

Die Rundköpfe und die Spitzköpfe. Bühnenfassung, Einzelszenen, Varianten. Herausgegeben von Gisela E. Bahr. es 605

Der Schnaps ist in die Toiletten geflossen. Seine Erfolge in Berlin. 1924-1933. es 1833

Schriften zum Theater. Über eine nicht-aristotelische Dramatik. Zusammengestellt von Siegfried Unseld. BS 41

Schriften zur Politik und Gesellschaft 1919-1956. st 199

Schweyk im zweiten Weltkrieg. es 132

Stücke. Bearbeitungen. Bd. 1. es 788

Stücke. Bearbeitungen. Bd. 2. es 789

Stücke in einem Band. Leinen

Svendborger Gedichte. Mit dem Kommentar von Walter Benjamin ›Zu den Svendborger Gedichten‹. BS 335

Die Tage der Commune. es 169

Tagebuch 1913. Faksimile der Handschrift und Transkription. Mit einem Geleitwort von Siegfried Unseld. Im Schuber

Tagebücher 1920-1922. Autobiographische Aufzeichnungen 1920-1954. Herausgegeben von Herta Ramthun. Leinen

Theaterarbeit in der DDR. 1948-1956. es 1836

Trommeln in der Nacht. Komödie. es 490

Über die bildenden Künste. Herausgegeben von Jost Hermand. es 691

Über experimentelles Theater. Herausgegeben von Werner Hecht. es 377

Über Klassiker. Ausgewählt von Siegfried Unseld. BS 287

Über Politik auf dem Theater. Herausgegeben von Werner Hecht. es 465

11/3/2.94

Bertolt Brecht
im Suhrkamp Verlag und im Insel Verlag

Der Untergang des Egoisten Johann Fatzer. Bühnenfassung von Heiner Müller. es 1830

Unterm dänischen Strohdach. Sein Exil in Skandinavien. 1933-1941. es 1834

Die unwürdige Greisin und andere Geschichten. Zusammengestellt von Wolfgang Jeske. st 1740

Das Verhör des Lukullus. Hörspiel. es 740

Materialien

Brecht im Gespräch. Diskussionen, Dialoge, Interviews. Herausgegeben von Werner Hecht. es 771

Brecht in den USA. Herausgegeben von James K. Lyon. stm. st 2085

Brechts ›Antigone‹. Herausgegeben von Werner Hecht. stm. st 2075

Brechts ›Aufstieg und Fall der Stadt Mahagonny‹. Herausgegeben von Fritz Hennenberg. stm. st 2081

Brecht-Journal. Herausgegeben von Jan Knopf. es 1191

Brecht-Journal 2. Herausgegeben von Jan Knopf. es 1396

Brechts ›Dreigroschenoper‹. Herausgegeben von Werner Hecht. stm. st 2056

Brechts ›Guter Mensch von Sezuan‹. Herausgegeben von Jan Knopf. stm. st 2021

Die heilige Johanna der Schlachthöfe. Bühnenfassung, Fragmente, Varianten. Kritisch ediert von Gisela E. Bahr. es 427

Brechts ›Kaukasischer Kreidekreis‹. Herausgegeben von Werner Hecht. stm. st 2054

Materialien zu Brechts ›Leben des Galilei‹. Zusammengestellt von Werner Hecht. es 44

Brechts ›Leben des Galilei‹. Herausgegeben von Werner Hecht. stm. st 2001

Materialien zu Brechts ›Mutter Courage und ihre Kinder‹. Zusammengestellt von Werner Hecht. es 50

Brechts ›Mutter Courage und ihre Kinder‹. Herausgegeben von Klaus-Detlef Müller. stm. st 2016

Materialien zu Bertolt Brechts ›Schweyk im zweiten Weltkrieg‹. Vorlagen (Bearbeitungen), Varianten, Fragmente, Skizzen, Brief- und Tagebuchnotizen. Ediert und kommentiert von Herbert Knust. es 604

Brechts Theorie des Theaters. Herausgegeben von Werner Hecht. stm. st 2074

11/4/2.94

Bertolt Brecht
im Suhrkamp Verlag und im Insel Verlag

Zu Bertolt Brecht

Bertolt Brecht. Leben und Werk im Bild. Mit autobiographischen Texten, einer Zeittafel und einem Essay von Lion Feuchtwanger. it 406

Bertolt Brecht. Sein Leben in Bildern und Texten. Mit einem Vorwort von Max Frisch. Herausgegeben von Werner Hecht. Leinen und it 1122

Walter Benjamin: Versuche über Brecht. Herausgegeben und mit einem Nachwort versehen von Rolf Tiedemann. es 172

Werner Hecht: Sieben Studien über Brecht. es 570

James K. Lyon: Bertolt Brecht und Rudyard Kipling. es 804

James K. Lyon: Bertolt Brecht in Amerika. Aus dem Amerikanischen von Traute M. Marshall. Leinen

Werner Mittenzwei: Das Leben des Bertolt Brecht oder Der Umgang mit den Welträtseln. 2 Bände. Leinen

Ernst und Renate Schumacher: Leben Brechts in Wort und Bild. Leinen

Antony Tatlow: Brechts chinesische Gedichte. Leinen

11/5/2.94

edition suhrkamp
Eine Auswahl

316/1/6.93

edition suhrkamp
Eine Auswahl

316/2/6.93

edition suhrkamp
Eine Auswahl

316/4/6.93

edition suhrkamp
Eine Auswahl

Hodjak: Franz, Geschichtensammler. es 1698
– Siebenbürgische Sprechübung. es 1622
Holbein: Der belauschte Lärm. es 1643
– Ozeanische Sekunde. es 1771
– Samthase und Odradek. es 1575
Huchel: Gedichte. es 1828
Irigaray: Speculum. es 946
Jahoda / Lazarsfeld / Zeisel: Die Arbeitslosen von Marienthal. es 769
Jansen: Reisswolf. es 1693
Jasper: Die gescheiterte Zähmung. NHB. es 1270
Jauß: Literaturgeschichte als Provokation. es 418
Johnson: Begleitumstände. es 1820
– Das dritte Buch über Achim. es 1819
– Der 5. Kanal. es 1336
– Ingrid Babendererde. es 1817
– Jahrestage 1. es 1822
– Jahrestage 2. es 1823
– Jahrestage 3. es 1824
– Jahrestage 4. es 1825
– Mutmassungen über Jakob. es 1818
– Porträts und Erinnerungen. es 1499
– Versuch, einen Vater zu finden. Marthas Ferien. es 1416
Über Uwe Johnson. es 1821
Jones: Frauen, die töten. es 1350
Joyce: Finnegans Wake. es 1524
– Penelope. es 1106
Judentum im deutschen Sprachraum. Hg. von K. E. Grözinger. es 1613
Junior: Jorge, der Brasilianer. es 1571
Kenner: Ulysses. es 1104
Kiesewetter: Industrielle Revolution in Deutschland 1815-1914. NHB. es 1539
Kipphardt: In der Sache J. Robert Oppenheimer. es 64
Kirchhoff: Body-Building. es 1005
Kluge, A.: Gelegenheitsarbeit einer Sklavin. es 733
– Lernprozesse mit tödlichem Ausgang. es 665
– Schlachtbeschreibung. es 1193
Kluge, U.: Die deutsche Revolution 1918/1919. NHB. es 1262
Köhler: Deutsches Roulette. es 1642
Koeppen: Morgenrot. es 1454
Kolbe: Bornholm II. es 1402
– Hineingeboren. es 1110
Konrád: Antipolitik. es 1293
– Die Melancholie der Wiedergeburt. es 1720
– Stimmungsbericht. es 1394
Krechel: Mit dem Körper des Vaters spielen. es 1716
Krippendorff: Politische Interpretationen. es 1576
– Staat und Krieg. es 1305
– »Wie die Großen mit den Menschen spielen.« es 1486
Kristeva: Fremde sind wir uns selbst. es 1604

316/5/6.93

edition suhrkamp
Eine Auswahl

Kristeva: Geschichten von der Liebe. es 1482
– Die Revolution der poetischen Sprache. es 949
Kritische Theorie und Studentenbewegung. es 1517
Kroetz: Bauern sterben. es 1388
– Bauerntheater. es 1659
– Furcht und Hoffnung der BRD. es 1291
– Mensch Meier. Der stramme Max. Wer durchs Laub geht ... es 753
– Nicht Fisch nicht Fleisch. Verfassungsfeinde. Jumbo-Track. es 1094
– Oberösterreich. Dolomitenstadt Lienz. Maria Magdalena. Münchner Kindl. es 707
– Stallerhof. Geisterbahn. Lieber Fritz. Wunschkonzert. es 586
Krynicki: Wunde der Wahrheit. es 1664
Laederach: Fahles Ende kleiner Begierden. es 1075
– Der zweite Sinn. es 1455
Lang / McDannell: Der Himmel. es 1586
Lehnert: Sozialdemokratie zwischen Protestbewegung und Regierungspartei 1848-1983. NHB. es 1248
Lem: Dialoge. es 1013
Lenz, H.: Leben und Schreiben. es 1425
Leroi-Gourhan: Die Religionen der Vorgeschichte. es 1073
Leutenegger: Lebewohl, Gute Reise. es 1001
– Das verlorene Monument. es 1315
Lévi-Strauss: Das Ende des Totemismus. es 128
– Mythos und Bedeutung. es 1027
Die Listen der Mode. Hg. von S. Bovenschen. es 1338
»Literaturentwicklungsprozesse«. Die Zensur der Literatur in der DDR.
Hg. von E. Wichner und H. Wiesner. es 1782
Llamazares: Der gelbe Regen. es 1660
Löwenthal: Mitmachen wollte ich nie. es 1014
Lüderssen: Der Staat geht unter – das Unrecht bleibt? es 1810
Lukács: Gelebtes Denken. es 1088
Maeffert: Bruchstellen. es 1387
de Man: Die Ideologie des Ästhetischen. es 1682
Marcus: Umkehrung der Moral. es 903
Marcuse: Ideen zu einer kritischen Theorie der Gesellschaft. es 300
Maruyama: Denken in Japan. es 1398
Mattenklott: Blindgänger. es 1343
Mayer: Gelebte Literatur. es 1427
– Versuche über die Oper. es 1050
Mayröcker: Magische Blätter. es 1202
– Magische Blätter II. es 1421
– Magische Blätter III. es 1646
Meckel: Von den Luftgeschäften der Poesie. es 1578

316/6/6.93

edition suhrkamp
Eine Auswahl

Medienmacht im Nord-Süd-Konflikt. Friedensanalysen Bd. 18. es 1166
Menninghaus: Paul Celan. es 1026
Menzel / Senghaas: Europas Entwicklung und die Dritte Welt. es 1393
Millás: Dein verwirrender Name. es 1623
Miłosz: Zeichen im Dunkel. es 995
Mitscherlich: Krankheit als Konflikt. es 164
– Die Unwirtlichkeit unserer Städte. es 123
Mitterauer: Sozialgeschichte der Jugend. NHB. es 1278
Möller: Vernunft und Kritik. NHB. es 1269
Morshäuser: Hauptsache Deutsch. es 1626
Moser: Besuche bei den Brüdern und Schwestern. es 1686
– Eine fast normale Familie. es 1223
– Der Psychoanalytiker als sprechende Attrappe. es 1404
– Romane als Krankengeschichten. es 1304
Muschg: Literatur als Therapie? es 1065
Mythos ohne Illusion. es 1220
Mythos und Moderne. es 1144
Nakane: Die Struktur der japanischen Gesellschaft. es 1204
Negt / Kluge: Geschichte und Eigensinn. es 1700
Ngũgĩ wa Thiong'o: Der gekreuzigte Teufel. es 1199
Nizon: Am Schreiben gehen. es 1328
Nooteboom: Berliner Notizen. es 1639
– Wie wird man Europäer? es 1869
Oehler: Pariser Bilder I (1830-1848). es 725
– Ein Höllensturz der Alten Welt. es 1422
Oppenheim: Husch, husch, der schönste Vokal entleert sich. es 1232
Oz: Politische Essays. es 1876
Paetzke: Andersdenkende in Ungarn. es 1379
Paz: Der menschenfreundliche Menschenfresser. es 1064
– Suche nach einer Mitte. es 1008
– Zwiesprache. es 1290
Petri: Schöner und unerbittlicher Mummenschanz. es 1528
Plenzdorf: Zeit der Wölfe. Ein Tag, länger als das Leben. es 1638
Politik der Armut und die Spaltung des Sozialstaats. Hg. von S. Leibfried und F. Tennstedt. es 1233
Politik ohne Projekt? Hg. von S. Unseld. es 1812
Powell: Edisto. es 1332
– Eine Frau mit Namen Drown. es 1516
Ein Pronomen ist verhaftet verhaftet worden. Hg. von E. Wichner. es 1671
Pusch: Alle Menschen werden Schwestern. es 1565
– Das Deutsche als Männersprache. es 1217

316/7/6.93

edition suhrkamp
Eine Auswahl

Raimbault: Kinder sprechen vom Tod. es 993
Rakusa: Steppe. es 1634
Reichert: Vielfacher Schriftsinn. es 1525
Ribeiro, D.: Unterentwicklung, Kultur und Zivilisation. es 1018
Ribeiro, J. U.: Sargento Getúlio. es 1183
Rodinson: Die Araber. es 1051
Rohe: Wahlen und Wählertraditionen in Deutschland. es 1544
Rosenboom: Eine teure Freundschaft. es 1607
Rosenlöcher: Die verkauften Pflastersteine. es 1635
– Die Wiederentdeckung des Gehens beim Wandern. es 1685
Roth: Die einzige Geschichte. es 1368
– Das Ganze ein Stück. es 1399
– Krötenbrunnen. es 1319
– Die Wachsamen. es 1614
Rubinstein: Sterben kann man immer noch. es 1433
Rühmkorf: agar agar – zaurzaurim. es 1307
Russell: Probleme der Philosophie. es 207
Schedlinski: die rationen des ja und des nein. es 1606
Schindel: Ein Feuerchen im Hintennach. es 1775
– Geier sind pünktliche Tiere. es 1429
– Im Herzen die Krätze. es 1511
Schleef: Die Bande. es 1127
Schöne Aussichten. Hg. v. Ch. Döring und H. Steinert. es 1593
Schönhoven: Die deutschen Gewerkschaften. NHB. es 1287
Schröder: Die Revolutionen Englands im 17. Jahrhundert. NHB. es 1279
Das Schwinden der Sinne. Hg. von D. Kamper und Ch. Wulf. es 1188
Segbers: Der sowjetische Systemwandel. es 1561
Senghaas: Europa 2000. es 1632
– Friedensprojekt: Europa. es 1717
– Konfliktformationen im internationalen System. es 1509
– Die Zukunft Europas. es 1339
Sieferle: Die Krise der menschlichen Natur. es 1567
Simmel: Schriften zur Philosophie und Soziologie der Geschlechter. es 1333
Sloterdijk: Der Denker auf der Bühne. es 1353
Sloterdijk: Eurotaoismus. es 1450
– Kopernikanische Mobilmachung und ptolemäische Abrüstung. es 1375
– Kritik der zynischen Vernunft. es 1099
– Versprechen auf Deutsch. es 1631
– Weltfremdheit. es 1781
Söllner: Kopfland. Passagen. es 1504
Staritz: Geschichte der DDR 1949-1985. NHB. es 1260
Steinwachs: G-L-Ü-C-K. es 1711
Stichworte zur ›Geistigen Situation der Zeit‹. 2 Bde. Hg. von J. Habermas. es 1000

316/8/6.93

edition suhrkamp
Eine Auswahl

316/9/6.93

Literaturwissenschaft
in der edition suhrkamp

Bachtin, Michail M.: Die Ästhetik des Wortes. Herausgegeben und eingeleitet von Rainer Grübel. Aus dem Russischen übersetzt von Rainer Grübel und Sabine Reese. es 967

Barthes, Roland: Der entgegenkommende und der stumpfe Sinn. Kritische Essays. Band III. Aus dem Französischen von Helmut Becker. es 1367

– Kritik und Wahrheit. Übersetzt von Helmut Scheffel. es 218

– Literatur oder Geschichte. Aus dem Französischen übersetzt von Helmut Scheffel. es 303

– Mythen des Alltags. Deutsch von Helmut Scheffel. es 92

– Das Reich der Zeichen. Aus dem Französischen von Michael Bischoff. es 1077

– Semiologisches Abenteuer. Aus dem Französischen von Dieter Hornig. es 1441

– Das Spiel der Zeichen. Ein Lesebuch. Herausgegeben von Raimund Fellinger. es 1841

– Die Sprache der Mode. Aus dem Französischen von Horst Brühmann. es 1318

Benjamin, Walter: Das Passagen-Werk. 2 Bde. Herausgegeben von Rolf Tiedemann. es 1200

– Versuche über Brecht. Herausgegeben und mit einem Nachwort versehen von Rolf Tiedemann. es 172

Bertaux, Pierre: Hölderlin und die Französische Revolution. es 344

Bildlichkeit. Herausgegeben von Volker Bohn. es 1475

Boal, Augusto: Theater der Unterdrückten. Übungen und Spiele für Schauspieler und Nicht-Schauspieler. Aus dem brasilianischen Portugiesisch von Henry Thorau und Marina Spinu. es 1361

Bohrer, Karl Heinz: Die Kritik der Romantik. es 1551

– Ohne Gewißheiten. Gegen eine Revision der Moderne. es 1968

– Der romantische Brief. Die Entstehung ästhetischer Subjektitvität. es 1582

Bovenschen, Silvia: Die imaginierte Weiblichkeit. Exemplarische Untersuchungen zu kulturgeschichtlichen und literarischen Präsentationsformen des Weiblichen. es 921

Brecht-Journal. Herausgegeben von Jan Knopf. es 1191

Brecht-Journal 2. Herausgegeben von Jan Knopf. es 1396

Briegleb, Klaus: »1968«. Literatur in der antiautoritären Bewegung. es 1669

Buch, Hans Christoph: Die Nähe und die Ferne. Bausteine zu einer Politik des kolonialen Blicks. es 1663

310/1/3.96

Literaturwissenschaft
in der edition suhrkamp

Bürger, Peter: Aktualität und Geschichtlichkeit. Studien zum gesellschaftlichen Funktionswandel der Literatur. es 879
– Theorie der Avantgarde. es 727
Dedecius, Karl: Poetik der Polen. Frankfurter Vorlesungen. es 1690
Dekonstruktiver Feminismus. Literaturwissenschaft in Amerika. Herausgegeben von Barbara Vinken. es 1678
Deleuze, Gilles: Kritik und Klinik. Aus dem Französischen von Joseph Vogl. es 1919
Deleuze, Gilles / Félix Guattari: Kafka. Für eine kleine Literatur. Aus dem Französischen von Burkhart Kroeber. es 807
Deleuze, Gilles / Claire Parnet: Dialoge. Aus dem Französischen übersetzt von Bernd Schwibs. es 666
Deutschsprachige Gegenwartsliteratur: Wider ihre Verächter. Herausgegeben von Christian Döring. es 1938
Federman, Raymond: Surfiction: Der Weg der Literatur. Hamburger Poetik-Lektionen. Aus dem Amerikanischen von Peter Torberg. es 1667
Fellinger, Raimund: Paul de Man – Eine Rekonstruktion. es 1677
Felman, Shoshana: Der Wahnsinn und das Literarische. Aus dem Französischen von Dieter Hornig. es 1918
Fragment und Totalität. Herausgegeben von Lucien Dällenbach und Christiaan L. Hart Nibbrig. es 1107
Frank, Manfred: Gott im Exil. Vorlesungen über die Neue Mythologie. II. Teil. es 1506
– Der kommende Gott. Vorlesungen über die Neue Mythologie. I. Teil. es 1142
– Motive der Moderne. es 1456
Genette, Gérard: Palimpseste. Die Literatur auf zweiter Stufe. Aus dem Französischen von Wolfram Bayer und Dieter Hornig. Herausgegeben von Karl Heinz Bohrer. es 1683
Hahn, Barbara: Unter falschem Namen. Von der schwierigen Autorschaft der Frauen. es 1723
Hart Nibbrig, Christiaan L.: Die Auferstehung des Körpers im Text. es 1221
Hijiya-Kirschnereit, Irmela: Was heißt: Japanische Literatur verstehen? Essays zur modernen japanischen Literatur und Literaturkritik. es 1608
Hörisch, Jochen: Gott, Geld und Glück. Zur Logik der Liebe in den Bildungsromanen Goethes, Kellers und Thomas Manns. es 1180
Jauß, Hans Robert: Literaturgeschichte als Provokation. es 418

310/2/3.96

Literaturwissenschaft
in der edition suhrkamp

Johnson, Uwe: Begleitumstände. Frankfurter Vorlesungen. es 1820
Kenner, Hugh: Ulysses. Aus dem Englischen von Claus Melchior und Harald Beck. es 1104
Krippendorff, Ekkehart: Politische Interpretationen. Shakespeare, Stendhal, Balzac, Wagner, Hašek, Kafka, Kraus. es 1576
– »Wie die Großen mit den Menschen spielen.« Goethes Politik. es 1486
Kristeva, Julia: Geschichten von der Liebe. Aus dem Französischen von Dieter Hornig. es 1482
– Mächte des Grauens. Ein Versuch über den Abscheu. Aus dem Französischen von Xenia Rajewski. es 1684
– Die Revolution der poetischen Sprache. Aus dem Französischen übersetzt und mit einer Einleitung versehen von Reinold Werner. es 949
– Schwarze Sonne – Depression und Melancholie. es 1594
Kultur und Konflikt. Herausgegeben von Jan Assmann und Dietrich Harth. es 1612
Lejeune, Philippe: Der autobiographische Pakt. Aus dem Französischen von Wolfram Bayer und Dieter Hornig. es 1896
»Literaturentwicklungsprozesse«. Die Zensur der Literatur in der DDR. Herausgegeben von Ernest Wichner und Herbert Wiesner. es 1782
Mahony, Peter: Der Schriftsteller Sigmund Freud. Aus dem Englischen von Helmut Junker. es 1484
de Man, Paul: Allegorien der Lektüre. es 1357
– Die Ideologie des Ästhetischen. Aus dem Amerikanischen von Jürgen Blasius. Herausgegeben von Christoph Menke. es 1682
Mayer, Hans: Das Geschehen und das Schweigen. Aspekte der Literatur. es 342
Über Hans Mayer. Herausgegeben von Inge Jens. es 887
Meckel, Christoph: Von den Luftgeschäften der Poesie. Frankfurter Vorlesungen. es 1578
Menninghaus, Winfried: Paul Celan. Magie der Form. es 1026
– Schwellenkunde. Walter Benjamins Passage des Mythos. es 1349
Moser, Tilmann: Romane als Krankengeschichten. Über Handke, Meckel und Martin Walser. es 1304
Mythos und Moderne. Begriff und Bild einer Rekonstruktion. Herausgegeben von Karl Heinz Bohrer. es 1144
Oehler, Dolf: Pariser Bilder I (1830-1848). Antibourgeoise Ästhetik bei Baudelaire, Daumier und Heine. es 725
– Ein Höllensturz der Alten Welt. Pariser Bilder II. es 1422
Ein Pronomen ist verhaftet worden. Die frühen Jahre in Rumänien – Texte der Aktionsgruppe Banat. Herausgegeben von Ernest Wichner. es 1671

310/3/3.96

Literaturwissenschaft
in der edition suhrkamp

Reichert, Klaus: Vielfacher Schriftsinn. Zu »Finnegans Wake«. es 1525

Romantik. Literatur und Philosophie. Internationale Beiträge zur Poetik. Herausgegeben von Volker Bohn. es 1395

Rühmkorf, Peter: agar agar – zaurzaurim. Zur Naturgeschichte des Reims und der menschlichen Anklangsnerven. Textillustrationen vom Autor. es 1307

Schlaffer, Hannelore / Heinz Schlaffer: Studien zum ästhetischen Historismus. es 756

Schlaffer, Heinz: Der Bürger als Held. Sozialgeschichtliche Auflösungen literarischer Widersprüche. es 624

Sozialistische Realismuskonzeptionen. Dokumente zum 1. Allunionskongreß der Sowjetschriftsteller. Herausgegeben von Hans-Jürgen Schmitt und Godehard Schramm. es 701

Szondi, Peter: Theorie des modernen Dramas. es 27

Tendenz Freisprache. Texte zu einer Poetik der achtziger Jahre. Herausgegeben von Ulrich Janetzki und Wolfgang Rath. es 1675

Typologie. Internationale Beiträge zur Poetik. Herausgegeben von Volker Bohn. es 1451

Übersetzung und Dekonstruktion. Herausgegeben von Alfred Hirsch. es 1897

Uspenskij, Boris Andreevič: Poetik der Komposition. Struktur des künstlerischen Textes und Typologie der Kompositionsform. Herausgegeben und nach einer revidierten Fassung des Originals bearbeitet von Karl Eimermacher. Aus dem Russischen übersetzt von Georg Mayer. es 673

Vargas Llosa, Mario: Gegen Wind und Wetter. Literatur und Politik. Aus dem Spanischen von Elke Wehr. es 1513

Verteidigung der Schrift. Kafkas »Prozeß«. Herausgegeben von Frank Schirrmacher. es 1386

Zimmermann, Hans Dieter: Der babylonische Dolmetscher. Zu Franz Kafka und Robert Walser. es 1316

– Vom Nutzen der Literatur. Vorbereitende Bemerkungen zu einer Theorie der literarischen Kommunikation. es 885

310/4/3.96